«Esta novela debut
...ariamente construida
...l lector a través de un
...miliar en el que todos
...podemos identificarnos. Que la
autora sea capaz de hacerlo de
un modo tan convincente
usando la mirada y la voz de
una mujer con Alzheimer es un
logro admirable. Conmovedora
y sensacional, resulta irresistible
y dolorosa de leer a la vez.»

— Library Journal

misterio con el drama
familiar, confiriendo un
nuevo sentido al término
"thriller psicológico".»

—Vanity Fair

«Un maravilloso retrato de una mujer de gran
inteligencia que lucha para retener la conciencia de sí
misma. Escrita con maestría, esta ópera prima es
fascinante en muchos niveles, desde la descripción
conmovedora e inteligente de una enfermedad
angustiosa, al retrato
cautivador de las oscuras
complejidades que
entrañan la amistad
y el matrimonio.»

—Booklist

« Admirable.
Un exquisito
éxito literario.»

—Publishers Weekly

«Intensa, inolvidable y original. Una recreación
completa y forjada con brillantez de los defectos
y el potencial de la memoria.»

—The New York Times Book Review

«Un intento efectivo, ambicioso y apasionante de capturar las ideas y pensamientos, a ratos confusos, conspiradores, vívidos y claros, de una persona que se encuentra atrapada en las garras de una enfermedad mental. La autora nos recuerda con vehemencia que, independientemente de nuestra salud, la realidad puede ser vaga y subjetiva.»

—The San Francisco Chronicle

«Un engaño brillante y audaz… Perfecto.»
—Chicago Sun-Times

« Una novela policíaca que engancha. Un retrato inolvidable del proceso del olvido.»

—The Washington Post Book World

«A medida que la demencia devora la mente de la narradora, ella lucha por recordar hasta qué punto está implicada en el asesinato de su mejor amiga. Los personajes de LaPlante son totalmente creíbles; el argumento, magistral.»
—Donna Leon

«Esta angustiosa exploración de la lenta desintegración de la mente es profundamente conmovedora, al tiempo que es un éxito literario que engancha desde la primera página. Me ha encantado.»
—S. J. Watson

NO
RECUERDO
SI LO HICE

Alice LaPlante

NO RECUERDO SI LO HICE

Traducción:
ÁLVARO ABELLA VILLAR

MAEVA

Título original:
Turn of Mind

Diseño e imagen de cubierta:
ELSA SUÁREZ sobre una imagen de JANET MATTHEWS/ARCANGEL IMAGES

Fotografía de la autora:
ANNE KNUDSEN

© Alice LaPlante, 2011
© de la traducción: ÁLVARO ABELLA VILLAR, 2013
© MAEVA EDICIONES, 2013
  Benito Castro, 6
  28028 MADRID
  emaeva@maeva.es
  www.maeva.es

ISBN: 978-84-15532-70-5
Depósito legal: M-22.900-2013

Fotomecánica: MCF Textos, S. A.
Impresión y encuadernación: Huertas, S. A.
Impreso en España / Printed in Spain

Para Alice Gervase O'Neill LaPlante

UNO

Ha pasado algo. Siempre se sabe. Recuperas la consciencia y descubres el destrozo: una lámpara rota, un rostro humano desolado que se difumina justo cuando estás a punto de reconocerlo. A veces, es alguien con un uniforme: un paramédico, una enfermera. Una mano extendida con una pastilla. O dispuesta a clavar una aguja.

En esta ocasión, me encuentro en una habitación, sentada en una fría silla metálica plegable. La estancia no me resulta familiar, pero ya estoy acostumbrada a eso. Busco pistas: ambientación de oficina, amplia y llena de sillas y ordenadores, desorden de papeles. Sin ventanas.

Apenas puedo distinguir el verde pálido de las paredes, de tantos carteles, recortes y anuncios clavados con chinchetas. La luz de los fluorescentes provoca sombras. Hombres y mujeres hablando; entre ellos, no conmigo. Algunos llevan trajes holgados, otros van en vaqueros. Y más uniformes. Supongo que una sonrisa estaría fuera de lugar. El miedo, puede que no tanto.

Todavía soy capaz de leer, aún no he llegado a ese punto, todavía no. Libros, ya no, pero artículos de periódico, sí. Reportajes de revistas, si no son muy largos. Tengo un método. Saco una hoja de papel rayado. Tomo apuntes, como en la Facultad de Medicina.

Cuando me pierdo, leo las notas. Las consulto. Puede llevarme dos horas acabar un solo artículo del *Tribune*, medio día leerme *The New York Times*. Ahora, sentada a la mesa, tomo un papel que alguien ha dejado, un lápiz. Escribo en el margen mientras leo. *Estas soluciones no son más que un parche. Los brotes violentos persisten. Recogen lo que sembraron y deberían arrepentirse.*

Más tarde, miro esas notas pero solo me dejan una sensación de malestar, de descontrol. Un hombre corpulento vestido de azul se cierne ante mí, con la mano a centímetros de mi brazo. Listo para agarrar. Reprimir.

¿Entiende los derechos que acabo de leerle? Teniendo en cuenta estos derechos, ¿desea hablar conmigo?

Quiero irme a casa. Quiero irme a casa. Estoy en Filadelfia. Estaba en la casa de Walnut Lane. Jugábamos al *kickball**** en la calle.

No, esto es Chicago, distrito Cuarenta y tres, barrio Veintiuno. Hemos llamado a sus hijos. A partir de este momento, puede decidir poner fin a esta entrevista acogiéndose a estos derechos.

Deseo poner fin. Sí.

Hay un gran letrero pegado a la pared de la cocina. Las palabras, escritas con un rotulador grueso negro con mano temblorosa, serpentean por el cartel: «Me llamo doctora Jennifer White. Tengo sesenta y cuatro años. Padezco demencia. Mi hijo, Mark, tiene veintinueve años. Mi hija, Fiona, veinticuatro. Una cuidadora, Magdalena, vive conmigo».

Todo está muy claro. Entonces, ¿quiénes son todas esas otras personas que están en mi casa? Gente, extraños, por todas partes. Una mujer rubia a la que no reconozco tomando té en mi cocina. Puedo atisbar movimiento en el salón. Doblo la esquina, entro en la sala de estar y me encuentro con un rostro más. Le pregunto, ¿Y tú quién eres? ¿Quiénes son todos esos? ¿*La* conoces? Señalo hacia la cocina, y se ríen.

---

* Deporte callejero similar al béisbol, muy popular en Estados Unidos. (*N. del T.*)

Yo *soy* ella, dicen. Yo estaba allí, ahora estoy aquí. Soy la única persona que hay en la casa, aparte de ti. Me preguntan si quiero un té. Me preguntan si quiero salir a dar un paseo. ¿Soy un bebé?, digo. Estoy cansada de las preguntas. *Me conoces, ¿verdad? ¿No te acuerdas? Magdalena. Tu amiga.*

El cuaderno de notas es una forma de comunicarme conmigo misma, y con los demás. De llenar los períodos en blanco. Cuando todo está envuelto en brumas, cuando alguien menciona un evento o una conversación que no puedo recordar, hojeo las páginas. A veces me consuela leer lo que hay. A veces, no. Es mi biblia de la consciencia. Vive en la mesa de la cocina: grande y cuadrado, con una cubierta de cuero repujado y papel grueso de color crema. Cada entrada lleva una fecha. Una mujer amable me invita a sentarme frente a ella.

Escribe: «20 de enero de 2009. Notas de Jennifer». Me pasa el bolígrafo. Dice, *Escribe lo que ha pasado hoy. Escribe sobre tu infancia. Escribe lo que recuerdes.*

Recuerdo mi primera artrodesis de muñeca. La presión del bisturí sobre la piel, el ligero tirón cuando finalmente rasgó. La resistencia del músculo. Mis tijeras quirúrgicas rozando el hueso. Y, después, quitarme unos guantes ensangrentados dedo a dedo.

Negro. Todos van de negro. Caminan en grupos de dos y tres por la calle hacia la parroquia de Saint Vincent, envueltos en abrigos y bufandas que cubren sus cabezas y la parte inferior de la cara frente a lo que aparentemente es un viento cortante.

Estoy dentro de mi cálida casa, con el rostro frente a la ventana congelada, Magdalena rondando cerca. Solo puedo ver las puertas de madera tallada de tres metros y medio. Están abiertas de par en par, y la gente entra. Hay un coche fúnebre delante, y otros vehículos en fila detrás, con las luces encendidas.

Es Amanda, me dice Magdalena. *El funeral de Amanda.* ¿Quién es Amanda?, pregunto. Magdalena duda, y luego dice, *Tu mejor amiga. La madrina de tu hija.*

Lo intento. No lo consigo. Meneo la cabeza. Magdalena toma mi cuaderno. Pasa las páginas. Me señala un recorte de periódico:

Aparece muerta y mutilada una anciana en Chicago.

CHICAGO TRIBUNE – 23 de febrero de 2009.

CHICAGO, IL. – El cadáver mutilado de una mujer de setenta y cinco años de Chicago fue descubierto ayer en una casa del bloque 2100 de Sheffield Avenue.

Amanda O'Toole apareció muerta en su casa después de que una vecina se fijara en que llevaba casi una semana sin recoger sus periódicos, según fuentes cercanas a la investigación. Le habían amputado cuatro dedos de la mano derecha. Se desconoce el momento exacto de la muerte, pero la causa se atribuye a un traumatismo en la cabeza, afirman estas fuentes.

No se ha echado en falta nada en su casa.

Nadie ha sido acusado, pero la Policía detuvo provisionalmente a una persona relacionada con el caso para luego ponerla en libertad.

Lo intento, pero no consigo traer nada a mi memoria. Magdalena se va. Vuelve con una foto.

Dos mujeres. Una es unos cinco centímetros más alta que la otra, con un cabello largo, liso y blanco recogido en un moño apretado. La otra, más joven, luce unos mechones grises ondulados más cortos que envuelven unas facciones cinceladas de aspecto más femenino. Seguramente fue hermosa, en el pasado.

Esta eres tú, dice Magdalena, señalando a la más joven. *Y esta de aquí, esta es Amanda.* Analizo la fotografía.

La mujer más alta tiene un rostro interesante. No precisamente hermoso. Ni lo que se diría agradable. Demasiado afilado en la nariz, líneas quizá de desdén grabadas en los carrillos. Las dos mujeres están de pie, juntas pero sin tocarse, aunque se aprecia cierta afinidad.

Intenta recordar, me insiste Magdalena. *Podría ser importante.* Su mano se posa con fuerza en mi hombro. Quiere algo de mí. ¿El qué? Pero de repente me siento muy cansada. Me tiemblan las manos. El sudor corre entre mis pechos.

Quiero irme a mi cuarto, digo. Aparto de un golpe la mano de Magdalena. Dejadme tranquila.

¿Amanda? ¿Muerta? No puedo creerlo. Mi querida y adorada amiga. La madrina de mis hijos. Mi confidente en el barrio. Mi hermana.

De no ser por Amanda, habría estado sola. Yo era diferente. Siempre apartada. La que se quedaba fuera.

Aunque nadie se enteraba. Los engañaban las apariencias, tan fáciles de embaucar. Nadie comprendía las debilidades como Amanda. Me vio y me salvó de mi soledad secreta. ¿Y dónde estaba yo cuando ella me necesitaba? Aquí. Tres puertas más abajo. Revolcándome en mis penas. Mientras ella sufría. Mientras algún monstruo blandía un cuchillo y se colaba en su casa para matarla.

¡Ay, el dolor! Demasiado dolor. Dejaré de tragarme las pastillas. Me llevaré el bisturí al cerebro y extirparé su imagen. Voy a implorar justamente esa cosa contra la que llevo luchando todos estos largos meses: el dulce olvido.

La mujer amable escribe en mi cuaderno. Firma con su nombre: Magdalena. *Hoy, viernes 11 de marzo, ha sido otro día malo. Te has tropezado en un escalón y te has roto un dedo del pie. En urgencias, te escapaste al aparcamiento. Un celador te trajo de vuelta. Le escupiste.*

La vergüenza.

Este medio estado. La vida en las sombras. Mientras los ovillos neurofibrilares proliferan, mientras las placas seniles se endurecen, mientras las sinapsis dejan de disparar y mi mente se pudre, sigo consciente. Una paciente sin anestesiar.

La muerte de cada célula me pincha donde más sensible soy. Y gente a la que no conozco me trata como si fuera una niña. Me abrazan. Intentan agarrarme de la mano. Me llaman con apodos pueriles. *Jen. Jenny*. Acepto con amargura el hecho de que soy famosa, querida, incluso, entre extraños. ¡Una celebridad!

Soy toda una leyenda, pero solo en mi mente.

Últimamente, mi cuaderno está lleno de advertencias. *Mark está muy enfadado hoy. Me ha colgado. Magdalena dice que no hable con nadie que llame. Que no abra la puerta cuando ella esté haciendo la colada en el baño.*

Luego, con una letra distinta: *Mamá, no estás segura con Mark. Cédeme la tutela médica a mí, Fiona. De todos modos, es mejor que la tutela médica y la financiera estén en las mismas manos.* Algunas cosas están tachadas, no, totalmente eliminadas, con un rotulador grueso negro. ¿Por quién?

De nuevo, mi cuaderno:

Mark ha llamado. Dice que mi dinero no me salvará. Que debo escucharlo. Que hay otras acciones que debemos hacer para protegerme.

Luego: *Mamá, he vendido acciones de IBM por un valor de 50.000 dólares para el anticipo de la abogada. Viene recomendada para casos que tratan sobre incapacidad mental. No tienen pruebas, solo teorías. El doctor Tsien te ha prescrito 150 miligramos de Seroquel para controlar los episodios. Volveré mañana, sábado. Tu hija, Fiona.*

Estoy en un grupo de apoyo de Alzheimer. La gente viene y se va.

Esta mañana Magdalena dice que es un buen día, podemos intentar asistir. El grupo se reúne en la iglesia metodista de Clark, pequeña y gris, con paredes de tablones de madera y unas chillonas vidrieras de colores primarios.

Nos reunimos en el salón parroquial, una gran habitación con ventanas que no se abren y suelo de linóleo moteado con las marcas de rayones de las sillas plegables de metal. Un grupo variopinto, seremos una media docena, con nuestras mentes en varios estados de desnudez. Magdalena espera fuera con las otras cuidadoras. Se alinean en bancos en el oscuro pasillo, tejiendo y hablando bajito entre ellas, pero atentas, preparadas para levantarse y llevarse a los enfermos a su cargo ante el más mínimo asomo de problemas.

Nuestro responsable es un joven con el título de trabajador social. Tiene una cara amable e insegura, y le gusta empezar con preámbulos y un chiste. *Me llamo Nomeacuerdo y soy nosequé.* Se refiere a lo que hacemos como los Dos Pasos en Círculo. *El primer paso es admitir que tienes un problema. El segundo paso es olvidar que tienes ese problema.*

Siempre consigue arrancar una risa, de algunos porque recuerdan la broma de la sesión anterior, pero de la mayoría porque para ellos es nueva, no importa cuántas veces la hayan oído.

Hoy es un buen día para mí. Me acuerdo. Incluso añadiría un tercer paso: *El tercer paso es acordarte de que te olvidas.* El tercer paso es el más duro de todos.

Hoy hemos hablado sobre *actitud.* Así es como lo llama el responsable. A todos os han dado este diagnóstico extraordinariamente inquietante, dice. Todos sois gente culta, inteligente. Sabéis que se os está acabando el tiempo. Lo que hagáis con él es cosa vuestra. ¡Sed positivos! Tener Alzheimer puede ser como ir a una fiesta donde resulta que no conoces a nadie. ¡Pensad en ello! ¡Cada comida puede ser la mejor de vuestra vida! ¡Cada película, la más fascinante que hayáis visto! *Tened sentido del humor,* dice. *Sois un visitante de otro planeta, y estáis estudiando las costumbres locales.*

Pero ¿qué pasa con el resto de nosotros, para quienes las paredes se están estrechando?, ¿a quienes siempre nos dio pánico el cambio? A los trece años, dejé de comer durante una semana porque mi madre había comprado sábanas nuevas para mi cama. Para nosotros, la vida ahora es terriblemente peligrosa. En cada esquina se esconde un riesgo. Así que asientes ante todos los extraños que se te presentan por la fuerza. Te ríes cuando los demás se ríen, te pones seria cuando se ponen serios. Cuando la gente te pregunta *¿Te acuerdas?*, asientes un poco más. O tuerces el gesto primero, pero luego dejas que se ilumine tu cara, confirmando que recuerdas.

Todo esto es necesario para sobrevivir. *Soy una visitante de otro planeta, y los nativos no son muy amistosos.*

Abro sola mi correo. Luego, desaparece. De repente. Hoy, peticiones para salvar a las ballenas, salvar a los pandas, por un Tíbet libre.

Mi extracto bancario muestra que tengo 3.567,89 dólares en una cuenta corriente del Bank of America. Hay otra notificación de un agente de bolsa, Michael Brownstein. Lleva mi nombre en el encabezamiento. Mis activos han caído un diecinueve por ciento en los últimos seis meses. Por lo visto, ahora suman un total de 2.560.000 dólares. Añade una nota: *No está tan mal como podría haber sido debido a su conservadora selección de inversiones y a una amplia estrategia de diversificación de la cartera.*

¿2.560.000 dólares es mucho dinero? ¿Es suficiente? Contemplo las letras en la página hasta que se vuelven borrosas. AAPL, IBM, CVR, ASF, SFR. El idioma secreto del dinero.

James es taimado. James tiene secretos. Algunos los conozco; la mayoría, no. ¿Dónde está hoy? Los niños han ido al colegio. La casa se encuentra vacía, a excepción de una mujer que parece ser una especie de asistenta del hogar. Está ordenando los libros en el salón, tarareando una canción que no reconozco. ¿La ha contratado James? Probablemente. Alguien debe ocuparse de mantener las cosas ordenadas, para que la casa parezca bien atendida; yo siempre me he mostrado reticente a las labores del hogar, y James, aunque es un ordenado compulsivo, está demasiado ocupado. Siempre de aquí para allá. En misiones de paisano. Como ahora. Amanda no lo aprueba. *Los matrimonios tienen que ser transparentes*, dice. *Deben aguantar el resplandor de la luz del sol.* Pero James es un hombre sombrío. Necesita estar cubierto, florece en la oscuridad. El propio James lo explicó hace tiempo, se inventó la metáfora perfecta. O, mejor dicho, la arrancó de la naturaleza. Y aunque no me fío de las categorizaciones demasiado estrictas, esta sonaba convincente. Era un día caluroso y húmedo de verano, en la casa de la infancia de James en Carolina del Norte. Antes de que nos casáramos. Habíamos salido a dar un paseo después de cenar mientras se ponía el sol y apenas doscientos metros más allá del porche trasero de la casa de sus padres nos encontramos en medio de un bosque virgen, oscuro, con árboles regados de musgo blanco, nuestras pisadas apagadas por el manto de hojas muertas que cubrían el suelo. Ramas de helecho se desplegaban entre la rocalla, y alguna seta brillaba en solitario. James las señaló. *Venenosas*, dijo. Cuando habló, un pájaro cantó. Por lo demás, silencio. Si había un camino, yo no podía verlo, pero James avanzaba firme y, como por arte de magia, se abría una senda ante nosotros. Habíamos recorrido quizá medio kilómetro, la luz decayendo minuto a minuto, cuando James se detuvo. Señaló algo. A los pies de un árbol, entre una masa de musgo verde y amarillento, algo brillaba con un blanco fantasmal. Una flor, una flor solitaria sobre un largo tallo blanco. James soltó un suspiro. *Tenemos suerte*, dijo. *A veces puedes buscarlas durante días sin encontrar ninguna.*

¿Y qué es?, le pregunté. La flor emitía luz propia, tan fuerte que varios insectos giraban a su alrededor, como atraídos por su brillo.

Una planta fantasma, dijo James. *Monotropa uniflora.* Se agachó y encerró la flor entre sus manos, con cuidado de no arrancarla de su tallo. *Es una de las pocas plantas que no necesitan luz. En realidad, crece en la oscuridad.*

¿Cómo es posible?, pregunté.

Es un parásito. No realiza la fotosíntesis, sino que se alimenta de los hongos y árboles que la rodean, deja que otros hagan el trabajo duro. Siempre he sentido cariño por ella. Admiración, incluso. Porque no es fácil. Por eso no están muy extendidas. La planta tiene que encontrar al huésped apropiado, y deben darse las condiciones exactas para que florezca. Pero cuando florece, es realmente espectacular. Dejó la flor y se levantó.

Sí, puedo verlo, dije.

¿Puedes?, preguntó James. *¿De verdad puedes?*

Sí, repetí, y la palabra permaneció suspendida entre ambos en el ambiente cargado y húmedo, como una promesa. Un voto.

Poco después de ese viaje, nos casamos discretamente en los juzgados de Evanston. No invitamos a nadie, habría parecido una intromisión. El funcionario hizo de testigo, y terminamos en cinco minutos. En su conjunto, una buena decisión. Pero en días como hoy, en los que siento la ausencia de James como una herida, me gustaría volver a estar en aquellos bosques, que, no sé muy bien cómo, siguen tan frescos y fuertes en mi memoria como el día en que estuvimos allí. Podría estirar el brazo y arrancar esa flor, ofrecérsela a James cuando vuelva. Un oscuro trofeo.

Estoy en el despacho de un tal Carl Tsien. Un médico. *Mi* médico, por lo que parece. Un hombre delgado y con entradas. Pálido, del modo en que solo puede serlo un hombre que se pasa todo el tiempo metido entre cuatro paredes bajo luz artificial. Un rostro benévolo. Aparentemente, nos conocemos bastante bien.

Me habla de antiguos alumnos. Usa la palabra *nuestros. Nuestros alumnos.* Dice que debería sentirme orgullosa. Que dejé a la universidad y al hospital un legado de un valor incalculable.

Meneo la cabeza. Estoy demasiado cansada para fingir, después de haber pasado una mala noche. Una noche de paseos. Ir y venir, ir y venir, del cuarto de baño al dormitorio, del dormitorio al cuarto de baño, y vuelta a empezar. Contando los pasos, marcando un ritmo constante sobre las baldosas y el parqué. Dando vueltas hasta que me dolían las plantas de los pies.

Pero este despacho despierta algo en mi memoria. Aunque no conozco a este médico, en cierto modo sus posesiones me resultan familiares. Una réplica de un cráneo humano sobre su mesa. Alguien ha puesto pintalabios en el maxilar de hueso donde estarían los labios y, abajo, una rudimentaria placa dice simplemente: CARLOTTA LA LOCA. Conozco ese cráneo. Conozco esa letra. Se fija en que estoy mirándolo. *Tus bromas siempre fueron un poco raras*, dice.

En la pared, sobre el escritorio, un antiguo cartel de esquí reza CHAMONIX con letras de un rojo brillante. «*Des conditions de neige excellentes, des terrasses ensoleillées, des hors-pistes mythiques.*» Un hombre y una mujer, vestidos con la abultada ropa de principios del siglo XX, en equilibrio sobre unos esquíes en el aire por encima de una pronunciada pendiente blanca salpicada de pinos. Un dibujo imaginativo, no una foto, aunque también hay fotos colgadas a izquierda y derecha del cartel. En blanco y negro. A la derecha, una de una jovencita, sucia, en cuclillas frente a una choza destartalada. A la izquierda, una de un campo yermo con el sol apenas visible sobre el horizonte plano y una mujer, desnuda, tumbada boca abajo con la barbilla apoyada en las manos. La mujer mira directamente a la cámara. Me produce repugnancia y aparto la mirada.

El médico se ríe y me da unas palmaditas en el brazo. *Nunca aprobaste mi visión artística*, dice. *Lo llamabas «preciosista». Ansel Adams descubre el Discovery Channel.* Me encojo de hombros. Dejo que su mano se quede en mi brazo mientras me conduce a una silla.

Voy a hacerte unas preguntas, dice. *Tú simplemente contesta lo mejor que puedas.*

No me molesto en responder.

¿Qué día es hoy?

El día de ir al médico.

Respuesta inteligente. ¿En qué mes estamos?

Invierno.

¿Puedes ser más precisa?

¿Marzo?

Casi. Finales de febrero.

¿Qué es esto?

Un lápiz.

¿Qué es esto?

Un reloj.

¿Cómo te llamas?

No me insultes.

¿Cómo se llaman tus hijos?

Fiona y Mark.

¿Cómo se llamaba tu marido?

James.

¿Dónde está tu marido?

Muerto. De un infarto.

¿Qué recuerdas de eso?

Estaba conduciendo y perdió el control del coche.

¿Murió del infarto o del accidente?

Clínicamente, fue imposible determinarlo. Podría haber muerto de una cardiomiopatía causada por una válvula mitral defectuosa, o de un traumatismo craneal. Estaban muy igualados. El juez optó por parada cardíaca. Yo, personalmente, habría elegido la otra opción.

Seguramente te sentiste destrozada.

No, lo que pensé fue: así es James, una batalla constante entre su cabeza y su corazón, hasta el final.

Te lo tomas a la ligera. Pero recuerdo aquel momento. Por lo que pasaste.

No seas condescendiente conmigo. Aquello me daba risa. Su corazón sucumbió primero. ¡Su corazón! De hecho, me reí. Me reí mientras identificaba el cadáver. Un lugar tan frío y reluciente, la morgue. No había entrado en una desde los tiempos de la facultad, y siempre las odié. Esa luz desagradable. El frío helador. La luz, la baja temperatura y también los sonidos: zapatillas con suela de goma chillando como ratas hambrientas sobre las baldosas del suelo. Eso es lo que recuerdo: James bañado en una luz implacable mientras las alimañas correteaban.

Ahora eres tú la que está siendo condescendiente. Como si yo no pudiera ver más allá de eso.

El médico escribe algo en una tabla. Se permite sonreírme. *Has sacado diecinueve, dice. ¡Hoy lo has hecho muy bien! No veo tensión y Magdalena dice que la agresividad ha remitido. Seguiremos con la misma medicación.*

Me lanza una mirada. *¿Tienes algo que objetar?*

Meneo la cabeza. *De acuerdo, entonces. Haremos todo lo que podamos para que te quedes en tu casa. Sé que eso es lo que quieres.*

Guarda silencio unos instantes. *Debo confesarte que Mark me ha estado insistiendo para que redacte un informe médico que él pueda usar para declarar tu incapacidad mental para tomar decisiones médicas, dice. Me he negado.* El médico se inclina hacia delante. *Te aconsejo que no dejes que te examine otro médico. No sin una orden judicial.*

Saca un papel de su archivador. *Mira, te lo he escrito todo. Todo lo que acabo de decir. Se lo daré a Magdalena y le diré que lo guarde en un lugar seguro. He hecho dos copias. Magdalena le dará una a tu abogada. Puedes confiar en Magdalena, creo. Me parece que es de fiar.*

Espera mi respuesta, pero estoy concentrada en la foto de la mujer desnuda. En sus ojos hay duda y sospecha. Mira a la cámara. Detrás de la cámara. Me mira directamente a mí.

No encuentro las llaves del coche, así que decido ir andando a la farmacia. Compraré pasta de dientes, hilo dental y champú para cabellos secos. Igual algo de papel higiénico, de primera calidad.

Cosas normales. Hoy siento una inclinación a fingir que soy normal. Luego iré al supermercado y escogeré el pollo asado más gordo para cenar. Una barra de pan reciente. A James le gustará. Pequeños placeres, compartimos nuestro amor por ellos.

Pero tengo que salir rápido, y con sigilo. Intentarán detenerme. Siempre lo hacen.

No encuentro mi monedero. ¿Dónde estará? Siempre lo dejo junto a la puerta. No importa, ya encontraré a alguien amable. Les diré, «Soy la doctora Jennifer White y me he olvidado la cartera», y dirán, «Ah, claro, tenga algo de dinero», y yo simplemente menearé la cabeza y se lo agradeceré.

Recorro la calle a grandes zancadas, pasando junto a casas de piedra cubiertas de hiedra, con sus vallas de hierro forjado hasta la altura de la cintura, encerrando pequeños jardines delanteros dispuestos con una perfección geométrica.

¿Doctora White? ¿Es usted?

Un hombre de piel oscura con un uniforme azul, conduciendo una furgoneta blanca con un águila dibujada. Baja su ventanilla y reduce la velocidad hasta ir a mi paso.

¿Sí?, digo, sin dejar de caminar.

No es el mejor día para andar por ahí. Desagradable.

Es solo un paseo, digo. Me aseguro de no mirarlo directamente. Si no los miras, igual te dejan en paz. Si no los miras, a veces lo dejan estar.

¿Quiere que la lleve? Mírese, está totalmente calada. Sin abrigo. Ay, Dios, y sin zapatos. Venga, súbase.

No. Me gusta este tiempo. Me gusta sentir mis pies descalzos sobre el cemento. Frío. Despertándome de mi estado somnoliento.

¿Sabe? A esa señora tan simpática con la que vive no le hará gracia.

¿Y qué?

Venga, tranquila. Habla con dulzura mientras sube la camioneta al bordillo. Extiende ambas manos, con las palmas hacia arriba, y me hace un gesto con ellas. Suavemente.

No soy un perro rabioso.

No, no lo es. Claro que no. Pero no puedo pasar de largo sin hacer nada. Sabe que no puedo, doctora White.

Me aparto el pelo helado del rostro y sigo andando, pero él avanza con su camioneta a mi lado. Toma su teléfono. Si marca siete números, no pasa nada. Si marca tres, es malo. Eso lo sé.

Me detengo y espero. Undostrés. Se para. Se lleva el teléfono a la oreja.

Espera, digo. No. Doy la vuelta por delante de la camioneta. Abro la puerta de un tirón y me monto a su lado. Cualquier cosa con tal de detener esa llamada. Detener lo que sucedería. Cosas malas. Apaga ese teléfono, digo. Apaga ese teléfono. Duda. Oigo una voz al otro lado. Mira el teléfono, y lo cierra. Me ofrece lo que se supone que es una sonrisa tranquilizadora. No me engaña.

¡De acuerdo! Vamos a llevarla a casa antes de que se muera.

Me espera junto a la acera hasta que llego a la puerta. Está abierta de par en par, y el viento y la aguanieve se cuelan por el recibidor. Las gruesas cortinas adamascadas de las ventanas delanteras están empapadas. Piso una alfombra mojada, una oscura alfombrilla de Tabriz que compramos en Bagdad hace treinta años, ahora considerada una reliquia de museo. James la hizo tasar el año pasado, se pondrá furioso. Los zapatos de Magdalena no están. Una taza de té tibio sobre la mesa, a medio beber.

De repente me encuentro muy cansada. Me siento frente al té y lo aparto, pero no antes de captar un aroma a manzanilla. Cuántas historias de viejas sobre la manzanilla han demostrado ser ciertas. Una cura para problemas digestivos, fiebre, dolores menstruales, de estómago, infecciones de la piel y ansiedad. Y, por supuesto, insomnio.

¡Un remedio para todos los males!, exclamó Magdalena cuando se lo conté. En realidad, no, dije. No para todos.

Estamos escuchando *La pasión según san Mateo*. Es 1988. Solti está en el podio del Orchestra Hall, y el público permanece cautivado hasta que las cadencias se resuelven. Los acordes de séptima disminuida y las inquietantes modulaciones. El suspense apenas soportable. Puedo sentir el calor de los dedos de James entrelazados con los míos, su aliento cálido en mi mejilla.

Entonces, de repente, es un frío día de invierno. Estoy sola en mi cocina. Doblo los brazos sobre la mesa y apoyo mi cabeza en ellos. ¿Me he tomado las pastillas esta mañana? ¿Cuántas me tomé? ¿Cuántas harían falta?

Ya casi he llegado al punto. Casi he alcanzado ese punto. Y oigo un eco de Bach: *Ich bin's, ich sollte büßen.* Soy yo la que sufrirá y acabará en el infierno.

Pero todavía no. No. Aún no. Me siento y espero.

Un hombre ha entrado en mi casa sin llamar. Dice que es mi hijo. Magdalena lo corrobora, así que lo acepto. Pero no me gusta la cara de este hombre. No descarto la posibilidad de que me estén diciendo la verdad, pero iré con cuidado. No me confío.

Lo que veo: un extraño, un extraño muy guapo. Moreno. De pelo oscuro, ojos oscuros, un aura oscura, si se me permite ser imaginativa. Me dice que no está casado, que tiene veintinueve años, que es abogado. ¡Como tu padre!, comento, astutamente. Su oscuridad cobra vida. Frunce el ceño, no hay otra forma de decirlo.

Para nada, dice. Ni lo más mínimo. No puedo ni soñar con llegarle a la suela de los zapatos al gran McLennan. Asesora a los poderosos y hazte de oro. Y hace una medio reverencia fingida ante el retrato del hombre moreno y delgaducho que cuelga en el salón. *¿Por qué no me diste tu apellido, mamá? Los zapatos habrían estado igual de altos, pero al menos tendrían una forma distinta.*

¡Ya basta!, digo bruscamente. Porque ahora recuerdo a mi hijo. Tiene siete años. Acaba de entrar en la habitación, con las manos pegadas a los muslos y un gesto glorioso en la cara. Hay agua salpicando por todas partes. Descubro que tiene los bolsillos llenos de los pececitos de su hermana. Todavía coletean. Se sorprende ante mi enfado.

Salvamos a algunos, pero la mayoría son cadáveres fríos y mustios para tirar por el retrete. Su arrobamiento no disminuye, contempla fascinado la última cola roja y dorada desaparecer absorbida. Incluso cuando su hermana descubre la pérdida, no se muestra arrepentido. No. Más que eso. Está orgulloso. Perpetrador de una docena de diminutas matanzas en una, de otro modo, tranquila tarde de martes.

Este hombre que dicen que es mi hijo se acomoda en el sillón azul, cerca de la ventana del salón. Se afloja el nudo de la corbata, estira las piernas y se pone cómodo.

Magdalena me cuenta que has estado bien, dice.

Mucho, digo con frialdad. Todo lo bien que puede estar alguien en mi estado.

Háblame de eso, dice.

¿De qué?, pregunto.

De hasta qué punto eres consciente de lo que te está pasando.

Todo el mundo me pregunta eso, digo. Están sorprendidos de que pueda ser tan consciente, tan...

Fría, dice él.

Sí.

Siempre lo fuiste, dice. Tiene una sonrisa irónica que no carece de atractivo. *Cuando me rompí el brazo, estabas más interesada en mi densidad ósea que en llevarme al hospital.*

Recuerdo que alguien se rompió el brazo, digo. Mark. Era Mark. Mark se cayó del arce que hay frente a la casa de los Janeckis.

Yo soy Mark.

¿Tú? ¿Mark?

Sí. Tu hijo.

¿Tengo un hijo?

Sí. Mark. Yo.

¡Tengo un hijo! Me quedo de piedra. ¡Tengo un hijo! Me llena de júbilo. ¡Alegría!

Mamá, por favor, no...

Pero estoy abrumada. ¡Todos estos años! ¡Tenía un hijo y nunca lo supe!

El hombre se arrodilla ahora a mis pies, abrazándome.

No pasa nada, mamá, estoy aquí.

Me agarro a él con fuerza. Un buen jovencito y, lo más maravilloso de todo, concebido por mí. Hay algo que no está

29

bien en su cara, un defecto en su hermosura. Pero, a mis ojos, esto lo hace aún más adorable.

Mamá, dice pasado un momento. Sus brazos aflojan el apretón a mi alrededor y se separa. Al instante echo de menos el calor, pero lo dejo marchar a regañadientes y me siento en mi silla.

Mamá, tengo algo muy importante que decirte. Es sobre Fiona. Ahora está de pie y su cara ha recuperado el gesto oscuro y vigilante que mostraba cuando entró. Conozco esa mirada.

¿Qué le pasa?, pregunto. Mi tono no es cordial.

Mamá, sé que no quieres oír esto, pero se le ha ido la olla otra vez. Ya sabes cómo se pone.

Sí que lo sé, pero no respondo. Nunca he animado estos cuentos.

Esta vez está mal. Muy mal. No me habla. Tú solías conseguir aplacarla. Papá, a veces. Pero ella te escuchaba. ¿Crees que podrías hablar con ella? Hace una pausa. *¿Entiendes lo que te digo?*

¿Dónde has estado, cabrón?, le pregunto.

¿Qué?

Después de todos estos años, ¿vienes aquí a decir estas cosas?

Shhh, mamá. No pasa nada. Estoy aquí. Nunca me he ido.

¿Qué quieres decir? He estado sola. Completamente sola en esta casa. Cenando sola, yéndome a la cama sola. Tan sola...

Eso no es verdad, mamá. Hasta el año pasado tenías a papá. ¿Y qué hay de Magdalena?

¿Quién?

Magdalena. Tu amiga. La mujer que vive contigo.

Ah, ella. No es mi amiga. Cobra un sueldo. Yo le pago.

Eso no significa que no sea tu amiga.

Sí, sí que lo significa. De repente, estoy enfadada. ¡Rabiosa! ¡Cabrón!, digo. ¡Me has abandonado!

El hombre se pone en pie lentamente y suelta un largo suspiro. *¡Magdalena!*, grita.

¿Me oyes? ¡Cabrón!

Te oigo, mamá. Mira a su alrededor, buscando algo. *Mi abrigo,* dice. *¿Has visto mi abrigo?*

Una mujer entra apresuradamente en la sala. Rubia. Una mujer contundente. *Mejor que se vaya*, dice. *Venga, recoja su abrigo. Gracias por venir.*

Bueno, no voy a fingir que ha sido divertido, me dice el hombre, y se da la vuelta para marcharse.

¡Fuera!

La mujer rubia levanta la mano. Se mueve lentamente hacia mí. *No, Jennifer. Baja eso. Por favor, baja eso. Ahora, por favor, ¿era necesario hacer esto?*

¿Qué ha pasado? Ha habido un accidente. El teléfono está en el suelo del pasillo entre fragmentos de cristal. Un aire frío me golpea y las cortinas vuelan desatadas. Fuera se oye el portazo de un coche y un motor que arranca. Me siento viva, reivindicada, lista para cualquier cosa. Pero esto viene de mucho más. Oh, sí, mucho, mucho más.

De mi cuaderno:

Un buen día. Excelente día, mi cerebro está prácticamente despejado. He hecho un test Mini-Cog yo sola. No tengo claro el año, el mes y el día, pero estoy segura de la estación. Dudo acerca de mi edad, pero he reconocido a la mujer que vi en el espejo. Todavía con un toque de color caoba en el pelo, los ojos marrones oscuros que conservan su brillo, las arrugas alrededor de los ojos y en la frente. No están producidas por la risa precisamente, pero al menos indican cierto sentido del humor.

Conozco mi nombre: Jennifer White. Conozco mi dirección: 2153 de Sheffield. Y la primavera ha llegado. El olor a tierra húmeda y cálida, la promesa del renacer, de cosas que emergen de un estado aletargado. Abrí las ventanas y saludé al vecino de enfrente, que ya estaba trajinando por los bancales de su jardín, preparando el magnífico despliegue de trompetas de ángel, flores de sangre y clerodendros de flor azul.

Entré en la cocina y me acordé de cómo preparar el café fuerte y amargo que tanto me gusta: cómo machacar los granos en el molinillo, cómo aspirar el rico aroma mientras las cuchillas trituran las duras corazas, cómo contar las cucharadas de gruesas y aromáticas partículas marrón oscuro en la cafetera, cómo echar el agua fresca en el recipiente.

Entonces, Fiona se pasó por casa. ¡Ah, cómo me agrada ver a mi chica! Con su pelo corto de duendecillo y el tatuaje de una serpiente de cascabel roja y azul enroscada en su antebrazo derecho. Normalmente se lo tapa, y en su vida actual solo unos pocos elegidos lo conocen, saben de sus días salvajes.

Vino para recoger mis extractos bancarios, para repasar unos números que yo no entendería. No importa. Tengo mi genio de las finanzas. Mi experta en dinero. Terminó el instituto con dieciséis, la universidad con veinte, y a los veinticuatro era la profesora titular más joven de la Escuela de Negocios de la Universidad de Chicago. Su área de especialización es la economía monetaria internacional. La llaman con frecuencia de Washington, Londres, Frankfurt...

Tras la muerte de James, una vez que mi diagnóstico se confirmó, firmé la cesión de la tutela financiera. En ella confío. Mi Fiona. Me pone papel tras papel delante, y yo los firmo sin leer. Le pregunto si hay algo a lo que deba prestar una atención especial, y me dice que no. Hoy, sin embargo, estaba diferente. No tenía papeles, solo se sentó conmigo en la mesa y me agarró las manos. Mi chica brillante.

Hoy, en nuestro grupo de apoyo de Alzheimer, hablamos de las cosas que odiamos. El odio es una emoción poderosa, dice nuestro joven responsable. Pregúntale a un enfermo de demencia a quién ama, y se quedará en blanco. Pregúntale a quién odia, y los recuerdos se desbordarán.

Odio. *Odio*. La palabra resuena. Mi estómago se contrae, y la bilis me sube a la garganta. *Yo odio*. Descubro que mis manos se cierran en puños. Los rostros se giran para mirarme. Algunos hombres, la mayoría mujeres. Una variedad de razas, de credos. Unas Naciones Unidas de los despreciados, de los despreciables. No puedo distinguir del todo sus rasgos. Una multitud anónima.

Se me hace difícil respirar. Qué será ese ruido. Soy yo. A quién estás mirando.

Nuestro responsable se acerca. Nuestro responsable sale de la sala, y vuelve con una mujer más bien joven, pelo rubio teñido, demasiado maquillaje. Viene directamente a por mí.

Doctora White, dice la mujer. Jennifer. Nos vamos a casa. Shhh. No grites. No. Por favor, vale ya. Para. Me haces daño. No, no los llame, yo me encargo. Jennifer, venga. Así, muy bien. Nos vamos a casa. Shhh. No pasa nada. Todo está bien. Soy yo, mírame. Mírame, soy Magdalena. Eso es. Nos vamos a casa.

Algunos días, bendita claridad. Hoy es uno de esos días. Recorro la casa disfrutando de reivindicar mis cosas. Mis libros. Mi piano, que James tocaba con una torpeza encantadora. Mi litografía de Calder, que me compró James en Londres, en 1976, con sus líneas tan frescas como siempre. Mis obras de arte, los santos y exvotos del siglo XVII, sin duda robados de iglesias, que compramos a vendedores ambulantes en las carreteras entre Jalisco y Monterrey: toda la parafernalia de los devotos sin el peso de la fe. Lo toco todo, volviendo a disfrutar del tacto del cuero, la caoba, el lienzo, la porcelana, la hojalata.

Magdalena es lo que solo se podría describir como huraña. Rompe un plato, suelta una maldición, barre los trocitos y se le vuelven a caer mientras se pelea con la tapa del cubo de la basura. Su trabajo no puede ser divertido. Sin embargo, sospecho que necesita muchísimo el dinero. Su coche tiene por lo menos doce años, con un parachoques abollado y el parabrisas rajado.

Se viste con ropa muy sencilla, vaqueros descoloridos y una camisa de hombre blanca que cuelga sobre sus voluminosas caderas. Se tiñe su pelo oscuro, de un modo no muy eficiente: se pueden ver las raíces. Grueso lápiz de ojos y rímel que hacen que sus ojos parezcan pequeños.

Su edad: quizá cuarenta, cuarenta y cinco. La descubro escribiendo en mi cuaderno. *Un buen día para Jennifer. No tan bueno para mí.* Le pregunto por qué, y se encoge de hombros. Su rostro está demacrado, y tiene manchas oscuras bajo los ojos.

¿Por qué te lo iba a explicar otra vez?, dice. *Lo vas a olvidar de todos modos.*

Me pregunto si siempre es tan grosera. Me pregunto muchas cosas. ¿Cuánto tiempo lleva lloviendo? ¿Cómo es que tengo el pelo tan largo? ¿Por qué el teléfono no para de sonar, aunque parece que nunca es para mí? Magdalena contesta y su rostro se encierra en secretismo. Cuchichea al aparato como si fuera un amante secreto.

Estoy en mitad de una calle. Hay nieve sucia apartada a ambos lados, pero aun así es un camino traicionero; tengo que dar cada paso con cuidado. Hay gritos. Coches por todas partes. Bocinas tronando. Alguien me agarra del brazo, sin delicadeza, y tira de mí más rápido de lo que mis piernas desean moverse, prácticamente aupándome sobre el bordillo de una isleta de cemento. De repente, estoy rodeada de gente. Extraños. Una voz me llama de lejos, familiar, y los extraños se separan como las aguas del Mar Rojo. Ahí llega ella: pelo de color caoba brillante, tiritando con una camiseta de manga corta que deja ver la serpiente de su tatuaje.

¡Esperen! ¡Soy su hija! ¡Por favor, no llamen a la Policía!

Llega, sin aliento.

Gracias, gracias. A quien la haya sacado de la carretera, gracias. Toma aliento. *Les pido disculpas por las molestias. Mi madre padece demencia.* Le cuesta sacar las palabras, y su constitución enjuta está empezando a temblar. Hace un frío de muerte.

Cuando la gente comienza a dispersarse, se gira hacia mí.

¡Mamá, por favor, no hagas eso! Nos has asustado a todos.

¿Dónde estoy?

A dos manzanas de casa. En mitad de uno de los cruces con más tráfico de la ciudad.

Hace una pausa. *Ha sido culpa mía. Estaba guardando mi mochila en mi antigua habitación. Ya sabes, voy a pasar otra vez la noche contigo.*

Magdalena pensó que te vendría bien. Nos pusimos a hablar y no nos dimos cuenta de que te habías marchado. ¿Adónde ibas?

A casa de Amanda. Es viernes, ¿no?

No, en realidad es miércoles. Pero lo entiendo. ¿Intentabas encontrar la casa de Amanda?

Es nuestro día.

Sí, lo entiendo. Reflexiona un momento, parece estar aclarando sus ideas. *Creo que deberíamos ir a casa de Amanda, a ver si está.*

¿Cómo te llamas?

Fiona. Tu hija.

Sí. Sí, es verdad. Ahora me acuerdo.

Venga. Vamos a ver si encontramos a Amanda. Mira. El semáforo se ha puesto verde. Me sujeta por el brazo y me apremia para que avance con brío. Aunque soy al menos diez centímetros más alta que ella, me cuesta seguir su paso. Pasamos junto a la tienda de ropa de segunda mano, junto a la estación del monorraíl, giramos en la esquina de la iglesia y de repente el mundo vuelve a ubicarse en su sitio. Me detengo ante una casa, una de piedra rojiza, con una pequeña verja de hierro alrededor del patio. Un árbol despojado de hojas se inclina sobre el camino que conduce a la escalera de entrada.

Sí, esta es nuestra casa. Pero vamos a visitar a Amanda.

Me acuerdo, digo. Tres casas más abajo. Una, dos, tres.

Eso es. Aquí estamos. Vamos a llamar a la puerta a ver si está Amanda. Si no está, nos volvemos a casa a tomarnos un té y a hacer unos crucigramas. He comprado un libro nuevo.

Fiona da tres fuertes golpes en la puerta. Yo llamo al timbre. Esperamos en el porche, pero no sale nadie. No aparece ningún rostro tras las cortinas de la ventana del salón. No es que a Amanda le guste cotillear así. A pesar de las advertencias de Peter, siempre abre la puerta sin mirar. Siempre dispuesta a afrontar lo que le traiga la vida.

Fiona tiene la espalda apoyada en la puerta. Sus ojos están cerrados. Su cuerpo se estremece. No sé si es por el frío o por algo más. *Vámonos, mamá,* dice. *No hay nadie.*

Extraño, digo. Amanda nunca ha fallado a uno de nuestros viernes.

Mamá, por favor. Su voz es apremiante. Tira de mí escaleras abajo, tan rápido que me tropiezo y estoy a punto de caerme, y me devuelve a la acera. Uno, dos, tres. Estamos de vuelta frente a la casa de piedra rojiza.

Con la mano en la puerta, se detiene y mira hacia arriba. Su rostro está lleno de dolor, pero cuando mira la casa, el dolor se disipa y se convierte en otra cosa. Nostalgia.

Cuánto adoro esta casa, dice. *Me pondré muy triste si veo que la perdemos.*

¿Por qué íbamos a perderla?, pregunto. Tu padre y yo no tenemos intención de mudarnos. El viento silba al pasar y las dos estamos blancas de frío, pero permanecemos allí, en la acera frente a la casa, sin movernos. La temperatura gélida me va bien. Va bien a la conversación, que me parece que es importante.

La cara de Fiona está transida y tiene la piel de los brazos de gallina, pero sigue sin moverse. La casa ante nosotros es sólida; es un hecho. Las cálidas piedras rojizas, las grandes ventanas voladizas rectangulares, las tres plantas coronadas por un tejado plano típico de otras casas de Chicago de su tiempo. Me encuentro ansiándola con tanta desesperación como cuando James y yo la vimos por primera vez, como si estuviera fuera de nuestro alcance. Aunque es toda nuestra. Mía. Convencí a James para comprarla, aunque estaba por encima de nuestras posibilidades en aquella época. Es mi casa.

Mi casa, dice ella, como si pudiera leerme la mente, y luego menea la cabeza como para despejarla. Me agarra del codo, me lanza escaleras arriba, hacia la casa, me ayuda a quitarme el abrigo y los zapatos.

Tengo que enseñarte una cosa, dice, y saca un cuadradito blanco del bolsillo y lo desdobla. *Mira esto,* dice, *míralo.*

Una foto. De mi casa. No, espera. No exactamente. Esta casa es un poco más pequeña, con menos ventanas y más pequeñas, y solo de dos plantas. Pero es el mismo tipo de casa antigua de ladrillo de Chicago, el mismo cuadradito de tierra delante y, como mi casa, está encajada entre otras dos viviendas de ladrillo a ambos lados, una en impecable estado, la otra, como esta, un poco descuidada. No hay cortinas en las ventanas. Un cartel de VENDIDA en la fachada.

¿Qué es esto?, pregunto.

Mi casa. Mi nueva casa. ¿Puedes creértelo? Intento quitarle la foto para verla más de cerca, pero le cuesta cedérmela. Tengo que tirar de ella para tenerla en mis manos. Aun así, se inclina sobre mí, como si no pudiera soportar dejarla fuera de su vista.

Está en Hyde Park, en la Cincuenta y seis. Justo al lado del campus. Puedo ir en bici al trabajo.

Es impresionante, digo. El parecido.

Sí, yo también lo pensé. He pagado mucho por ella, claro. Necesita un montón de trabajo. Pero estas cosas no se encuentran con frecuencia en el mercado. Tuve que actuar rápido.

Sigo mirando la casa. Casi podría ser la mía, esa casi podría ser la ventana de mi dormitorio, esa casi podría ser la puerta de hierro de acceso a mi patio.

¿Cuándo te instalas?

Bueno, es un poco complicado. La firma del contrato se ha retrasado. Por lo de Amanda. Ella me avaló la hipoteca.

¿Y por qué tendría que ser eso un problema? ¿Amanda ha cambiado de opinión?

No. No, claro que no.

¿Entonces?

Fiona guarda silencio durante un momento. Luego, *Es que al final he decidido que no quería molestarla con eso.*

¿Por qué no me lo pediste a mí? ¿O a tu padre?

Fiona se enrosca un mechón púrpura en el dedo índice. *No lo sé. Simplemente no quería que os sintierais obligados. Ha salido bien. He conseguido reunir dinero suficiente.*

Bueno, ya sabes que si necesitas ayuda...

Sí, lo sé. Siempre habéis sido muy generosos.

Mark es un asunto distinto, por supuesto. Tu padre y yo no confiamos en su juicio en asuntos de dinero.

Sois un poco duros con él, ya sabes.

Tal vez. Tal vez.

He olvidado que sigo con la fotografía en la mano hasta que ella alarga el brazo y me la quita, la dobla con cuidado y la devuelve a su bolsillo. Luego la saca y vuelve a mirarla, como comprobando que es real, igual que yo solía hacer dando palmaditas en sus bracitos y piernecitas cuando dormía, sorprendida de haber traído al mundo a ese ser perfecto.

Es mi casa, dice, tan bajito que apenas puedo distinguir las palabras. Y sonríe.

De mi cuaderno:

Anoche vi el programa de David Letterman*. Así que, como homenaje:

10 INDICIOS DE QUE TIENES ALZHEIMER

10. Tu marido comienza a presentarse como tu «cuidador».
9. Descubres un horario de actividades pegado al frigorífico que incluye: pasear, hacer ganchillo y yoga.
8. Todo el mundo empieza a regalarte revistas de crucigramas.
7. Los extraños de repente se muestran muy cariñosos.
6. Todas las puertas están cerradas con llave por fuera.
5. Le pides a tu nieto que te lleve a la fiesta de graduación.
4. Tu mano derecha no sabe lo que ha hecho la izquierda.
3. Las girl scouts llaman a tu puerta y te obligan a decorar macetas con ellas.
2. No paras de descubrir habitaciones nuevas en tu casa.

Y el indicio número uno de que tienes Alzheimer es... Se te acaba de olvidar.

---

* Programa nocturno de la televisión estadounidense emitido por la cadena CBS que ha estado en antena desde los años noventa. *(N. del T.)*

Si pudiera ver entre esta niebla. Romper con esta pesadez de miembros y extremidades. Cada aspiración es como una puñalada. Mis manos descansan mustias en mi regazo. Pálidas e impotentes, solían blandir objetos pequeños y afilados, cosas encantadoras con peso e importancia que conferían poder.

La gente se tumbaba y me mostraba su carne desnuda. Me invitaban a desmembrarlos. «Si tu mano es para ti ocasión de pecado, córtala y arrójala lejos de ti, porque más te vale entrar en la vida manco que ser arrojado con tus dos manos en el fuego eterno.»

Escribe sobre ti, me ordena Magdalena. *Si te ayuda, escribe en tercera persona. Cuéntame una historia sobre una mujer que resulta que se llama Jennifer White.*

Es una persona reservada. Algunos decían que fría. Aunque otros apreciaban esa cualidad, la veían como una forma de integridad. Ella pensaba que en ambos casos se trataba de una valoración acertada. Ambas cualidades se podían atribuir a su formación. La cirugía requiere precisión, objetividad.

Uno no se pone sensible por una mano. Una mano es un conjunto de hechos. Los ocho huesos del carpo, los cinco huesos del metacarpo, y las catorce falanges. Los tendones flexores y extensores que sirven para maniobrar con los dedos. Los músculos del antebrazo. El pulgar oponible. Todo entrelazado. Múltiples interconexiones. Todo lo necesario para el movimiento equilibrado que diferencia a los humanos de otras especies.

Pero Amanda. Ella piensa en el metacarpo de Amanda, con cuatro falanges menos. Una estrella de mar mutilada. ¿Llora? No. Escribe en su cuaderno. *Amanda murió. Sin dedos.* Pero los detalles no se quedarán grabados.

Me detengo. Dejo el bolígrafo. Le pregunto a Magdalena: ¿Qué vecino era sospechoso de la muerte de Amanda? Pero no contestará. Quizá porque ya le he hecho esa pregunta y me ha respondido muchas veces. Quizá porque sabe que me olvidaré de la pregunta si la ignora.

Pero raramente olvido una pregunta que se ha formulado. Cuando Magdalena me ignora, un asunto sin cerrar permanece suspendido entre nosotras, pesado, trastocando nuestra rutina, flotando sobre las dos mientras tomamos el té. En este caso, contamina hasta el aire. Porque hay algo que va terriblemente mal.

De nuevo mi cuaderno. La letra de Fiona:

Hoy he pasado por tu casa y te he encontrado extrañamente callada. Rabia, ya hemos visto mucha. Ofuscación. Y un sorprendente grado de aceptación inteligente. Pero raras veces esta pasividad resignada.

Estabas sentada en la cocina, con la cabeza tumbada en la mesa y las manos colgando a los costados. Me arrodillé y puse un brazo sobre tus hombros, pero no te moviste ni dijiste nada. No contestabas a ninguna pregunta ni mostrabas señal alguna de saber que yo estaba allí.

Finalmente, te incorporaste, echaste la silla hacia atrás y lentamente subiste las escaleras para irte a la cama. No me atreví a seguirte. No me atreví a hacerte más preguntas por temor de lo que pudieras revelar sobre ese lugar oscuro en el que residías.

Nunca he estado tan asustada. No siempre estuve segura de lo que pensabas, pero siempre podía preguntarte, y a veces hasta me lo contabas. Si la verdad tiene el poder de hacer daño, la hacías soportable al aceptarla con tanta serenidad.

No te gusto mucho, ¿verdad?, *te pregunté una vez cuando tenía quince años.* No, *contestaste,* y ahora mismo yo a ti tampoco te gusto demasiado, pero ya volveremos a encontrarnos. *Y lo hicimos. Si hubiera sabido que en menos de una década os iba a perder a papá y a ti, ¿habría actuado distinto en aquel entonces? Probablemente no. Probablemente habría salido y me habría hecho otro tatuaje.*

Ese tatuaje. Sigues preguntándome por él, mamá, así que te lo escribiré aquí. Es una buena historia. Ya tenía otros dos. El que me hice con Eric a los catorce. Ese no lo conocías. Es muy discreto, está en mi nalga izquierda. Una diminuta Campanilla. En fin, tenía catorce años.

Luego, a los dieciséis, siendo la estudiante más joven de la clase en Stanford, me hice otro, esta vez en el tobillo. Una planta de cannabis sativa. Sí, puedes imaginar por qué una chica realmente demasiado joven para estar fuera de casa pensaría que molaba.

Pero la serpiente de cascabel. Eso fue en tercero de carrera. Me había ido bien en los dos primeros años, mejor de lo que me fue socialmente en el instituto, incluso había hecho algunos amigos, hice las cosas que se esperaba. Beber mucho. Acostarme con tíos.

Pero en tercero, las cosas se torcieron. Mi mejor amigo tuvo una especie de crisis y volvió a casa en West Virginia. Me escribió un par de veces, haciendo bromas sobre los perros escuálidos y las mujeres feas, y eso fue todo. Dos de mis otros amigos comenzaron a salir juntos, retirados en su propio mundo privado, y levantaron una barrera con los demás. Me lo tomé como algo extrañamente personal.

En ese momento, yo vivía fuera del campus en un cuarto que alquilaba a una tipa que trabajaba en marketing en Silicon Valley. La mitad del tiempo no estaba en casa; o bien se iba de viaje o bien se quedaba en la ciudad en el apartamento de su novio. La casa se encontraba entre las secuoyas de las colinas que rodeaban la universidad.

Cuando la gente venía a visitarme se sentaban en la bañera de hidromasaje y jijijí y jajajá, pero yo nunca me acostumbré a aquel lugar. La tranquilidad me molestaba, igual que el hecho de que el sol se pusiera tras las colinas a las dos de la tarde y de repente se hubiera acabado el día.

Los coyotes se paseaban descaradamente por el jardín, las ratas rascaban bajo el suelo y en la madera. Hasta los ciervos me asustaban. Se acercaban a la casa en busca de comida, y como las ventanas no tenían cortinas –la casa estaba rodeada por tres acres de secuoyas, así que no hacían falta– me despertaba varias veces viendo caras de ciervos contra el cristal, observándome con seriedad mientras masticaban.

De modo que adopté la costumbre de pasar mucho tiempo en los llanos, en Palo Alto. Había una cafetería que me gustaba, y me quedaba horas allí sentada, tomando taza tras taza de café negro y estudiando. Para entonces estaba haciendo asignaturas de posgrado y los profesores me decían que, si quería, tendría trabajo en la universidad.

41

Y como sí que quería, con locura, me podías encontrar en esa cafetería trabajando casi todas las noches.

Una noche de viernes, me encontraba allí como de costumbre, con un colocón de café y más sola que la una, sin ganas de regresar colina arriba a esa casa sin cortinas. Estaba ya resignada a hacerlo, sin embargo, cuando una jovencita atractiva —apenas un poco mayor que yo, creo— se me acercó. Quería preguntarme qué estaba estudiando. ¿Matemáticas? Algo así, dije, y nos pusimos a charlar sobre lo que era la economía y su importancia.

Pasado un rato señaló a un joven sentado en otra mesa y dijo, Nos vamos a una fiesta en Santa Cruz. ¿Quieres venir? Pensé, bueno, esto es algo raro. Y, no estoy segura de que me guste esta gente. Había algo ansioso en ellos. Los dientes de la chica eran demasiado grandes para su boca cuando sonreía. Pero luego, de un modo temerario, dije ¡Qué demonios! ¿Por qué no?

Me dijeron que no me preocupara por ir a buscar el coche, que ya me traerían de vuelta ellos cuando terminara la fiesta. Aquello debió haberme alertado. Pero me monté en su coche, y lo primero que pasó fue que comenzaron a subir por la colina hacia donde yo vivía.

Dije, Un momento. Por aquí no se va a Santa Cruz, y me contestaron que era un atajo, muy bonito. Como ya me conocía muy bien ese sitio tan bonito, y estaba empezando a pensar que había cometido una tontería, les pedí que me dejaran en mi casa —estábamos pasando por mi calle— y les dije que ya recogería mi coche por la mañana.

Pero se negaron. Dijeron, No, te vienes con nosotros. Me sentía a la vez muy enfadada y muy asustada. Tuve la idea alocada de esperar a que el coche redujera la velocidad al tomar una curva y entonces saltar, pero cuando intenté abrir la puerta descubrí que habían echado el cierre de seguridad. Así que simplemente me encogí y esperé a ver qué pasaba.

Llegamos a un viejo rancho en lo alto de las montañas de Santa Cruz —dónde, todavía no lo sé bien—, y allí había otra alma cándida como yo a la que habían recogido en Santa Clara. Estábamos todos en esa habitación, y ese hombre apareció y nos dio la bienvenida a la otra chica y a mí a lo que él llamó «la familia». Dijo que no teníamos que alarmarnos. Dijo que podríamos volver a casa en cuanto quisiéramos, que solo teníamos que darles una oportunidad. Ser de mente abierta.

En ese momento me levanté y me marché de la habitación. No corrí ni me apresuré, me limité a salir andando de la casa y bajé por el largo sendero de acceso y por la carretera. Sorprendentemente, nadie me siguió.

Luego, quizá un kilómetro carretera abajo, descubrí que tenía los puños cerrados con fuerza. Seguí andando; estaba oscuro como la boca de un lobo, no tenía ni idea de dónde me encontraba, pero sí la vaga determinación de llegar hasta la casa más cercana y llamar a la Policía. Entonces vi las luces de un coche. Saqué el pulgar y una furgoneta con dos chavales de dieciséis años de Ben Lomond se detuvo.

Uno de ellos se acababa de sacar el carné ese mismo día y los dos estaban inflados de emoción. Iban a Santa Cruz a emborracharse y a hacerse unos tatuajes para celebrarlo.

Dije, Me apunto. Y lo hice. Supuse que, de todos modos, no podría tomar un autobús de vuelta a Palo Alto hasta la mañana siguiente.

Después de meternos un montón de chupitos de tequila en un bar del campus, llegamos no sé cómo a un estudio de tatuajes abierto las veinticuatro horas en Ocean. A trompicones alcancé una silla y dije, Haz lo que te venga en gana. Hazme la cosa más grande y malvada que tengas.

Y el tipo se puso manos a la obra. Le llevó toda la noche. No paraba de tomar pastillas para seguir despierto, lo que debería haberme preocupado, pero no fue así. El dolor era casi insoportable, pero la bebida ayudó y cuando volví a casa y vi mi preciosa serpiente, pensé que cada ácido pinchazo había merecido la pena.

Saqué matrículas en mis exámenes finales aquella semana y, con el brazo palpitante, tomé un vuelo nocturno de regreso a Chicago. Me miraste el brazo y me recetaste un tratamiento de antibióticos, pero jamás comentaste nada sobre mi serpiente. Si te gustaba o no. Hasta que enfermaste.

Entonces, empezaste a felicitarme por ella. A decirme que no la tapara. A animarme a llevar camisetas de tirantes. Creo que en este momento estás tan orgullosa de ella como yo. Nuestro emblema compartido: «No me pises».*

---

* Lema de la bandera de Gadsden, una de las primeras banderas de Estados Unidos, que incluye una serpiente enroscada. (N. del T.)

De mi cuaderno. Mi letra:

Hoy han estado aquí dos hombres y una mujer. Detectives. Tengo que escribirlo, dice Magdalena, debo mantener mi cabeza despejada. Saber lo que he dicho. Pensar con claridad.

Los hombres eran torpes y pesados, se sentaban con poca elegancia en las sillas de mi cocina. La mujer era una de ellos: basta, casi, pero con un rostro más alerta e inteligente. Los dos hombres eran sus subordinados. Ella sobre todo escuchaba, intercalando un comentario de cuando en cuando. Los hombres hacían preguntas por turnos.

Háblenos de su relación con la fallecida.

¿Qué fallecida? ¿Quién ha muerto?

Amanda O'Toole. Todo el mundo dice que eran buenas amigas.

¿Amanda? ¿Muerta? Tonterías. Ha estado aquí, esta misma mañana, con un montón de planes para una nueva petición del vecindario. Algo contra el exceso de ladridos, sobre poner sanciones y multas.

Permítame replantear la pregunta. ¿Qué relación tiene con la señora O'Toole?

Es mi amiga.

Pero un vecino —el hombre que hablaba consultó su cuaderno— *asegura que mantuvieron una fuerte discusión el 15 de febrero. El día después de San Valentín, a eso de las dos de la tarde, en casa de la señora O'Toole.*

Magdalena intervino. *Siempre estaban peleando. Eran así de íntimas. Como hermanas. Ya saben cómo es la familia.*

Por favor, señora, deje que la doctora White conteste. ¿Sobre qué trató aquella discusión en particular?

¿Qué discusión?, pregunté. Tengo un mal día, no puedo concentrarme. Esta mañana Magdalena me puso un palito rojo y blanco en la mano en el cuarto de baño. *Cepillo de dientes,* dijo, pero esas palabras no me decían nada. Volví en mí más tarde, en la mesa de la cocina, con una barrita de mantequilla a medio comer delante de mí. Luego tuve otro desvanecimiento y otra recuperación. Me encontré sentada en el mismo sitio, pero ahora con un vaso medio lleno de un líquido naranja sobre la mesa, delante de mí, y una pila de pastillas multicolores. ¿Qué es esto?, le pregunté a Magdalena, señalándolo todo. Los colores eran algo malo. El líquido brillante y esos pequeños estallidos redondos y duros de azul, morado, dorado. Veneno. No me engañarían. No me engañaron. Lo tiré todo por el retrete cuando Magdalena no miraba.

Pero volvamos al asunto principal:

La discusión que mantuvo con la señora O'Toole a mediados de febrero, repitió el hombre, algo impaciente.

¿Es que no ven que no se acuerda?, preguntó Magdalena.

Muy oportuno, dijo el otro hombre. Miró al primero y alzó una ceja. Cómplices.

Esta mujer no está bien, dijo Magdalena. *Ya lo saben. Tienen el parte de su médico. Conocen la naturaleza de su enfermedad.*

El primer hombre empezó de nuevo. *¿En qué estado se encontraba su relación con Amanda O'Toole en febrero?*

Imagino que como siempre ha sido, dije. Íntima, pero combativa. Amanda era, en muchos sentidos, una mujer difícil.

La mujer intervino por primera vez. *Eso nos han contado*, dijo. Se permitió una leve sonrisa. Hizo un gesto con la cabeza al primer hombre para que continuara.

Mantuvieron una discusión en casa de la señora O'Toole siete días antes de que apareciera su cadáver. Más o menos en el momento del asesinato.

¿Qué asesinato?

Limítese a contestar a la pregunta. ¿Por qué fue a casa de Amanda O'Toole el 15 de febrero?

Íbamos y veníamos entre nuestras casas todo el tiempo. Teníamos llaves.

Pero ¿ese día en concreto? ¿Qué hizo? De acuerdo con nuestro testigo, no llamó a la puerta sino que entró directamente. Esto sucedió aproximadamente a la una y media del mediodía. A las dos de la tarde, este vecino oyó voces altas. Una discusión.

Meneé la cabeza.

Miren, está claro que no lo sabe, dijo Magdalena. *Ni siquiera se acordará de que han estado aquí diez minutos después de que se hayan* marchado. *¿Pueden dejarla en paz? ¿Cuántas veces van a hacerle estas preguntas?*

El primer hombre comenzó a hablar, pero la mujer le mandó callar. *Aquella tarde fue la última vez que se vio a Amanda O'Toole,* dijo la mujer. *Fue a la droguería, compró pasta de dientes y algo de comida en Dominick's a eso de las seis y media de la tarde. Pero a partir de aquel día no volvió a recoger el periódico. La secuencia temporal encaja. Al menos, la doctora White fue una de las últimas personas que vieron a la señora O'Toole antes de que la asesinaran.*

El mundo dio un vuelco. Se hizo la oscuridad. Mi cuerpo se petrificó.

¿Asesinada? ¿Amanda?, pregunté. Pero era cierto. No sé muy bien cómo, pero ya lo sabía. Aquello no fue un *shock.* No fue una sorpresa. Aquello era dolor, continuado.

Tras un breve silencio, la mujer habló. Su voz era más amable. *Esto tiene que resultar difícil. Revivir ese momento una y otra vez.*

Deseé con todas mis fuerzas respirar, aflojar mis puños, tragar. Magdalena posó una mano en mi hombro.

¿Por qué han venido hoy?, preguntó Magdalena. *Ya hemos pasado por esto varias veces. ¿Por qué otra vez? ¿Por qué ahora? No tienen pruebas.*

Solo hubo silencio ante aquello.

¿Por qué han venido?, volvió a preguntar Magdalena. Nadie me miraba.

Es una mera cuestión de rutina. Intentamos descubrir si la doctora White puede ayudarnos en algo.

¿Cómo podría ayudarlos?

Igual vio algo. Oyó algo. Conocía algo de la vida de Amanda que nadie más sabía. La mujer se giró de repente hacia mí.

¿Había algo?, preguntó. *¿Algo poco corriente en la vida de Amanda? ¿Alguien que le guardara rencor? ¿Que tuviera algún motivo para estar... contrariado?*

Todos me miraron. Pero yo no estaba allí. Estaba en casa de Amanda, en la mesa de su cocina, nos estábamos riendo con malicia de su imitación de la presidenta de nuestra manzana del programa de Vigilancia Vecinal, su interpretación de la grabación en el contestador de la Policía en la cual la mujer denunciaba a un peligroso intruso intentando entrar en la iglesia, que terminó siendo un perro labrador callejero orinando bajo un arbusto.

Era una cocina modesta que jamás fue renovada según los estándares del vecindario. Peter y Amanda, él profesor de colegio y ella estudiante de doctorado en Ciencias de la religión, compraron la casa antes del aburguesamiento de la zona.

Sencillos armarios de pino pintados de blanco mate. Suelos de baldosas de linóleo a cuadros. Un frigorífico verde aguacate de veinte años de antigüedad. Amanda sacó un bizcocho rancio, las sobras de una reunión de la asociación de madres y padres de alumnos, y cortó una rebanada seca para cada una. Di un mordisco y lo escupí en el mismo momento en que ella hacía lo mismo. Volvimos a reírnos. Y de repente, me dolió la pérdida.

La detective había estado contemplándome atentamente. *Ya es suficiente*, dijo. *Eso es todo por hoy.*

Gracias, dije, y nuestros ojos se cruzaron por un instante. Luego, los tres se marcharon.

1 de marzo, según el calendario. Nuestro aniversario. De James y mío. Normalmente me olvido, pero James nunca lo hace. No me compra regalos extravagantes para la fecha —esos los reserva para cuando menos me lo espero—, pero los que me hace en esas ocasiones son de todos modos deliciosamente fuera de lo corriente. ¿Qué será hoy? Me siento como un perrito, capaz de desgastar la alfombra con mis paseos. No es que esté en este estado con frecuencia. No. Y no es que vaya a dejar que me pille. Pero, aun así, *hay* este nerviosismo, esta expectación, que no se ha disipado. Mi parásito, que florece en la oscuridad y cuya esencia sigue siendo un misterio tras las frivolidades del matrimonio. El baño compartido, las ropas abandonadas por el suelo, las migas bajo la mesa del desayuno. A pesar de todo esto, todavía es un enigma. Un regalo de los dioses, eso fue James. Y hoy, mientras espero que vuelva de algún sitio desconocido, les doy gracias.

Tomo el primer álbum de fotos, con la etiqueta *1998-2000*. La mujer que me ayuda insiste. No comprende lo completamente pasmoso que resulta que te guíen por el mar de rostros y lugares desconocidos. Todos etiquetados con grandes letras mayúsculas negras como para un niño idiota. Para mí.

Que te pregunten, una y otra vez, *¿Y quién es esta? ¿Te acuerdas de ella? ¿Reconoces este sitio?* Es como que te obliguen a ver las fotos de las vacaciones de otra persona en sitios a los que nunca quisiste ir.

Pero hoy haré lo que nos sugiere el responsable de nuestro grupo de apoyo. Examinaré cada foto en busca de pistas. Me tomaré el libro como un documento histórico, y yo seré una antropóloga. Descubriendo hechos y formulando teorías. Pero primero los hechos. Siempre.

Tengo mi cuaderno cerca mientras miro. Para anotar mis descubrimientos.

La primera foto bajo la que figura escrito *Amanda* está fechada en septiembre de 1998. *Amanda* y *Peter*. Una pareja de adultos vigorosos. Podrían salir en un anuncio de vejez sana.

La mujer con pelo blanco largo y espeso recogido en una coleta. Se nota lo fuerte y desenvuelta que es. Sus arrugas incrementan esta sensación de autoridad. No te gustaría estar en una posición subordinada a ella. Tendrías que mantenerte firme o acabarías derrotada. ¿Una ejecutiva? ¿Una política? Alguien acostumbrada a controlar a la gente, a las masas, incluso.

Sin embargo, el hombre a su lado es de una especie diferente. Aunque su barba es gris, su pelo todavía muestra restos de negro. Aparece un poco por detrás de la mujer y es apenas un pelín más alto. Hay más gracia en su sonrisa, más bondad.

Te acercarías a él para pedir ayuda, o consejo. A ella, para una acción decisiva. No puedo ver la mano izquierda del hombre. En la de la mujer hay una alianza. En caso de que estuvieran casados, no habría dudas sobre quién llevaba los pantalones.

La foto no tiene muchos puntos de interés. Están de pie en un porche, un elemento poco común en las casas de piedra de esta calle. Es verano: llevan camisetas, y la madreselva que trepa por el enrejado está en plena flor.

Tras ellos hay un par de sillas plegables de jardín, de esas tejidas con tiras de plástico barato multicolor. Justo delante hay una mesita oval de plástico. Sobre ella, tres vasos altos vacíos y uno lleno que contiene un líquido sin gas, acuoso y de color ámbar. Se ve un pequeño borrón en la esquina inferior derecha de la foto, quizá la mano del fotógrafo, indicando a la pareja que se acerque.

El sol debe de estar detrás del fotógrafo (o fotógrafa), porque su sombra oscurece el cuello y el pecho de la mujer.

Entonces, lo recuerdo. No, lo *siento*. El calor. El zumbido insistente de las cigarras, que aquel año estaban por todas partes (la plaga de cada diecisiete años, decía todo el mundo medio en broma). Crujían bajo los pies, salpicaban nuestros parabrisas, nos obligaban a quedarnos en casa durante los meses más calurosos del verano.

La casa de Peter y Amanda tenía un porche cerrado, lo que hizo posible que nos sentáramos fuera aquel día, para aliviarnos de la claustrofobia, de la sensación de encarcelamiento. Estábamos esperando a James, que llegaba tarde, como siempre.

Nos habíamos bebido nuestras cervezas y andábamos decidiendo si abríamos otras cuando Peter sugirió que capturáramos el momento. *¿Qué momento?*, exclamamos Amanda y yo, con un tono tan perfectamente parejo que las dos nos reímos.

Peter, típico en él, no se inmutó. *Este momento que nunca volverá a repetirse*, dijo. *Este momento tras el cual nada volverá a ser lo mismo.* Amanda puso una mueca burlona, pero entró a casa bastante conforme para buscar la cámara.

¿Y qué es lo que va a ser diferente después de este momento?, dije, picando a Peter. ¿Tienes que anunciarnos algo? ¿Alguna revelación? Aquello lo incomodó.

No, claro que no, dijo. *Nada de eso.* Se revolvió en su silla, agarró su vaso y se lo llevó a los labios, aunque estaba vacío.

Supongo que estoy agradecido, dijo, finalmente.

Pues es extraño sentirse así cuando estamos a casi cuarenta grados a las seis de la tarde, dije.

No quiso sonreír. *No, agradecido es la palabra, dijo. Agradecido por cada momento en que esto no se hunde.* Se detuvo, y luego se rio. *Son esas malditas cigarras, añadió. Hacen que uno se acuerde de esas historias del Viejo Testamento sobre la cólera de Dios.*

¿Sabes?, continuó, hay un interesante paralelismo entre sucesos documentados en un antiguo manuscrito egipcio, Las admoniciones de Ipuwer, *y el libro del* Éxodo. *Pestes e inundaciones, ríos que se tiñen de rojo y langostas que impiden ver la cara del prójimo durante días. Más de un doctorando está agradecido de esos puntos comunes. Aunque si nunca vuelvo a leer una tesis que contenga la palabra «langosta», yo sí que estaré eternamente agradecido.* Guardó silencio y se inclinó sobre la mesa, de repente resuelto.

Y tú, Jennifer, dijo, ¿de qué estarías agradecida?

Pillada por sorpresa, le di una respuesta despreocupada: Oh, lo típico. Salud y felicidad. Que a los chicos les siga yendo bien. Que los últimos años de los cincuenta de James y míos sean tan productivos como los primeros, y que los sesenta no sean demasiado aburridos mientras empezamos a decaer.

Peter se lo tomó más en serio de lo que era mi intención.

Quizá. Sí. Son unas esperanzas bastante razonables.

Bueno, soy una mujer razonable, dije. Pero, sinceramente, me estás preocupando.

No es mi intención. Pero te saco casi una década. Lo bastante como para saber que las palabras «razonable» y «esperanza» no siempre encajan bien en la misma frase.

Luego, un ruido de movimiento y Amanda regresó con la cámara. Nos hizo un gesto a Peter y a mí para que nos juntáramos. No, no, dije. Estoy un poco impresionada por lo que ha dicho Peter. Prefiero que este momento en particular no quede registrado conmigo. Trae, déjame.

De modo que yo saqué la foto —mi memoria sensorial es tan clara que puedo oír el doble *clic* de aquella cámara anterior a la época digital—, y entonces llegó James, con un ramo de flores y vino, y reservándose su opinión sobre las cosas de importancia. Pero en aquel momento no me di cuenta.

Es un día para rasgarse las vestiduras. Para rechinar los dientes y cubrir los espejos. Amanda.

Estoy furiosa con Magdalena. ¿Cómo has podido ocultarme esta información? Puedo tener una discapacidad, ¡pero no soy frágil! He aceptado mi diagnóstico. He enterrado a un esposo. Otra cosa no, pero fuerte soy.

Te lo hemos contado. Muchas veces.

No. Me acordaría de algo así. Es como si me hubieran cortado los dedos de la mano. Como si me hubieran arrancado el corazón.

Mira en tu cuaderno. Aquí. Mira esta entrada. Y esta. Aquí está el artículo del periódico sobre su muerte. Aquí está la esquela. Aquí está lo que escribiste la primera vez que te enteraste. Y hemos estado dos veces en comisaría. Nos han visitado los investigadores en tres ocasiones. Hemos pasado por esto una y otra vez. Has llorado su muerte. Y la has vuelto a llorar. Fuimos a la iglesia. Rezamos el rosario.

¿Yo? ¿El rosario?

Bueno, yo recé el rosario. Tú te quedaste allí sentada. Estabas tranquila. Sin enterarte de lo que pasaba, pero no estabas tensa. A veces te pones así. Calmada y conforme. Casi catatónica. Me gusta llevarte a la iglesia cuando te pasa. Magdalena no me mira a la cara mientras dice esto.

Tengo una teoría, que es bueno cuando te encuentras en ese estado, dice. *Que son los momentos en que tu alma está más abierta y hay más posibilidades de curarte. El silencio y sus ecos, el olor dulce, la relajante luz que se filtra. La Presencia. Esta vez fue diferente, sin embargo. Te despertaste. Viste a la gente esperando su turno para confesarse. Te pusiste en la cola. Entraste tras las cortinas. Te quedaste mucho tiempo. Cuando saliste tenías lágrimas en el rostro. ¡Lágrimas! ¿Te lo imaginas?*

La verdad es que no puedo. Pero sigue.

Pero es verdad. Lo juro. Estiraste el brazo y tomaste mi rosario. Cerraste los ojos. Tus dedos tocaron las cuentas. Tus labios se movían. Te pregunté, ¿Qué haces? Y contestaste, bien claro, Amanda. Mi penitencia.

Eso suena inverosímil. No sabría rezar el rosario. No después de tantas décadas.

Bueno, ¡pues dabas la impresión de saber lo que estabas haciendo!
Reflexiono sobre eso. Ahora estoy más tranquila. Estudio la prueba escrita. Acepto que no hubo traición por parte de Magdalena. Solo mi mente dañada. Pero esto no reduce la agonía. Amanda, mi amiga, mi aliada, mi adversaria más digna. ¿Qué voy a hacer sin ti?

Recuerdo la época en que Mark terminó el instituto. Él y James se habían distanciado. Sorprendentemente, se había acercado a mí. Justo cuando me estaba preparando para dejarlo marchar. Entonces eran los inicios de sus miradas oscuras y peligrosas. Siempre fue atractivo —las chicas empezaron a llamar cuando tenía doce años—, y a lo largo del último año se había transformado en un hombre peligroso, un riesgo andante para los que lo rodeaban.

Aquel verano fue memorable por eso, y porque por una vez Amanda no dio clases. Pasábamos juntas las largas tardes mientras el sol caía sobre su porche. Fiona, muy madura para sus doce años, prefería quedarse en casa leyendo, aquel verano fueron Jane Austen y Hermann Hesse. Pero Mark siempre acababa uniéndose a nosotras, a veces solo unos minutos antes de ir a casa de algún amigo, a veces durante horas que pasaba sentado en silencio, escuchando nuestra conversación. Aunque le faltaba un año para ser mayor de edad, Amanda le servía una cerveza y él se la bebía rápido y con sed, como si fuéramos a cambiar de opinión y a quitársela.

¿De qué hablábamos noche tras noche mientras se esfumaba la luz? De política, ¡cómo no! Las últimas peticiones, concentraciones y marchas en las que había participado Amanda, a las que constantemente me presionaba para acudir.

Recupera las noches. Marcha por el cáncer de mama. Carrera por la distrofia muscular. Libros —las dos éramos anglófilas, nos sabíamos las obras de Dickens y Trollope de memoria— y viajes. Los múltiples lugares en los que habíamos estado James y yo, y la curiosidad de Amanda, a pesar de su tendencia a quedarse en casa, que nunca entendí muy bien. Y Mark allí, escuchando.

Algo importante sucedió una de aquellas noches. James y yo acabábamos de regresar de San Petersburgo, donde habíamos comprado un bellísimo icono del siglo xv de la Virgen de las Tres Manos. Salió escandalosamente caro.

Yo lo había visto en una galería en Galernaya y me había enamorado. James se resistió una y otra vez, pero al final, nuestra última mañana allí, desapareció durante media hora y regresó con un paquete envuelto en papel marrón, que me entregó con una mezcla de entusiasmo y enfado.

Lo había llevado en mi regazo durante el vuelo de regreso, pues no me fiaba de dejarlo en la maleta o el compartimento superior. Lo desenvolví con cuidado para enseñárselo a Amanda. De unos veinte centímetros de alto, el icono mostraba a la Bienaventurada Virgen sujetando al Niño Dios en su mano derecha. La izquierda la tenía apretada contra el pecho, como intentando contener su alegría.

A los pies del icono aparecía una tercera mano. La mano amputada de san Juan Damasceno. Como reza la leyenda, la Virgen hizo que se volviera a unir milagrosamente a su brazo. Ahora la tenía a sus pies, testimonio de sus poderes curativos.

Amanda sostuvo el icono en silencio durante quizá cinco minutos, absorta como cuando se metía a fondo a dar una lección a un alumno difícil o se preparaba para pronunciar un discurso importante ante el comité escolar. Finalmente, habló.

Me gusta, dijo. *Nunca he entendido del todo tu pasión por la iconografía religiosa, pero esto es diferente. Esto me conmueve de un modo que no soy capaz de explicar.*

Entonces habló. *Lo quiero*, dijo. Su voz era suave pero firme. *¿Me lo das?*

Mark, que había estado tirado en las escaleras, se sentó con la espalda muy recta. Yo solo podía mirar. Hubo un largo silencio antes de que sonara el claxon de un coche en Fullerton, que a Mark y a mí nos hizo dar un respingo. Amanda no se movió.

¿Y bien?, dijo. *No te voy a preguntar si puedo comprarlo, porque sé que no puedo permitírmelo. Así que creo que me lo darás. Sí. Eso creo.*

Me levanté, me acerqué a la mecedora del porche en la que estaba sentada Amanda y le arrebaté el icono de las manos. Me costó un esfuerzo, pues lo sujetaba con firmeza.

¿Por qué ahora? ¿Por qué esto?, le pregunté. Nunca antes me habías pedido nada. Nunca.

Y tú siempre has sido muy generosa conmigo, dijo. *Me traes regalos de tus viajes. Cosas preciosas. Las cosas más bonitas que poseo en este mundo me las diste tú. Pero espero que no te importe que te diga que no significaron nada. No significan nada. Esas cosas jamás me conmovieron. Pero esto… Esto es algo distinto.*

Mark nos sorprendió a las dos haciendo un carraspeo y empezando a hablar. *Pero a mamá le encanta esto. Para ella es algo más que un souvenir.* Abrió la boca como para añadir algo, pero se sonrojó y la cerró.

Lo comprendo, dijo Amanda. *Y ese es uno de los motivos por los que lo deseo con tantas fuerzas. No es el único. Pero sí uno de los más importantes.*

No, dije. Mi voz sonó más fuerte y alta de lo que era mi intención. Es mío. Cualquier otra cosa, sabes que te daría alegremente lo que quisieras. El dinero nunca ha sido un problema.

No, no lo será, dijo ella, y había un tono de advertencia en su voz. Mark nos observaba atentamente.

No, dije otra vez. Envolví de nuevo mi icono y lo metí en su caja. No, no y no. Esta vez has ido demasiado lejos.

Me marché de su porche, y pasaron varias semanas antes de que me sintiera lo bastante tranquila como para volver a hablar con ella. Varias semanas de soledad. Luego, Amanda llamó a mi puerta una tarde de viernes. Nuestra cita fija. Me puse la chaqueta y salí con ella. Todo se acabó. Ella había pedido algo –lo que yo imaginaba que era una experiencia humillante– y no se lo habían dado. No había más que hablar.

Pero hubo un extraño epílogo a todo esto. Mark se marchó a Northwestern en otoño, como estaba previsto. Como su residencia quedaba a menos de veinte minutos de casa, la despedida no fue tan solemne como cuando Fiona se marchó a California cuatro años después.

Sin embargo, para él fue traumático. Durante los días previos a su partida, estuvo inusualmente caprichoso. *Necesito una almohada para estudiar.. Mi compañero de habitación no tiene tele, necesitamos comprar una.* E incluso, *Hazme unas galletas.*

Fue también una época particularmente ajetreada en el trabajo, de modo que rechacé la mayoría de esas demandas. Aun así, resultó más agotador de lo que había supuesto. No fue hasta la mañana después de dejarlo en Evanston, plantado frente a su residencia, cuando me di cuenta de que mi icono había desaparecido. Había un hueco vacío en su posición de honor en el recibidor de la entrada.

Llamé a Mark inmediatamente, pero no respondió. Dejé un mensaje apremiante en su contestador, y anduve de habitación en habitación, del teléfono para llamar a James, a la ventana delantera, al teléfono para volver a probar suerte con Mark.

Ni por un instante se me ocurrió que pudiera haber sido otra persona. Había sorprendido a Mark plantado ante él en más de una ocasión, con un gesto de abstracción en el rostro y el brazo estirado como para acariciar el rostro de la Virgen. Cuando sonó el timbre, di un respingo. Allí estaba Amanda, con el icono apretado contra el pecho.

Mira lo que encontré en las escaleras de mi casa ayer por la mañana, dijo, entregándomelo.

Lo agarré. Me temblaban las manos. Descubrí que no podía hablar.

¿Ayer por la mañana?, conseguí preguntar por fin. ¿Por qué has tardado tanto en venir?

Amanda no dijo nada. Se limitó a sonreír. Finalmente, me respondí a mí misma.

Porque no estabas segura de que fueras a devolverlo, dije.

Amanda parecía estar pensando qué decir.

Me conmovió el gesto de Mark, dijo.

Y lo deseabas. Con locura. Tanto como yo.

Sí, es cierto. Y te pedí que me lo dieras. Y me dijiste que no.

Dije que no. Y es que no, dije. Extendí la mano. Me entregó el icono.

Supongo que pagaré de algún modo esta negativa, respondí.

Sí, la pagarás. Quizá no del modo que imaginas. Pero estas cosas al final tienen repercusiones, dijo Amanda.

Después dio media vuelta y se marchó. Mi mejor amiga. Mi rival. Un enigma en el mejor de los casos. Y ahora ya no está, me ha dejado totalmente huérfana.

Jennifer, estás pasando un mal día. Jennifer, has pasado una mala semana. Jennifer, esto sigue siendo lo peor, diez días y subiendo. El doctor Tsien ha aumentado tu dosis de galantamina. Ha aumentado el Seroquel. Ha aumentado el Zoloft.

Cuando Mark llama, le miento, le digo que estás bien, que estás echando una siesta. O simplemente no contesto al teléfono cuando reconozco su número en la pantalla. Fiona lo sabe, viene todos los días. ¡Qué hija más buena! Qué suerte tienes. Rezaré por ti, rezaré un rosario. Rezaré a santa Difna, la patrona de los enfermos mentales. O a san Antonio, mi favorito, patrón de las cosas perdidas.

¿Qué hemos perdido? Tu pobre, pobre mente. Tu vida.

Fiona y yo salimos a comer. Chino. Mi galleta de la fortuna: «No hace falta una buena memoria para tener buenos recuerdos». *Ni hecho a propósito*, dice Fiona.

Amanda siempre me llamó sinvergüenza. Lo dice como un cumplido. Sin-vergüenza. Que no tiene vergüenza. Yo solía mentir a los curas cuando me confesaba porque no se me ocurrían cosas por las que tuviera que pedir perdón. *A las personas que llevan esto a un extremo se las llama sociópatas*, me dice Amanda. *Tienes ciertas tendencias. Deberías vigilarlas.*

Bendígame, padre, porque he pecado.

Hace cuarenta y seis años que no me confieso.

Caray, cómo pasa el tiempo.

Siempre sucede. Me despierto temprano, con la esperanza de hacer algo de trabajo antes de que los niños empiecen a pedir el desayuno a gritos, pero alguien ya se ha levantado antes. Esa rubia. Maldita sea. Solo que esta vez no está sola. Hay otra mujer con ella, tomando café en mi taza favorita. Huesos largos. Pelo corto castaño claro, recogido tras las orejas. Lleva una chaqueta vaquera sobre unos tejanos desgastados, y botas de vaquero.

¡Jennifer! ¿Qué has hecho?...

¿Disculpe?, pregunto, pero la rubia ya ha salido de la habitación. Regresa inmediatamente con una toalla azul y la echa sobre mis hombros. Me rodea con su brazo, me da la vuelta y me saca de la cocina.

Me doy cuenta de que siento un extraño frío, de que regueros de agua chorrean de mi camisón al suelo de madera, de que puedo ver mis huellas húmedas sobre el roble pulido. La rubia me habla mientras me conduce escaleras arriba.

¡Vaya mañana para hacer esta bromita! ¡En qué momento! ¿No te lo dije? ¿No te lo apunté en tu cuaderno? ¿No hablamos de ello anoche? Te lo juro, a veces siento que soy yo la que se está volviendo loca en esta casa.

Me quita las cosas mojadas, me seca con la toalla, me viste con una falda azul y un jersey de rayas azules y rojas, sin parar de hablar.

Ahora, compórtate. Limítate a responder a las preguntas. No te pongas nerviosa. No des guerra. Solo es una visita informal. Muy amistosa. No hay de qué preocuparse. No hace falta molestar a Fiona ni a esa abogada que tiene. No es ese tipo de cosas, para nada. Unas pocas preguntas y se irá.

Hoy el mundo está apagado. Como si me encontrara tras un velo, mirando al exterior. Los tonos son pastel y apagados, mis sentidos están abotargados. Mi visión, algo oscurecida por el velo. No es desagradable. Pero puede ser peligroso. Piensas que ellos no te ven, tras tu cortina, y de repente te das cuenta de que has estado visible todo el rato. Expuesta.

No es que hayas hecho algo de lo que debas avergonzarte. O que cambiarías lo que hiciste. Es solo la idea de lo que *podrías* haber dicho o hecho. El riesgo impresionante que acabas de correr. Ahora estoy sentada en la mesa de la cocina, frente a la mujer desconocida. Siento que tengo la mandíbula cosida. No tengo energías para abrirla. Apenas puedo mantener los ojos abiertos. Dormir. Dormir.

Recuerdo abrir la ducha. Recuerdo mojarme las manos y las piernas. Recuerdo pensar que mi camisón estaba en medio. Pero no consigo ponerlo todo junto. Demasiado lento. Demasiado indiferente.

La mujer me hace preguntas. Me está costando prestar atención.

Otra vez. ¿Dónde estuvo la noche del 16 de febrero?

Aquí. Siempre estoy aquí.

¿El 15 y el 16 de febrero en concreto? ¿Estuvo aquí? ¿No salió de casa?

Hago un gran esfuerzo, estiro el brazo y tomo mi cuaderno. Hojeo las páginas. 13 de febrero. 14 de febrero. 18 de febrero.

La rubia me interrumpe.

Intentamos documentar todos los días que podemos. Le gusta leerlos cuando está un poco baja, cuando lo está pasando mal. Pero supongo que nos olvidaríamos de ese día. De todos modos, si hubiera pasado algo fuera de lo corriente, la habría conminado a anotarlo. Su hija insiste en ello.

La mujer de pelo castaño estira el brazo y me quita el cuaderno. Pasa las páginas con cuidado.

Veo que salió de casa varias veces en enero.

Sí, lo hace de vez en cuando. La vigilo, pero a veces se escapa.

¿Ocurrió alguna vez a mediados de febrero?

No, en febrero no. Sinceramente, lo hace en contadas ocasiones.

Helen Tighe, del 21 de la calle Cincuenta y seis, la vio entrando en casa de Amanda O'Toole el 15 de febrero. ¿Fue durante una de esas contadas ocasiones?

Ya lo hemos hablado muchas veces. Si eso sucedió, yo no me enteré. No la eché en falta. A veces pongo la lavadora en el sótano. Preparo sopa. Si fue a casa de Amanda, volvió antes de que me diera cuenta.

¿Eso no la preocupa?

Sí, claro que sí. Sinceramente, hago lo que puedo. Hemos puesto candados en todas las puertas exteriores, pero eso la molesta y le hace más mal que bien. Es mejor dejarlas abiertas y vigilarla con atención. Normalmente, algún vecino la ve. Esta es una de esas calles en las que todos cuidan unos de otros. Siempre nos la devuelven. Le hicimos una pulsera, pero no se la pone.

¿Y por la noche?

Oh, las noches no son un problema. Me han contado casos en los que hay que atarlos a la cama o no sabes lo que hacen. Pero ella no. Cae tranquilamente a las nueve y no dice ni pío hasta las seis de la mañana. Con ella se podría poner en hora un reloj.

La mujer del pelo castaño no está escuchando. Pone mala cara. Se acerca el cuaderno, coloca el dedo índice entre dos páginas, lo retira y me mira.

Falta una página, dice. *Y no está arrancada, sino cortada. Con un cúter o algo así.* Me mira, acerca su silla a la rubia y baja la voz. *Era médica, ¿verdad? ¿Cirujana?*

Eso es.

¿Sigue conservando su equipo? ¿Sus bisturíes?

No creo. ¿Esas cosas no son del hospital? Nunca he visto algo así por aquí. Lo habría visto. No hay nada en esta casa de lo que yo no tenga noticia. Tengo que controlarlo todo. De lo contrario, una no sabría lo que ella podría hacer.

La rubia se detiene para tomar aliento.

La semana pasada tiró todas sus joyas a la basura. Nos enteramos de milagro; su hija encontró un colgante de diamantes tirado entre la nieve, junto al contenedor. Escarbamos y encontramos su alianza de bodas. Luego, varios recuerdos familiares, algunos bastante valiosos, otros solo sentimentales. Lo recuperamos todo, y entonces hicimos un repaso de todo, y quiero decir todo. Nada de cuchillos. Su hija se llevó a su casa un par de abalorios que quería —un collar especial que perteneció a su madre y el anillo de la facultad de su padre—, y lo demás lo guardó en una caja de seguridad del banco.

Hago un ruido. Hasta que las dos mujeres no me miran, no me doy cuenta de que es una risa.

Me levanto. Voy al salón. Voy al piano. Al banco. Lo abro. Está lleno de lo que parecen trastos. Es el lugar del no-sé-pero-no-puedo de James y mío. Como en no-sé-qué-hacer-con-esto-pero-no-puedo-tirarlo. Recibos de compras que algún día podríamos querer devolver. Botones que se caen de cosas. Calcetines sin pareja.

Escarbo. Entre viejas gafas de leer graduadas, pilas que podrían o no estar cargadas, números del *New Yorker*. Hasta que llego al fondo. Y lo saco, envuelto en una servilleta de lino.

El mango de mi bisturí especial. Reluciente. Seductor. Pidiendo que lo usen. Con mi nombre grabado, junto a la fecha en la que terminé mi período de residente. ¿Qué dicen de mí en el hospital? *Busca una segunda opinión. Es la mejor que hay, pero parece un martillo buscando clavos que remachar. Si la dejas, te operaría para quitarte un padrastro.*

Unos envoltorios de plástico se caen de la servilleta. Cada uno de ellos contiene una reluciente cuchilla afilada, lista para insertarla en el mango de mi bisturí. Lista para seccionar. Las dos mujeres están cerca, mirándome con atención. La rubia cierra los ojos. La castaña estira la mano. *Tengo que llevármelos, señora*, dice. *Y me temo que tendrá que acompañarme.*

Estamos en un coche. Voy sentada en la parte trasera, tras un conductor con pelo castaño corto. No sé decir si es un hombre o una mujer. Las manos en el volante son fuertes, incluso bastas. Andróginas.

Magdalena va a mi lado. Habla por teléfono. Conversa rápidamente con una persona, luego cuelga y marca otro número. Hace frío. Hay nieve en el ambiente. Sin embargo, los árboles están floreciendo. Bajo la ventanilla para sentir el viento en mi cara. Una típica primavera de Chicago.

Me gusta ser capaz de usar esa palabra, «típica». «Normalmente» también es buena. Y «casi siempre». Todo lo que es relativo. Cualquier modo de comparar eventos futuros con sucesos del pasado.

Estamos en una habitación. Vacía a excepción de una mesa y una silla, la silla en la que estoy sentada. No conozco a ninguno de los que están en la habitación. Cuatro hombres. Magdalena no está. Me leen algo de un papel. Me preguntan si lo entiendo. *Teniendo en cuenta estos derechos, ¿desea hablar conmigo?*

Me muestro firme. No. Quiero ver a mi abogado. Hay un gran espejo que ocupa una pared entera. Aparte de eso, un lugar vacío y abandonado. Un lugar para mostrarse reservada.

Su abogada está en camino.

Entonces esperaré.

Mi mango de bisturí y las cuchillas están sobre la mesa, en una bolsita de plástico. Los hombres hablan en voz baja entre ellos, pero nadie puede apartar los ojos de los objetos y de mí.

Me entretengo pensando que, en las películas, esta habitación estaría llena de humo de tabaco. Tipos demacrados, sin afeitar, bebiendo café aguado frío en vasos de plástico. Pero estos hombres están bien afeitados, bien vestidos, incluso elegantes. Dos de ellos toman bebidas con gas en vasos de papel. Uno tiene una bebida energética, el otro un botellín de agua. Nadie me ofrece nada.

Un ruido en la puerta, y tres mujeres entran en tromba. Tres mujeres altas y atractivas. ¡Amazonas! Mi hija, o tal vez mi sobrina; la mujer simpática que me cuida; y otra a la que quizá he visto antes.

Esta última, sobre la que tengo más dudas, me ofrece su mano, aprieta con fuerza la mía y sonríe. *Me alegro de volver a verte*, dice. *Aunque hubiera deseado que fuera en mejores circunstancias.* Busca mi rostro, sonríe de nuevo y dice, *Joan Connor. Tu abogada. A la que estás pagando una buena suma, además.*

Mi hija/sobrina se acerca y me pasa el brazo por el hombro. *No pasa nada, mamá*, dice. *No pueden hacerte nada. Esto es Estados Unidos. Todavía necesitan tener alguna prueba.*

La tercera mujer, la rubia, permanece apartada, cerca de la puerta. Suda con profusión. Su color es curiosamente intenso. Busco mi estetoscopio en el bolsillo de la chaqueta. Entonces me acuerdo.

Estoy jubilada. Tengo Alzheimer. Estoy en una comisaría de policía por mis cuchillas. Mi mente no me lleva más allá de esos hechos. Mi mente enferma. Sin embargo, nunca me he sentido tan alerta. Estoy lista para todo. Sonrío a mi hija/sobrina, que no me devuelve la sonrisa.

La abogada se dirige a los hombres. Aunque antes estaban separados de un modo informal, ahora forman una fila, con los hombros casi tocándose, las bebidas olvidadas sobre la mesa. Hombres alerta. Contra el enemigo.

¿Van a acusar a la doctora White?

Solo queremos hacer unas preguntas. Se negó a hablar sin estar usted presente.

Está en su derecho.

Y así se lo hicimos saber. ¿Podemos comenzar?

Mi abogada asiente. *Por favor, traigan más sillas.*

Los hombres rompen filas. Dos salen de la sala y vuelven con cuatro sillas plegables metálicas, y otro trae dos vasos de agua. Me ofrece uno en silencio y otro a la joven.

La abogada se sienta a mi derecha, mi hija/sobrina a mi izquierda. Sigue con el brazo por encima de mi hombro. La rubia permanece en pie junto a la puerta y rechaza con un gesto de la mano el ofrecimiento del hombre de ocupar una silla vacía.

¿Dónde estuvo el 16 y el 17 de febrero?

No me acuerdo.

Mi abogada interviene.

Le han hecho la misma pregunta una y otra vez. Y ha contestado en la medida de sus posibilidades. Como bien sabrán, la doctora White sufre demencia. No será capaz de contestar a la mayoría de sus preguntas.

Comprendido. ¿Cuándo fue la última vez que utilizó su bisturí?

No lo sé. Hace tiempo.

Usted era cirujana ortopédica, ¿no es así?

Correcto. Una de las mejores.

El hombre se permite una sonrisa.

¿Está especializada en manos?

Cirugía de la mano, sí.

¿Qué le parece esto? Me entrega unas fotografías. Las estudio.

Una mano adulta. De mujer. Tamaño medio. El pulgar es el único dedo que queda. Los otros han sido sesgados en las articulaciones entre el metacarpo y las falanges proximales.

¿Cómo definiría los cortes?

Limpios. Pero no están cauterizados. A juzgar por la cantidad de sangre coagulada, no se han realizado siguiendo el protocolo. Pero, por lo que parece, fueron ejecutados por una mano experta.

¿Qué tipo de cuchillo diría que se ha empleado?

Imposible de adivinar con estas fotos. Yo, personalmente, usaría una cuchilla del diez para una amputación, pero no parece que estos cortes fueran hechos por motivos terapéuticos.

¿Hay una cuchilla del diez entre estas? Me señala la bolsita.

Por supuesto.

¿Por qué «por supuesto»?

Porque es la cuchilla más apropiada para la mayoría de las operaciones quirúrgicas más comunes. Siempre hay que tener una a mano.

Sabe de quién son estas fotos, ¿verdad? ¿De quién es esta mano?

Miro a mi abogada. Meneo la cabeza.

Amanda O'Toole.

¿Amanda?

Eso es.

¿Mi Amanda?

Eso mismo.

Me quedo sin palabras. Miro a la joven que tiene el brazo por encima de mi hombro. Asiente.

¿Quién haría algo así?

Eso es lo que estamos intentando averiguar.

¿Dónde está? Tengo que verla. ¿Tienen los dedos? Con estos cortes tan limpios, sería posible reimplantarlos.

Me temo que eso no es posible.

La habitación se contrae. De alguna manera, sé lo que va a decirme. Estas fotos. Esta comisaría. Una abogada. El mango de mi bisturí. Las cuchillas. Amanda. Cierro los ojos.

Mi hija/sobrina interviene. *¿Cuántas veces van a hacerle pasar por esto? ¿Cómo pueden ser tan crueles?*

No tenemos otra opción. Cuando la detective Luton encontró el bisturí, no tuvimos otra opción.

Querrá decir cuando mi madre les entregó el bisturí. ¿Habría hecho eso de ser culpable?

Quizá. Si no se acordaba de lo que había hecho. Se vuelve hacia mí. *¿Mató usted a Amanda O'Toole?*

No contesto. Estoy concentrada en mis propias manos. Enteras y limpias de sangre.

Doctora White, preste atención. ¿Mató usted a Amanda O'Toole y luego le cortó cuatro dedos?

No me acuerdo, le digo. Pero hay imágenes que me reconcomen.

El hombre me mira con atención. Mis ojos se cruzan con los suyos y meneo la cabeza.

No. No. Claro que no.

¿Está usted segura? Por un momento...

Mi cliente ya ha respondido. No la atosigue. No es una mujer en sus plenas capacidades.

Uno de los hombres, bajito y rubio, el que había estado dando sorbos a su bebida energética, interviene.

Es extraño que se acuerde de unas cosas y no de otras.

Así es la enfermedad, dice la mujer sentada a mi lado. *Su memoria va y viene.*

Solo digo que habría jurado que justo había recordado algo.

Se vuelve hacia mí.

¿Algo? ¿Cualquier cosa que haya asomado en su cabeza?

Meneo la cabeza. Miro al frente, no a él. Poso mis manos sudorosas en mi regazo, bajo la mesa.

Mi abogada se levanta. *¿Van a acusar de algo a mi cliente?*

El primer hombre duda, y luego niega con la cabeza. *Tenemos que realizar unas pruebas.*

No me gusta el modo en que la mujer a mi lado y la abogada se miran. Nos levantamos para marcharnos, uno de los hombres me entrega mi chaqueta. Busco con la mirada a la otra mujer, la rubia, pero ya se ha marchado.

De mi cuaderno. En una letra extraña, inclinada hacia atrás, fechada el 8 de enero y con el nombre de *Amanda O'Toole*.

Me he pasado hoy para saludar. Jennifer, parecías estar llevándolo bastante bien. Me reconociste. Te acordaste de mi operación de rodilla del pasado otoño y del hecho de que la próxima primavera tengo pensado plantar unas macetas de tomates en el patio trasero donde da el sol. No tienes muy buen aspecto. Has perdido peso y se te veían círculos colorados alrededor de los ojos. Detesto estar perdiéndote así, vieja amiga.

Pero hoy era un día para estar contentas. Nos sentamos en el salón y hablamos, sobre todo de nuestros hombres. Peter, James y Mark. No te acordabas de que Peter y James se han marchado, uno a California, y el otro a un lugar que puede que sea mucho mejor o mucho peor que este.

A Peter le encanta California. Me manda correos electrónicos con frecuencia, ya sabes. Pregunta por ti. Tras cuarenta años de matrimonio no puedes cortar todos los vínculos. Peter y su búsqueda espiritual. Vivir en una caravana en el desierto de Mojave con una estudiante new age. La gente me pregunta cómo puedo soportarlo, el abandono, como ellos lo ven.

¿No sientes la casa vacía?, me preguntan. Bueno, siempre lo estuvo, digo, nosotros dos en esa enorme caverna. Igual cuando vendas este sitio y te mudes, yo también lo haga. No hay mucho más que me retenga en esta calle.

Me hablaste de tu preocupación por Mark. Sobre cómo ha salido a su padre en todo lo malo, sin heredar ninguno de los puntos fuertes de James.

No puedo estar de acuerdo contigo en eso. Mark tiene un lado vulnerable que puede salvarlo. Él es consciente de ello, también. James nunca habría reconocido ninguna debilidad. Completamente seguro de sí mismo hasta el final. Puede ser tranquilizador estar cerca de alguien así, tener una pareja que posee un convencimiento tan absoluto del lugar que ocupa en el mundo.

Pero esa seguridad entraña sus riesgos. Si cometes el error de seguirlos cuando toman ese inevitable paso en falso, entonces tú también estás en peligro. Y los dos acabáis hundidos. Un poco de escepticismo saludable es bueno, incluso esencial, para un matrimonio. Una cierta cantidad de distanciamiento. Nunca tuvisteis bastante entre vosotros.

Escucha lo que te digo. Mi matrimonio se evaporó sin dejar rastro tras cuatro décadas. ¿La muerte de un matrimonio debería ser tan inocua, tan insípida? No. Debería quedar algún residuo, algo marchaba mal entre Peter y yo para que el nuestro no dejara ninguno. Que fuera tan fácil, que acabara tan tranquilamente.

Al menos cuando James murió tú sentiste algo. Se manifestó de un modo extraño, pero lo sentiste muy dentro. Sé que no te acuerdas de aquel tiempo, pero te enfrascaste en la jardinería, de manera rara. Tú, con los pulgares negros. O mejor, empezaste a cavar agujeros en tu patio trasero.

Y después de cavar dos docenas de agujeros, insertaste en ellos esquejes de rosas que conseguías en aquel vivero de Halsted. La primera vez que ponías el pie en un sitio así. Luego los abandonaste. Se murieron, por supuesto. Tu patio estaba lleno de montoncitos de tierra fresca con brotes de plantas mustias muertas encima. La obra de una ardilla demente.

¿Tienes algún recuerdo de aquellos días? Estabas empezando a mostrar algunos de los síntomas. Me habías hablado de tus temores, por supuesto. No se lo habías contado a James. ¿Se lo dijiste a los chicos? No sé, pero lo dudo. Simplemente contrataste a una cuidadora y les dejaste que lo descubrieran por sí solos.

Magdalena me dice que los episodios agresivos están empeorando. Todavía no he visto ninguno. Magdalena dice que parece que ejerzo una influencia relajante en ti. Ya he aprendido a no creer que poseo algún poder secreto. He leído suficiente sobre esta enfermedad como para saber que no puedes predecir el futuro por el pasado. Es como lo que dicen sobre ser padre: justo cuando piensas que ya lo dominas, todo cambia.

Por eso los profesores odian cambiar de un curso a otro, por eso fue por lo que me quedé en séptimo curso durante cuarenta y tres años. Intenta aplicar todas tus mejores ideas y currículo solo un año después en la vida de un niño y simplemente no funciona.

Hoy has hablado de un modo rotundo sobre Fiona. Nada de bruma aquí. Y respecto a ella estamos completamente de acuerdo. Le va bien. Estamos las dos muy orgullosas de tu hija. Durante su adolescencia yo estuve tan preocupada como cualquier padre. Sus últimos años de adolescente y el principio de la veintena fueron tan difíciles, tan duros de ver.

Como sabes, ¡me tomé muy en serio mis deberes de madrina! No estaba preocupada por las drogas o el sexo, aunque estoy segura de que tuvo escarceos con ambos. Perfectamente normal. No, estaba más preocupada por sus fantasías de rescate. Siempre rescatando a Mark. Luego, ese otro chico incalificable. Gracias a Dios que se libró de él antes de cumplir los veinte. Si no, podría haber terminado casándose con él.

Por supuesto, no habrían durado. Pero habría dejado una mancha, conociendo a Fiona. La habría herido. Lo habría sentido muy dentro. Más dentro que yo después de cuarenta años.

¡Ya basta! Me estoy yendo por las ramas. Que sigas bien, mi querida amiga. Me pasaré pronto a verte.

Paso mucho tiempo pensando en los niños. Antes estaban tan unidos... Como Mark es mucho mayor que Fiona, una pensaría que se aburriría, que terminaría dejándola de lado. Nunca lo hizo, no en aquel tiempo. Pero se han distanciado. Mark hace eso con la gente. Los amarga, busca pelea, renuncia a ellos. Luego, tras seis meses o un año, vuelve con las orejas gachas, rogando perdón.

En un primer momento, Fiona era demasiado joven para resultar interesante a los amigos de su hermano, y contemplé cómo se iba enamorando de uno y de otro sin excesiva preocupación. Demasiado delgada, desgarbada, y condenadamente lista como para interesar a esas estrellas del fútbol americano y héroes del baloncesto que Mark tenía por amigotes en aquella época. Pero hubo uno... Fiona tendría... ¿cuántos? ¿Catorce? Había dejado de ser una monada, y sus facciones no se habían reordenado en esa agradable naturalidad de sus años adultos. Fue una criatura cerrada y reservada en su adolescencia.

Pero aquel chico –aquel jovencito–, compañero de Mark en su primer año de universidad en Northwestern, vio posibilidades. Yo siempre estuve alerta ante los depredadores, pero Eric escapó a mi radar. Demasiado cetrino, demasiado tímido, carente del encanto o el resentimiento que yo asociaba en aquella época a los seductores exitosos.

Lo que sucedió entre ellos, no lo sé. Fiona no me lo contó. ¿Le rompió el corazón? ¿Contrajo una enfermedad venérea? ¿Tuvo un aborto? Cualquiera de esas opciones es posible, pero tengo la sensación de que probablemente fue algo menos melodramático. Por aquel entonces yo creía que mi hija solo ayudaba a ese muchacho con una asignatura de estadística. Amanda pensaba algo parecido. Creía que a Fiona le daba lástima la torpeza social de aquel chico. A ninguna se nos ocurrió que ella necesitara algo de Eric. No era lo que una pensaba sobre Fiona.

Acabé con el asunto una noche, después de pillarlos sentados juntos en las escaleras de casa. No estaba espiándolos, ni siquiera pensaba en ellos, solo abrí la puerta y allí estaban. Él tenía un gesto petulante en el rostro, esa cara de no-me-quieres que les gusta poner a los chicos. No el tipo de expresión que me imaginaba que podría recibir Fiona. Entonces vi la expresión de mi hija. No era amor. No. Algo peor. Una especie de responsabilidad desesperada. La aceptación atormentada de una pesada carga.

Tuve que emplear cada gramo de mi fuerza para controlarme y no dar una patada a ese jovencito en su trasero huesudo. Todavía recuerdo sus hombros hundidos por la pena mientras se cernía sobre Fiona, animándola a entregarle algo de su fuerza. Y ella me miró, vio lo que yo vi, y el peso pareció evaporarse de su cuerpo mientras yo meneaba la cabeza. No.

Aquella noche, más tarde, me acusó entre lágrimas de haber arruinado su vida. Así que representamos esa típica escena madre-hija con un entusiasmo que engañó tanto a James como a Mark. Pero las dos sabíamos lo que estaba pasando. Un rescate a tiempo, recibido con gratitud.

Encuentro una carta junto a mis pastillas y mi zumo de la mañana. Lleva mi nombre, sin dirección. Sin sello. Dos páginas de hojas de cuaderno sin pautar, letra diminuta y apretada. La leo de un tirón, y luego otra vez.

Mamá:

Siento que mi última visita no acabara muy bien. Ni siquiera sé el verdadero motivo por el que me pasé. Sin embargo, la realidad es que el episodio solo demuestra el punto que quería dejar claro. Ya es hora de vender la casa y mudarse a una residencia asistida.

Más aún, ha llegado la hora de que yo ejerza el poder de tutela médica. Sé que no deseas esto. Valoras tu independencia. Con la ayuda de Magdalena, estás bien el sesenta y cinco por ciento del tiempo. ¡Pero el otro treinta y cinco por ciento!

La investigación abierta sobre la muerte de Amanda es una verdadera preocupación. El simple hecho de que se plantee que pudieras estar implicada —no es que yo lo crea, por supuesto— es motivo suficiente para dar este paso.

¿Creo que eres un peligro para los demás? No. ¿Creo que eres un peligro para ti misma? Sí, lo creo. Sospecho que no me entero de todo. Sospecho que Magdalena y Fiona me ocultan cosas.

Tú me entregaste este poder. No te lo pedí. Pero, una vez concedido, pienso cumplir con mi obligación. Podrías quitármelo, por supuesto. Podrías hacer lo que Fiona está intentando convencerte que hagas (sí, leí tu cuaderno la última vez que estuve allí) y arrebatarme este poder. Pero creo que sabes que sería un error.

Sobre Fiona. Me preocupa. Casi tanto como tú. Como ya te dije cuando te vi, ya sabes cómo se pone. Puede estar bien durante largos períodos, pero de repente las cosas se pueden torcer, muy, muy rápido. ¿Recuerdas aquella ocasión en Stanford? ¿Cuando papá tuvo que ir a buscarla para que pudiera calmarse en un lugar seguro?

De todos modos, sé que Fiona te dice lo contrario, pero te aseguro que en el fondo velo por tu interés. La Policía te ha interrogado muchas veces. Sé que si tuvieran algo contra ti no dudarían en juzgarte como a un adulto sano.

Me preocupas mucho. Sé que no siempre lo expreso del modo más diplomático. Como ya hemos comentado muchas veces, no soy papá. No soy ese abogado societario financiero con mucha labia; solo soy un currito. Pero me importas.

Legalmente, como sabías (y puede que todavía lo sepas cuando tu mente está despejada), se tiene que determinar la incapacidad para cada tarea por separado. Puede que ya no seas capaz de vestirte sola, pero igual eres capaz de tomar una decisión sobre dónde quieres vivir. Lo acepto.

El hecho de que decidieras ceder el control financiero a Fiona fue, por una parte, una opción inteligente. Reconocías que no podías velar sola por tus intereses económicos. Tienes un patrimonio sustancial, y no deberías arriesgarlo. Era lo más correcto, casi.

Es una forma rebuscada de decirte que me gustaría declararte mentalmente incompetente para asegurarte cierta protección legal. Por si acaso.

Y también una forma rebuscada de decirte que no estoy seguro de que Fiona sea la mejor persona para controlar tu dinero. Es cierto que es muy capaz. Pero ¿es de fiar? Me sentiría más seguro si yo también recibiera copias de tus extractos bancarios. ¿Podríamos arreglar esto?

Trata de leer esta carta siendo consciente de mi preocupación por tu bienestar. La competencia mental es una etiqueta. No tiene que ver con tus capacidades reales. No vas a sufrir un deterioro repentino solo porque un tribunal dicte una orden. Seguirás siendo la misma persona. Pero puede que evites un montón de problemas y gastos dando ahora este paso, en lugar de esperar a que te vuelva a detener la Policía o incluso a que te acusen.

Me pasaré por casa mañana y volveré a intentarlo. Créeme, de verdad deseo ser de ayuda.

Tu querido hijo,

Mark.

Hoy ha muerto mi madre. No lloro, había llegado su hora. Así son las cosas. Así son siempre las cosas.

¡*Oh, Mary!*, decía mi padre cuando mi madre hacía algo indecoroso —bailar un cancán subida a una silla en una cena formal, lapidar a una paloma hasta la muerte frente a transeúntes horrorizados—. ¡*Oh, Mary!* Su dueto de amor.

Un hombre tan encantador, mi padre. Poseía un alma reposada, como diría Thoreau. ¿Cómo acabó con mi madre? Ella, que flirteaba con curas homosexuales, contaba mentiras audaces, descorchaba el whisky a las cuatro en punto todos los días. Y ahora, finalmente, se ha ido.

Mi vuelo a Filadelfia sale con retraso, así que cuando llego a la residencia, la cama ya está vacía; alguien se olvidó de avisar de mi llegada. Me siento sobre la cama vacía. ¿Acaso importa? No. No sé si me habría reconocido, de todos modos.

Al final se le fue la cabeza. Siempre católica devota, en los últimos meses de su vida renegó de Cristo y de la Virgen María y se pasó a las mártires vírgenes. Santa Teresa de Jesús, Catalina de Siena y santa Lucía fueron sus compañeras constantes. Se reía tontamente, sacudía el aire con un pañuelo de papel, les ofrecía trocitos de comida. Un grupo hambriento e ingenioso, a juzgar por el constante alimento que requerían y las permanentes risas de mi madre ante su plática.

Conservó su gusto por las travesuras. Eso jamás lo perdió. Una vez robó una bolsita de kétchup de su bandeja del almuerzo y se lo extendió por las muñecas en las articulaciones escafolunares, por los tobillos en la talonavicular. Estigmas amargos y avinagrados. La auxiliar de enfermería gritó, para evidente deleite de mi madre. Chocó los cinco con un cómplice invisible.

Al final, lo que acabó con ella fue una caída. Inofensiva. Se le doblaron las rodillas cuando se dirigía renqueante desde la cama hacia el cuarto de baño. Se cayó al suelo, la ayudaron a levantarse, y aquello fue su final.

Esa tarde, tuvo fiebre muy alta. A lo largo de la noche mantuvo profundas conversaciones con sus santas. Era un tipo de delirio distinto del habitual: les decía adiós. Daba un beso de despedida a sus vírgenes, y largos abrazos cariñosos. Dijo adiós a los médicos, a las enfermeras, a los celadores. Se despidió de los visitantes de la residencia que pasaban por el pasillo. Pidió, y recibió, un gran vaso de whisky escocés. Le dieron la extremaunción. Adiós, adiós.

No mentó a mi padre. Tampoco a mí.

Le gustaron las bromas hasta el final. Cuando los camilleros vinieron a llevarse el cadáver, uno se fijó en un extraño bulto entre los pechos de mi madre. Deslizó la mano con cautela por el cuello de su camisón de hospital y soltó un grito y un respingo, meneando la mano. *¿Te ha mordido algo?*, dijo su compañero, sonriendo. Pues sí, en efecto: la dentadura postiza de mi madre. Una mujer hermosa de joven, nunca había dejado de creer en su atractivo. Así que uno de sus últimos actos fue colar una trampa donde aparentemente creía que todavía habría alguien deseando ir.

La enfermera me contó todo esto, y yo sonreí. Me pregunto qué quedará en mi mente, al final. ¿A qué verdades básicas volveré? ¿Qué trucos jugaré, y con quién?

Jennifer.

Alguien me está sacudiendo. La enfermera.

Jennifer, es la hora de tus pastillas.

No. Tengo que llamar a la funeraria. Hacer las gestiones para la incineración. Porque no puedo soportar la idea de un funeral. Polvo eres y en polvo te convertirás, con eso basta. El nicho ya está pagado. Mi padre ya descansa allí. Amado padre y esposo. Lo único que hace falta es terminar de tallar la lápida doble. Puedo encargarme de eso mañana y tomar un vuelo por la tarde. De regreso a mi cirugía, a James y los niños.

Jennifer, estás en Chicago. Estás en casa.

No. Estoy en Filadelfia. En la residencia Mercy. Junto al cadáver de mi madre.

No, Jennifer, tu madre murió hace mucho. Años y años.

No, no es posible.

Sí. Ahora tómate las pastillas. Aquí tienes el agua. Bien. Ahora, ¿qué tal si damos un paseo? Me ofrece su mano. La tomo. La estudio. Cuando no puedo dormir, cuando estoy confusa, pongo etiquetas a las cosas. Intento recordar lo que importa. Y uso su nombre correcto. Los nombres son algo precioso.

Paso mis dedos por la mano que tengo entre las mías. Este es el *ganchoso*. Este es el *pisiforme*. El *piramidal*, el *semilunar*, el *escafoides*, el *grande del carpo*, *trapezoide*, *trapecio*. Los huesos *metacarpianos*, las *falanges proximales*, las *falanges distales*. Los *sesamoideos*.

Tocas de una forma muy suave. Supongo que fuiste una buena médica.

Quizá. Pero no necesariamente una buena hija. ¿Cuándo dices que sucedió?

Hace más de veinte años. Me has contado la historia.
¿Lo pasé mal?
No lo sé. Yo no estaba en aquel entonces. Tal vez. No eres una persona que demuestre mucho sus sentimientos.

Sigo sosteniendo su mano, acariciando sus dedos con los míos. Las cosas que importan. Las verdades a las que nos aferramos hasta el final. *Estas son las cosas que hacen posible la vida tal y como la conocemos,* solía decir en mis clases, señalando cada falange de una en una. *Tratadlas con el mayor de los respetos. Sin ellas, no somos nada. Sin ellas, casi no somos humanos.*

El guapo salía por la puerta de atrás justo cuando James entraba por la principal. Duplicidad. Hacer guardias con él y necesitar hacerme la dura. Era tan joven. Echarle reprimendas por unos puntos mal dados. *Pero ya vimos que los síntomas y las funciones del paciente mejoraban después de que yo reconstruyera la articulación traumatizada,* protestó una vez, casi lloriqueando. No resultaba atractivo en ese contexto. No.

El resentimiento de los inexpertos, el enfado de los heridos. *¿Por qué me tratas así?,* me preguntaba.

Porque no puedo mostrar favoritismo.

¿Porque la gente se daría cuenta?

Porque compromete mi reputación y la reputación de este hospital.

Si soy tan incompetente, ¿por qué me aguantas?

Porque no eres incompetente. Porque eres guapo.

No duró mucho. ¿Cómo iba a durar? Y la gente habló. Pero no habría renunciado a un milisegundo de aquello. Además, la pérdida. Perder y lamentar y ser incapaz de confiar a nadie ese penar. Es un lugar solitario para residir.

Estiro el brazo y solo palpo ropa de cama. El reloj me dice que es la 1.13 de la madrugada, y que James todavía no está en casa. El hecho de que sepa dónde está no alivia mi preocupación.

Vivimos en un mundo lleno de peligros, y las horas comprendidas entre la una y las tres de la madrugada son las más peligrosas.

No solo fuera, en las calles de la ciudad, sino aquí, en casa. A veces salgo de la cama para ir al baño y aliviarme o comprobar las ventanas y puertas, y escucho una respiración. Dura y áspera. Cuando no debería haber nadie más en casa. No son los niños, hace tiempo que se fueron. No es James, que no ha vuelto de sus correrías.

Busco el origen del ruido, que proviene de uno de los dormitorios vacíos. La puerta está abierta. Veo una forma en la cama, grande y corpulenta. ¿Hombre o mujer? ¿Humano u homúnculo? A esta hora, en estos confusos momentos a medio despertar, todo es posible.

Respiro hondo para controlar el pánico, cierro la puerta y retrocedo. Llego a las escaleras y las bajo a todo correr, a punto de caerme por las prisas. Busco un lugar seguro. La única habitación con puerta es el cuarto de baño. Me encierro dentro, me siento en el retrete e intento calmarme. Tener a alguien a quien agarrarme, que me den palmaditas en la mano y me digan, *Es solo un sueño*. O *Es solo una película*. Porque ya no puedo distinguir la diferencia. Pero aquí no hay nadie.

Magdalena va y viene, dejándome sola en esta casa con una cosa desconocida. De repente deseo tener un perro, un pájaro, un pececito, algo con un corazón que lata. Adoro los gatos, pero nunca hemos tenido uno, porque odiaba la idea de tenerlo atrapado entre cuatro paredes cuando su instinto sería deambular libre. Los riesgos de dejar a un gato merodear por Chicago eran muy grandes.

¿Me molestó aquella primera vez que James no volvió a casa? ¿La noche de su pecado original? Un poco. Luego descubrí los hechos y todo el dolor desapareció, reemplazado por la ira.

No ira hacia él, o al menos nada más que un ligero brote que rápidamente se consumió. No, ira dirigida hacia el interior. Nunca me tuve por una inocentona. Me tenía en tan alta estima que suponía que los demás también, sobre todo los más cercanos a mí. James. Los niños, incluso durante los horrores de los años adolescentes. Amanda, por supuesto. No le conté a nadie más que a Amanda lo de James, y me decepcionó con la banalidad de su respuesta.

No hay nada peor que la traición, dijo. *Y cuando se pierde la confianza, sucede lo mismo con el respeto.*

En realidad, le dije, hay un montón de cosas peores que la traición. Y en cuanto al respeto, siempre sale por la puerta antes que la confianza.

¿Qué hay peor que la traición?

Perder la vista. Perder el uso de tus brazos. Casi cualquier afección física o deformidad.

La enfermedad.

Sí.

Mientras conserves la salud, lo tienes todo. Puso cara de estar recitando una perogrullada.

Básicamente.

Bueno, si eso no es una actitud interesada en una médica, no sé lo que es. No me extraña que te apoden «el martillo».

Siempre hay unos cuantos clavos de los buenos por remachar.

¿Hasta dónde estarías dispuesta a llevar esta teoría?

¿Qué teoría?

La de que el sufrimiento físico vence al dolor psicológico, emocional o espiritual.

Bueno, evidentemente están todos interrelacionados. La llevaría hasta el punto que siempre he adoptado como médica: cuando un paciente acude a mí, hago todo lo que está en mis manos para curarlo o, si eso no es posible, para reducir el impacto en su capacidad para vivir su vida. Claramente, un trauma físico puede tener unas graves consecuencias emocionales y psicológicas que deben tenerse en cuenta al hacer un pronóstico.

¿Y las consecuencias espirituales?

Eso me desconcierta. ¿Cómo puede conducir la pérdida del uso de una mano a una crisis espiritual? Los médicos medievales, por supuesto, creían que las cosas eran justo al contrario: los defectos espirituales conducían a enfermedades físicas. La lujuria conducía a la lepra, por ejemplo. Pero ¿aparte de eso...?

Puede provocar que alguien dude de su Dios. De su percepción de cómo funciona el universo. De su concepto de lo bueno y lo malo. Pero déjame darle la vuelta a la pregunta: ¿qué causaría una crisis espiritual en ti? ¿Qué sacudiría tu creencia en tu universo?

Bueno, ¡evidentemente, que James tenga una aventura no va a conseguirlo! Sé que la mayoría de la gente no lo comprenderá, pero nuestro vínculo es más profundo que eso. Se acabará. Sobreviviremos.

Está claro. Y luego, ¿qué?

Pensé en ello. Pasaron unos instantes durante los cuales Amanda tuvo tiempo para servirse otra taza de café.

Supongo, dije, que lo que más me asusta es la corrupción.

Y defines la corrupción como...

El acto o proceso de manchar o contaminar algo. De provocar que algo que posee integridad se descomponga.

Entonces, cuando James te engaña, ¿eso no corrompe tu matrimonio?

No se puede corromper algo como lo que tenemos James y yo. Aunque soy bastante consciente de que cuestionas la integridad de nuestra relación.

Hablaba lentamente porque me encontraba en el proceso de descubrir algo.

Sí, lo hago.

Es una tragedia cuando algo decente y bueno se mancha, añadí. Eso es lo aterrador en el hecho de que la Iglesia católica proteja a sus sacerdotes. Y la corrupción de los jóvenes es algo realmente malvado.

Y por eso no es aterrador con James. Porque ninguno de los dos sois inocentes.

No cabe duda de que no.

¿Y cuál debería ser el castigo para la corrupción?

Estaba jugando conmigo, y yo lo sabía. Un juego peligroso.

Como ya he dicho, la corrupción pura es el mal puro. Algo que hay que erradicar.

¿Te refieres a que se merece la muerte?

Sí, cuando se manifiesta en su forma más pura.

Aunque estás en contra de la pena de muerte. Has ido conmigo a manifestaciones. Has participado en vigilias con velas.

Nuestros tribunales no son quiénes para decidir sobre el bien y el mal.

¿Y quién lo es?

¿No nos estamos desviando demasiado del tema? Comenzamos hablando de la traición y la confianza. Y ahora te estás riendo de mí.

Jamás.

Siempre.

Tienes razón. Siempre.

El recuerdo se desvanece, como el final de una película. Ya no puedo oír la voz de Amanda, pero puedo ver ciertas palabras como si las hubieran escrito en el aire. *Respeto. Inocencia. Muerte.* Más claras que mi realidad actual. Me siento en la oscuridad e intento no escuchar la respiración de la casa.

Anoche James estaba muy enfadado. Alguien había revuelto su cajón de los calcetines y se había llevado todos los pares limpios, dijo. Alguien le había robado su peine favorito. Alguien había estado usando su máquina de afeitar. Sonaba como Papá Oso. *¿Quién se ha comido mi sopa?* Los dos sabíamos quién había sido, evidentemente. Fiona tiene trece años y está en una zona de peligro.

Necesidad. Odio la palabra. Odio el concepto mismo. Algunas necesidades son inevitables. Necesito oxígeno. Necesito nutrientes. Necesito ejercitar este navío, mi cuerpo. Puedo aceptar todas esas cosas. Pero mi deseo de compañía, eso es algo totalmente distinto. La camaradería del quirófano, de los vestuarios, de compartir un café con Amanda en su casa o en la mesa de mi cocina.

Como no puedo salir para obtener esta compañía, me la traen. Ya no veo dinero cambiando de manos. Se hace a mis espaldas, una maniobra de prestidigitador, desde que cedí la tutela de mis finanzas a Fiona. Ahora fingimos. Fingimos que Magdalena es mi amiga. Que está aquí voluntariamente, que la he invitado a quedarse en mi casa.

De modo que aquí vivimos, una pareja un tanto extraña. La mujer sin pasado. Y la mujer que se intenta aferrar desesperadamente al suyo. A Magdalena le gustaría hacer borrón y cuenta nueva en su historial, mientras que yo me lamento porque el mío se está borrando involuntariamente. Cada una tiene unas necesidades que la otra no puede satisfacer.

Qué humillante estar embarazada a los cuarenta. Qué humillante no sospecharlo hasta que una inocente compañera de trabajo te felicita al notar los cambios en tu cuerpo. Pero es que tus períodos nunca han sido muy regulares. Te costó seis años concebir a Mark. Ya habías abandonado. Casi habías aceptado comprar un perro para James. No volviste a usar anticonceptivos. Y ahora, esto.

¿Cómo reaccionará James? ¿Lo adivinará? ¿Cómo reaccionarás tú cuando se te pase el shock? Sigues mirando la barrita blanca con la señal rosa de positivo en un extremo. Acabas de hacer pis sobre un palito y tu vida ha cambiado para siempre.

Estamos sentados en el salón, Mark, Fiona y yo. Recuerdo vagamente algunos problemas recientes entre Mark y Fiona, algún distanciamiento que ha molestado considerablemente a Fiona. Mark, por lo que veo, no está muy afectado. Pero parece que ha habido algún tipo de reconciliación. Mark se encuentra apoltronado en el largo sofá Stickley con cojines de cuero, y Fiona se sienta en la mecedora sonriéndole, con vestigios de su admiración de hermana pequeña brillando en su rostro.

Esta vez pensaban que te habían pillado, dice Mark. Pero ninguna de las pruebas que han realizado ha sido concluyente. Juguetea con la correa de su reloj. No parece demasiado preocupado. Capto un rápido gesto de inquietud en la cara de Fiona.

¿De qué estáis hablando?, pregunto. Estoy irritable. No es un día en que me sienta especialmente maternal. Tengo papeleos que hacer, y estoy más cansada de lo que me gustaría aceptar. Una taza de café y retirarme a mi despacho es lo que realmente quiero, no quedarme de cháchara con estos jovencitos, por muy cercana que sea nuestra relación.

No te preocupes, dice rápidamente Fiona, de modo que no lo hago. En su lugar, miro mi reloj. Me fijo en que Fiona se da cuenta, y el gesto reaparece brevemente, pero Mark ahora está mirando mi Calder, colgado en su lugar habitual sobre el piano.

¿Dónde está vuestro padre?, pregunto. Se disgustará por no haber estado aquí para veros. Comienzo a levantarme, es mi modo de dar por terminada la sesión, que de un modo extraño parece estar destinada a hacerme perder el tiempo deliberadamente, como si fuera un truco para retenerme en la sala, lejos de mi trabajo de verdad.

Dudo que papá esté de vuelta antes de que nos tengamos que ir, dice Mark, que no se mueve del sofá. No se me escapa la mirada que le lanza Fiona. Algo pasa, están ocultándome información, pero estoy demasiado enfadada para seguirles el juego.

¿Dónde está Magdalena?, pregunta de repente Fiona. *Tenemos que hablar de una cosa con las dos.* Comienza a levantarse de su silla, pero justo entonces aparece Magdalena. Sus ojos están un poco enrojecidos.

Lo siento, estaba al teléfono, dice, y añade, *Cosas de familia.*

Fiona se ha vuelto a sentar en la mecedora y da un empujoncito al suelo con su pie derecho para ponerla en movimiento. Tan pequeña y ligera, parece una niña mientras se balancea.

Queríamos ponernos de acuerdo en una cosa, comienza, y mira a Mark. Él ha vuelto a centrar su atención en el Calder, así que ella sigue.

La prensa nos ha estado dando la lata a Mark y a mí. Ha habido una filtración. Saben que se llevaron a mamá para interrogarla y que la soltaron. Parece que no saben más, pero quiero —y aquí lanza otra mirada rápida a Mark—, *queremos evitar cualquier publicidad no deseada.*

Magdalena interviene. *Yo jamás contaría nada. Lo sabéis. Siempre les cuelgo. Y si se presenta en la puerta alguien a quien no conozco, ni le abro.*

Mark habla. *Sí. Sin embargo, no sabemos cómo pero pillaron a mamá la semana pasada. Había salido sola al jardín.*

¿A qué te refieres exactamente con eso de que *me pillaron?*, pregunto, con frialdad. ¿Y por qué no voy a poder *salir sola* al jardín de mi casa? Hablas como si tuviera dos años.

Veo que Mark sonríe, pero ese gesto no va dirigido a mí. Es alguna especie de broma privada.

Magdalena parece indecisa y un poco asustada. *Nadie me lo había contado,* dice.

El periodista me llamó. A Fiona también. Aparentemente, mamá estaba en buena forma aquel día; se le metió en la cabeza que el periodista estaba intentando revolver en el tema de Amanda y sus métodos de enseñanza. ¿Recuerdas que Amanda estaba siempre enfrentándose a la asociación de madres y padres de alumnos? Mamá volvió loco al tipo. Parece ser que mantuvieron un diálogo de besugos durante un rato, y luego mamá lo echó. El hombre no comprende muy bien lo que está pasando.

Si es un poco listo, puede enterarse del estado de mamá por el hospital o la clínica, dice Fiona. *Y, por supuesto, está la filtración por parte de la Policía. Pero no se lo pongamos fácil, ni a él ni a nadie.*

¿Mi estado?, pregunto. Ahora me pongo de pie. Os voy a decir cuál es mi estado: estoy furiosa.

Me sorprende que nadie se preocupe por mirarme. Disculpadme, digo, conteniendo las palabras y bajando deliberadamente el tono de mi voz. Esto siempre consigue atraer la atención en el quirófano. Pero esta vez no funciona.

No más negligencias, dice Mark, mirando a Magdalena. *¿Lo entiendes? Tres strikes y estás eliminada. Hemos empezado a contar.*

La respiración de Magdalena es entrecortada. *Sí,* dice, *lo entiendo.*

Hasta Fiona, que normalmente es muy atenta conmigo y amable con los demás, ha endurecido sus facciones. *Esta es ahora tu prioridad número uno*, le dice a Magdalena. *Proteger a la familia. Lo demás no importa.*

Estamos mirando unas manzanas. Pilas y pilas de manzanas, de todas las variedades, colores y tamaños. Junto a ellas, montones de peras verdes, peras moradas. Luego, naranjas. ¿Quién las apila con tanta precisión? ¿Quién las mantiene en orden?

Agarro una de las manzanas, una roja, y le doy un mordisco. Un regusto amargo. La escupo y escojo otra. La pruebo. Una niña pequeña me está observando. *Mami, esa señora está estropeando la comida. ¡Calla!*, le dice su madre, pero la niña insiste. *¿Y por qué se está quitando la ropa?*

¡Jennifer! Me doy la vuelta. Una mujer grande y rubia corre hacia mí. Asustada, me choco con las manzanas, que empiezan a caerse del expositor y ruedan a docenas entre mis pies, por el suelo, dispersándose en todas las direcciones.

¡Ponte la ropa! Pero ¿por qué tendría que hacerlo? *Jennifer, no, otra vez, no. Por favor, déjate las bragas. Ay, Dios, van a llamar otra vez a la Policía.* Un hombre grande llega corriendo. *¿Señora?*, pregunta. La rubia lo interrumpe. *Tiene demencia, no sabe lo que está haciendo. Tenga. Tenga una carta de su médico.*

La rubia saca un sobre arrugado de su bolso. Lo abre apresuradamente, extiende un trozo de papel ante el hombre, que lo lee, frunciendo el ceño. *De acuerdo, pero que se vista y se marche de aquí. ¿En qué estaba pensando, traerla aquí sabiendo que puede pasar esto?*

Normalmente está bien. Solo sucede en contadas excepciones…
¡Las suficientes como para que necesite llevar una carta encima!
Sí, pero…
Ande, llévesela…

La rubia me pone algo por la cabeza y lo baja por mi cintura, y luego agarra algo más pequeño, hace una bola con ello y se lo mete en el bolsillo. Salimos de la tienda mientras los gritos de los niños suenan a nuestro paso. *¡Pero mami! ¿Mamá? Mami, mira.*

M i cuaderno: la letra de Fiona.

Mamá, hoy hemos estado discutiendo. Es una conversación que llevaba años esperando tener, pero nunca era el momento adecuado. Siempre me daba miedo. Pero ahora las cosas son muy diferentes. Incluso si te enfadas, no te dura mucho. Estos días, las revelaciones valen una mierda. Regresamos rápidamente a nuestros papeles seguros y cómodos. Pero, por supuesto, no siempre fue todo así de tranquilo. Por eso sigue dando un poco de miedo empezar a hablar.

Comenzamos hablando de mí a los catorce años. ¿Te acuerdas? Protestona, rebelde, agresiva. Actuando tal y como se debe a esa edad, en realidad. Me escapé dos veces de casa, si te acuerdas. La primera fue un ataque de pura rabia. Estaba chillándole a nuestra asistenta en aquella época –¿cómo se llamaba? ¿Sophia? ¿Daphne?–, y lo siguiente que recuerdo es que me encontraba en la estación Union, intentando comprarme un billete para Nueva York. Ahí fue cuando me recogió la poli. Si ahora no aparento mi edad, no puedo imaginarme qué aspecto tendría con catorce: huesuda, patizamba, con mi corte de pelo a lo chico engominado para dejarlo de punta. Mis primeros piercings en las orejas y las mejillas. Vestida toda de negro, por supuesto.

Quién sabe lo que habría hecho en Nueva York. Creo que algo tenía previsto, porque había rebuscado en la cartera de Sophia, o Daphne, o Helga, y había robado lo que pensé que era una tarjeta de crédito pero que en realidad se trataba de una tarjeta de miembro de la Asociación de Automovilistas que le habías dado por si se le averiaba el coche. Qué ilusa fui. Los polis me devolvieron a casa justo después de que regresaras del trabajo. Ni siquiera te habías quitado el abrigo. Y simplemente aceptaste con frialdad los hechos que te contaron los polis, no me castigaste, no volviste a sacar el tema, solo me dijiste que me lavara las manos para ir a cenar. Yo estaba furiosa, como te puedes imaginar.

La segunda vez fue distinto. Acababa de romper con Colin. Por tu culpa. Sentía pánico. Acababa de asomarme al abismo y no estaba segura de si había saltado por el precipicio o me habían apartado de él de un tirón. Era una sensación casi puramente física, porque la verdad es que no podía pensar: mi corazón corría disparado, tenía problemas para respirar, e incluso me salieron extraños sarpullidos por todo el cuerpo. Tú parecías ignorar todo aquello. Simplemente te marchabas por la mañana y volvías por la noche. Mark ya estaba en la universidad. Papá andaba... bueno, quién sabe dónde. Y yo creía que me estaba muriendo. Todo parecía fuera de control y tenía miedo. Así que me marché otra vez. Pero en esta ocasión fui más lista. Preparé una mochila y me dirigí a casa de Amanda a pedir asilo. Estaba encantada. Siempre se tomó muy en serio su papel de madrina, y siempre me animó a acudir a ella, especialmente si tenía problemas contigo. Probablemente no te sorprenderá oír que se deleitó con mis quejas. Siempre la adoré. Veía su dureza, el modo en que trataba a los demás, la cara que mostraba al mundo. Pero siempre supe cómo superar esas defensas. Me aprovechaba de ella, por supuesto. Sin contemplaciones. Y en aquella ocasión no fue diferente. Dejé a sus pies mis quejas sobre ti y observé cómo su mente comenzaba a trabajar.

Como te he contado hoy, ahora creo que Amanda lo tenía planeado desde años atrás. Solo esperaba el momento oportuno. Había estado observándome, calculando y esperando. Analizando mi transformación de una niña impetuosa pero tierna a un auténtico bicho raro con conflictos materno-filiales. Aguardando su oportunidad. Y pensó que esta había llegado en ese momento. Estábamos sentadas a la mesa de su comedor, y tenía ese gesto divertido en la cara. Divertido para Amanda, que normalmente es tan resuelta. Pero pude ver su inquietud cuando me lo pidió. Que me mudara con ella y Peter. Que pasara el resto de mi adolescencia con ellos. Que os dejara a ti, a Mark y a papá, aunque seguiría viéndoos, por supuesto. Ella sería mi madre de acogida. Hizo que se revolviera mi angustia adolescente. Pero la idea me atraía. Venganza, lista para ser servida. Le pedí algo de tiempo para pensármelo. Aceptó, naturalmente, y me rogó que me volviera a casa hasta que tuviera las ideas claras. Regresé a casa aturdida aquella tarde. Te diste cuenta de que pasaba algo —te pillé observándome durante la cena—, pero no dijiste nada directamente. Aun así, viniste a mi cuarto aquella noche, algo que hacías raras veces. Te sentaste al borde de mi cama y dijiste algo raro. Era como si lo supieras. Dijiste, Tres años más.

Solo otros tres años. *Y me diste unas palmaditas en el brazo. Solo hizo falta eso. Apenas un toque. Aunque a esa edad rehuía el contacto físico, acepté aquel roce y en un instante abandoné a Amanda y sus planes bien elaborados. Nunca volvimos a hablar de ello, Amanda y yo. Nunca hicimos preguntas. Y nunca cambió su actitud conmigo. Seguimos como antes, la iconoclasta y la madrina devota. Hasta el día en que murió.*

¿Y qué me has dicho esta tarde, cuando te conté todo esto? Sonreíste, alargaste la mano y volviste a darme unas palmaditas en el brazo. Luego la retiraste, antes de lo que me hubiera gustado. Porque ya no estoy en ese punto en que no quiero que me toquen. Más bien todo lo contrario. Aunque la verdad es que estos días no resulto muy atractiva. Me he pasado varios años en la jungla y parece que no encuentro una salida. Dios me ayude, pensé, sin darme cuenta de que lo decía en voz alta, hasta que dijiste, Sí, por favor.

*E*stoy teniendo un mal día, ese tipo de días en los que sé que los creyentes rezarían, pero no puedo permitirme caer tan bajo. Así que dos palabras resuenan repetidamente en mi cabeza, pequeños ruegos a pequeños dioses. Diosecillos. «Por favor.» Solo esas dos palabras, una y otra vez.

*F*iona está sollozando, la cabeza entre las manos en la mesa de mi cocina. Magdalena se encuentra detrás, masajeando la espalda encorvada de mi hija. Las dos se podrían ir al infierno.

¡Es tanto lo que hago!, dice Fiona. *Día tras día. Mes tras mes.* La cabeza de la serpiente de ojos verdes del tatuaje asoma por debajo de su camiseta de manga larga. Su pelo corto está revuelto de tanto pasarse las manos por él. Llevamos un buen rato así.

Sí, es verdad. Pues claro que sí, dice Magdalena. Su tono apaciguador no casa con la expresión de su rostro.

¿Y qué es, exactamente, eso que haces?, pregunto. ¿Alguna vez te he pedido que hagas algo? Estoy ardiendo de rabia, infundida por la fuerza de quienes se sienten heridos.

Sé que es la enfermedad la que habla, pero aun así es duro. Muy duro, dice Fiona. Su voz suena apagada. No ha levantado la cabeza de sus manos.

No, soy yo la que habla. Deja de tratarme como si estuviera loca. Me olvido de las cosas, cierto. Pero el hecho de que no recuerde dónde he puesto las llaves del coche no significa que sea una psicótica. No menees la cabeza así. He oído lo que has dicho. Te he oído hablando por teléfono. Hoy está muy difícil. No, más que difícil, psicótica. Esas fueron exactamente tus palabras. Niégalo.

Fiona se limita a menear la cabeza.

La rubia interviene. Jennifer, el motivo por el que no puedes encontrar las llaves del coche es porque ya no existen. Vendimos tu coche el año pasado. Ya no te dejan conducir. Estás demasiado enferma.

¿Tú también?

Sí, yo también. Todos, también.

Todos.

Sí, pregunta si quieres. Venga. Sal a la calle. Llama a alguna puerta.

Entonces vosotras dos habéis estado hablando de mí, digo. Corriendo la voz. Andáis detrás de algo. Queréis mi dinero. Fiona, has estado mirando mis papeles. También he visto eso.

Fiona levanta la cabeza. Mamá, soy tu consejera financiera. Me concediste la tutela de tus finanzas. Hace ya más de dos años. Cuando te diagnosticaron el Alzheimer. ¿Te acuerdas?

Suelta una carcajada burlona y se dirige a Magdalena. Le estoy preguntando a una mujer con demencia si se acuerda. ¿Quién es la loca aquí?

Eso es, digo. Fuera. Ahora. Y deja los papeles. Quiero comprobarlos.

Mamá, nunca has sido capaz de «comprobar» las cuentas. Tú misma lo decías. Eres un caso perdido con el dinero.

Bueno, vale. Se puede contratar a alguien. Me buscaré a alguien. Encargaré una auditoría.

Fiona levanta la cabeza. ¿Una auditoría? ¿Para qué?

¿Para qué se hace una auditoría? Para asegurarse de que todo está en orden. Llámalo una segunda opinión, si lo prefieres.

Pero siempre has confiado en mí. Siempre.

Sé profesional. ¿Me agarro un berrinche cada vez que un paciente quiere consultar algo con otro doctor? ¿Qué tipo de médica sería si lo hiciera?

Esto es distinto.

¿Cómo? ¿Cómo? *¿Qué tienes que ocultar?*

¡Nada! Mamá, contrólate.

Me controlo, me controlo muy bien. Y no voy a dejar que me traicionen. Sal. Y *no vuelvas.* Desde ahora, no tengo hija. He dicho.

Siento que me desprendo de un peso al decir esto. ¡No tengo hija! ¡No tengo marido! ¡No tengo hijo! ¡No más estorbos! Haré las maletas. Me marcharé a sitios desconocidos. Pediré una excedencia en el trabajo. Me deben las vacaciones. Tengo fuerza de voluntad.

Recuerdo los extractos que Fiona estaba estudiando con tanta atención. Y tengo el dinero. Nadie sabrá adónde voy. Nadie podrá seguirme. Se acabó ser una prisionera en mi propio hogar. Se acabó ser espiada y seguida de cuarto en cuarto. Ah, bendita libertad.

Jennifer. No sientes todo esto que dices, dice Magdalena. Falla estrepitosamente en controlar su rostro. No hay duda de su expresión. Triunfo secreto.

Tú no te metas en esto. Aunque, en realidad, ya estás dentro, ¿verdad? Formas parte de esta conspiración. Muy bien, estás despedida. Las dos, fuera. Tengo cosas que hacer.

Magdalena se lleva las manos a la cintura. *No puedes despedirme.*

¿Qué?

Que no puedes despedirme. No eres mi jefa.

Si yo no soy tu jefa, ¿quién lo es?

Magdalena señala a Fiona. *Ella. Junto con tu hijo. Los dos me contrataron. Firmaron los papeles con la agencia. El dinero lo ponen ellos.*

No. Es mi dinero. Eso lo sé.

En el cheque que recibo todos los meses no pone tu nombre.

86

Una triquiñuela, nada más. Quito de aquí y pongo de allí. Además, te olvidas de una cosa. Esta casa es mía. Yo decido quién entra y quién sale.

Fiona vuelve a hablar. Le tiembla la mandíbula. *No por mucho tiempo*, dice.

¿Disculpa?

Esta casa no será tuya por mucho tiempo. Mark y yo estamos de acuerdo.

¿Desde cuándo Mark y tú sois amigos?

Hablamos. Colaboramos. Cuando es necesario. Y no dudaremos en declararte mentalmente incapaz y meterte en una residencia asistida. Tenemos pruebas más que suficientes. Múltiples llamadas al teléfono de emergencias. Visitas a urgencias. Relatos de testigos. Por no mencionar la investigación abierta.

Así que estáis todos metidos en esto.

Sí, todos, dice Magdalena. *¡El mundo entero!* Se dirige a la cocina y pone a calentar agua. *Hora de tomar el té*, dice. *Y luego, de dar un paseo. Tenemos que hacer la compra. Ayúdame a hacer una lista. Leche, por supuesto. Y pasta. Cenaremos pasta. Prepararé mi salsa marinara si encontramos albahaca fresca. Si no, podemos gratinar parmesano por encima. Eso también lo necesitamos. Y se está acabando la sal. Mira, aquí está la lista. ¿Quieres añadir algo? ¿Me he olvidado de algo?*

Alcanzo la lista. Miro las marcas que tiene. Garabatos. Nada que tenga sentido. Asiento de manera inteligente para hacer ver que entiendo. Hay algo que me reconcome. La tetera pita. Té. Leche. Azúcar. ¿Qué ha pasado? ¿Y por qué Fiona está secándose los ojos rojos y se niega a mirarme?

Sí, eso es. Cálmate. Es hora de calmarse. Nos tomaremos una taza de té, hablaremos y luego iremos a la tienda. Se dirige a Fiona. *Váyase a casa, todo estará bien. Ya se le ha pasado. No se acordará de nada de esto mañana. Incluso dentro de una hora.*

Pero nunca se había puesto así conmigo. Con Mark sí, pero nunca conmigo.

En realidad, eso no es cierto. Solo que no estabas aquí. Las historias que podría contarte. La situación se está deteriorando.

Eso es lo que dice el doctor Tsien. Dice que ha entrado en la peor fase. La siguiente será mucho más fácil. Más triste, pero más fácil. Ya casi es el momento. Se nos acaban las opciones.

Escucho atentamente, creo que esto es importante, pero las palabras desaparecen en el éter en cuanto las pronuncian.

Acepto una galleta de un plato. Muerdo su dulzura. Me bebo el líquido húmedo y caliente de la taza que tengo delante. E ignoro a las dos mujeres que están en mi cocina, dos más de esa multitud de extraños medio-familiares que se entrometen, que se toman estas libertades con mi casa, con mi persona.

Incluso ahora, una está apoyada en mi silla, con la mano estirada, intentando darme palmaditas en la cabeza. Mimarme. No. Para. No soy un bicho salvaje al que calmar con caricias. No quiero que me tranquilicen.

Hay una foto de James que me gusta, solo una. Sale James con su cara más pomposa, más presuntuosa, más autocomplaciente. Podría llevar una corona y una toga de leopardo sobre los hombros y no habría parecido más ridículo.

Me encanta porque es sincera. Me encanta porque es real. En sus otras fotos aparece espontáneo, abierto, *resuelto*. Pero eso era todo pose. En realidad, tenía una opinión demasiado elevada de sí mismo como para aceptar a la mayoría de la gente como iguales. Que yo vea eso en él no significa que lo ame menos.

Llamo a Amanda. Cierro la puerta tras de mí, me meto la llave al bolsillo. Todo está en silencio. Busco a tientas, doy con el interruptor, enciendo la luz y el recibidor se inunda de claridad. ¡Hola!, digo, esta vez más alto. Nada. ¿Igual ha salido de la ciudad? Pero me lo habría dicho. Me habría pedido que regara sus plantas, que recogiera su correo, que diera de comer a *Max*.

Eso me recuerda. ¡*Max*!, grito. ¡Gatito bueno! Pero no se oye el tintineo de su cascabel, ni el roce de las zarpas por el parqué.

Han extendido cinta amarilla por la entrada del salón: POLI-CÍA. NO PASAR. Entro a la cocina, que conozco tan bien como la mía. Algo va mal. No se oye ninguno de los sonidos de un hogar vivo. No está el zumbido eléctrico del frigorífico. Abro la puerta. Su interior está oscuro y huele que apesta. Las tuberías que provocaban un insomnio perpetuo a Amanda, en silencio. Los tableros del suelo no crujen.

Aunque aquí hay algo, algo que quiere reunirse conmigo. No creo en lo sobrenatural. No soy una mujer fantasiosa, ni religiosa. Pero estoy segura de esto: una revelación se acerca. Porque no estoy sola.

Y ella aparece entre las sombras, apenas reconocible con ese cutis tan brillante, ese cabello tan dorado. Viste un traje azul claro, medias transparentes, zapatos sin tacón. Nunca la he visto con este atuendo, como una joven ejecutiva estilo años setenta dispuesta a ascender en el escalafón organizativo. Un ángel del mundo de los negocios. Pero su rostro está torcido por el dolor, y tiene las manos vendadas. Me las muestra.

Tomo su muñeca derecha y con tacto comienzo a desenvolver el basto algodón de su mano. Vuelta y abajo, vuelta y abajo hasta que se muestra: perfecta, blanca y suave al roce. La mano inmaculada de una niña buena. La comparo con las mías, moteadas con manchas de vejez. Las de la bruja que atrae a la niña al bosque, y la ceba. Las manos de una pecadora.

De repente, Amanda y yo no estamos solas. Mi madre está ahí con sus mártires vírgenes. Y también mi padre, que lleva, cosa extraña, un casco y una chaqueta de motorista, cuando siempre le dio pánico sacarse el carné de conducir. Y James, por supuesto, y Ana y Jim, y Kimmy y Beth del hospital, y Janet y Edward y Shirley del barrio.

Incluso Cindy y Beth de la universidad, y Jeannette de antes de aquello. Mi abuela O'Neill. Su hermana, mi tía abuela May. Gente a la que no recordaba desde hacía décadas. La habitación está llena de rostros que reconozco, y si no los amo, al menos conozco sus nombres, y eso es más que suficiente. ¿Quizá sea esta mi revelación? ¿Igual esto es el cielo? Vagar entre una multitud y tener un nombre para cada uno.

Está oscuro aquí en mi casa. Me tropiezo con algo que tiene un borde afilado y me hago una herida en la cadera. Extiendo la mano y palpo una pared, el marco de una puerta, una puerta cerrada. Pruebo con el pomo. No se abrirá. Necesito ir al baño, desesperadamente. ¿Dónde está la luz? Quiero irme a casa. A casa en Filadelfia. Llevo ya demasiado aquí. Prisionera.

¿Qué crimen he cometido? ¿Cuánto llevo encarcelada? «A veces es más seguro estar encadenado que libre.» ¿Quién dijo eso? La presión en mi vejiga es muy grande. Me levanto el camisón, me bajo las bragas. Lo suelto. Salpico mis tobillos desnudos, mis pies. No importa.

¡Qué alivio! Ahora puedo dormir. Ahora puedo irme a dormir. Me tumbo donde estoy. Está blandito, no es una cama, pero es aceptable. Me hago un ovillo en busca de calor. Si me quedo aquí, quieta, estaré a resguardo. Si disfruto con mis cadenas seré libre.

Aquí dentro no estoy a salvo. Demasiado oscuro, y la casa respira. Respira, y los extraños aparecen y te tocan. Te tiran de la ropa. Te obligan a abrir la boca y te la llenan de píldoras asquerosas. Fuera está más claro, la luna y las farolas se conjuntan para emitir un aura relajante sobre las aceras, los jardines que se acaban de despertar del invierno.

Todo está donde debería estar. Incluso el objeto achaparrado hecho de metal y pintado de rojo brillante es una bonita vista. Siempre ha estado ahí, frente a la casa. Siempre estará ahí. Puede haber cosas acechando en las sombras, pero vienen en son de paz. Me dejan sentarme, tranquila, en este trozo de hierba.

Puedo mirar a la derecha y ver la iglesia al final del bloque. A la izquierda, la tintorería Bright and Easy. Y arriba, las estrellas. Puntitos brillantes, la mayoría quietos en su sitio, pero otros parpadeando, transmitiendo señales mientras se arrastran por la vasta oscuridad.

Ojalá pudiera interpretar este mensaje. Quiero a mi amiga. Ella me entendería. Ella es seguridad. Ella es confort. Sus rasgos permanecen fijos, su voz no se alza ni grita. No va a buscar el teléfono. No me obliga a beber té, tragar objetos pequeños, redondos y amargos. Ahora estoy andando. Estoy abriendo la puerta. Tres casas abajo. Cuento con cuidado. *Tres es el número mágico*, dice mi amiga.

Esa puerta está atascada, pero la abro. El sendero de ladrillos es inestable, así que avanzo con cuidado hasta la estatua de piedra blanca del Buda sonriente que preside el jardín delantero. *Buda guarda la llave*, dice mi amiga. *Y sabes que siempre eres bienvenida, de día o de noche.*

Saco la llave de debajo de las mejillas rechonchas del Buda y entro. Encontraré a mi amiga. Me lo explicará todo. Ella lo sabe todo. Lo sabe todo.

Por lo visto, hoy es mi cumpleaños. 22 de mayo. Magdalena echó las cuentas por mí: tengo sesenta y cinco. Fiona y Mark me sacan a cenar a Le Titi. Por la tarde, mi antigua ayudante Sarah se pasa a saludar. Es todo un detalle que se haya acordado. Yo no recordaría su cumpleaños ni en el mejor de los casos. Ni siquiera en mi apogeo. Ni le hubiera preguntado. Sarah me trajo un regalo del hospital: una estatua de un metro de alto de santa Rita de Casia. Del siglo XVIII. Una preciosidad.

Compartís la fecha de aniversario, dijo Sarah.

Técnicamente, el día de su muerte y el de mi nacimiento son el mismo, sí. Pero compartimos algo más que eso.

Es cierto. Solían llamarte la médica de las causas imposibles.

Veo que estás puesta en el santoral.

Resultado natural de trabajar para ti durante más de quince años. En fin, todos están decepcionados por no haber podido hacerte una fiesta de despedida. Te marchaste tan repentinamente. Así que nos hemos puesto todos de acuerdo. Toma. La tarjeta.

Me siento halagada.

Y lo estaba. Conmovida de un modo extraordinario.

Todos hemos sentido lo mismo. Fue un honor trabajar junto a ti.

Estiré el brazo y toqué la estatua, pasé los dedos por la corona dorada, las líneas de la toga desde los hombros hasta el suelo.

Sarah señaló la estatua. *¿Por qué tiene un corte en mitad de la frente?*

De acuerdo con la leyenda de santa Rita, le pidió a Dios que la dejara sufrir igual que Él, y una espina de un crucifijo que había colgado en la pared se desprendió y la hirió.

¿Y la rosa que lleva en la mano?

Cuando estaba muriendo, su primo le preguntó si quería algo. Ella pidió una rosa del jardín. Aunque era pleno invierno, había un rosal en flor.

Me encantan estas viejas leyendas, ¿a ti no?

Algunas son más interesantes que otras. La de Rita no me parece especial. El padre cruel, el marido alcohólico, los hijos desobedientes. Asuntos trillados. Me gusta la idea de que haya alguien a quien puedas acudir cuando todo lo demás te ha fallado.

¿Alguna vez la has invocado? Solo por curiosidad.

No. No. En las raras ocasiones en que he necesitado ayuda, había otros a los que se la pude pedir.

Hablas de intervención humana. Yo te hablaba de algo más.

¿Te refieres a un poder superior?

Me refiero a... tu diagnóstico. Sarah dijo esto vacilando. Nunca habíamos hablado de ello. Oficialmente, nadie en el hospital sabe por qué me he retirado de un modo tan prematuro. Extraoficialmente, será otro cantar, supongo.

No diré que no albergaba la esperanza de que hubiera un error.

¿No rezaste por un milagro?

Para nada.

¿Y simplemente esperanza?

Nada de eso, tampoco.

¿Cómo puedes seguir? No me lo explico.

¿Qué hay que explicar? Tengo una enfermedad degenerativa. No hay cura para este mal. Es una situación a la que se enfrentan cientos de miles de personas en todo el mundo.

Eres tan fría al respecto. Se trata de tu vida, no de un paciente hipotético cualquiera.

¿Y qué otra cosa puedo hacer, querida Sarah?

Lo siento, me meto donde no me llaman. Solo me lo preguntaba. ¿Cómo lo llevas?

En algún momento tenemos que morir. Excepto en circunstancias inusuales, normalmente recibimos avisos por adelantado. Algunos lo sabemos antes que otros. Algunos sufrirán más que otros. Me estás preguntando, ¿cómo sobrellevar ese intervalo entre cuando te enteras de que te estás muriendo y cuando finalmente te mueres?

Sí, eso creo.

Supongo que cada cual es distinto. Para sobrellevarlo, santa Rita quiso lo imposible: una rosa en medio del invierno.

¿Y tú?

Me quedé bloqueada. Ya nadie me pregunta esas cosas. Ahora me preguntan si quiero un té. Si tengo frío. Si me apetece escuchar a Bach. Eludiendo las grandes preguntas.

¿Mi último deseo?

Bueno, no el último. Pero ¿piensas que seguirás siendo tan práctica a medida que pase el tiempo? ¿O te verás tentada a pedir lo imposible?

Una parte de mi enfermedad es que la línea que separa esas dos cosas se va difuminando poco a poco. Esta mañana estaba mirando mi cuaderno, y aparentemente ciertos días todavía tengo a mis padres conmigo. Magdalena ha anotado algunas largas charlas que mantengo con ellos. Por supuesto, no me acuerdo de nada de esto. Pero la idea me gusta mucho.

Así que igual te están concediendo algunas peticiones imposibles.

Tal vez. Sí. Y he estado pensando. Lo que dijiste sobre cómo sale uno adelante.

¿Sí?

Una buena amiga acaba de morir.

Sí, lo oí. Lo siento.

Y entre el dolor y la rabia, he descubierto que siento gratitud, doy gracias de no ser yo. Así que a ciertos niveles todavía veo la muerte como algo que mantener lejos. No es que no piense en ello... Y no voy a negar que en los días malos hago planes para cuando las cosas estén mucho peor. Pero todavía no estoy lista.

¡Vaya, eso está bien! Sarah estiró el brazo y me dio un abrazo antes de recoger sus cosas. La despedí desde la puerta y luego cerré, y me senté a examinar mi regalo. ¡Qué premio más agradable! Le cederé el lugar de honor en el salón, sobre la repisa de la chimenea, junto al icono.

La verdad es que hoy me siento totalmente bendecida.

No, todavía no es el momento. Todavía no.

Estamos delante de la televisión, algo que por lo visto es nuestra costumbre por las tardes. Este programa es fácil de seguir. No necesito retener nada en la cabeza por mucho tiempo. Un concurso, donde una variopinta reunión de participantes posee un conocimiento aparentemente ilimitado sobre asuntos banales.

A la rubia le encanta. Dice cosas como *Este es mi favorito* y *No puedo creer que la chica no haya pasado a la siguiente ronda.* Me está costando concentrarme. Intento hacer lo que un cartel nuevo en la cocina me ordena: «Vive el momento». Tengo que hacerlo. No hay otra salida para mí, ya no. Pero un jovencito con un montón de lápiz de ojos está pegando botes tras demostrar su conocimiento superior sobre los hábitos reproductores de los pingüinos. ¿Realmente me apetece estar en este momento? Me levanto para salir de la sala justo cuando suena el teléfono. Me doy la vuelta y contesto.

Mamá, soy Fiona.

¿Quién?

Fiona, tu hija. ¿Puedo hablar con Magdalena? ¿Esa mujer tan simpática que vive contigo?

Le paso el auricular, pero no salgo de la habitación. Están conversando sobre mí. Se están tomando decisiones.

La rubia no dice mucho, solo asiente a lo que la persona al otro lado del teléfono le dice. *Sí. Vale. Claro. Sí, estaremos allí.* Cuelga.

¿Y de qué iba todo eso? ¿Dónde *estaremos?*

Me alegro de tener algo a lo que aferrarme. Estoy encantada de poder alzar mi voz y liberar la tensión.

Cálmate, Jennifer. No es importante. La Policía quiere hacerte alguna pregunta más. Han pedido que vuelvas a la comisaría mañana. Fiona estará allí. Y tu abogada, ¿te acuerdas de ella?

¿Por qué tendría yo que hablar con la Policía?

Por lo de Amanda.

¿Qué ha hecho Amanda? ¿Algo malo?

Nada. Absolutamente nada. Al contrario. La Policía está intentando averiguar quién la mató.

A mucha gente le hubiera gustado.

La rubia suelta una risita sarcástica. *Sí. Eso fue lo que les dije. Y luego deseé no haberlo hecho, porque empezaron a hacerme un montón de preguntas.*

Ahora una joven con un pelo de un rojo inverosímil se ha quedado en blanco ante una pregunta sobre música pop de los setenta. El público en la tele se vuelve loco.

¿Por qué dijiste eso? ¿Qué sabes de Amanda?

Llevo ocho meses aquí. He tenido muchas oportunidades para observar cosas.

¿Como qué?

Ella siempre te trataba con respeto. Deferencia, incluso. Hasta cuando estabas más chiflada. Nunca se mostraba condescendiente. Siempre te hablaba como si fueras su igual. O como si estuvieras por encima. Y en la mayoría de las ocasiones, estabas a la altura de las circunstancias. Cuando ella estaba contigo, no tenías episodios.

Todo eso suena encomiable. ¿Qué es lo que no te gusta de ella, entonces?

Tenía su otra cara. No te pasaba una. Se impacientaba por tener que responder a las mismas preguntas una y otra vez, y, pasado un rato, sencillamente dejaba de responder. Una vez le oí decir, Eso pasó hace mucho tiempo y muy lejos, *en un tono de voz que implicaba que daba por zanjado el tema.*

Haces que suene cruel.

Bueno, para ti se reabrieron un montón de cosas. Viejas preguntas, viejas heridas, viejas alegrías y penas. Es como ir al sótano y encontrar abiertas y revueltas las cajas de trastos viejos que pensabas donar a la beneficencia. Cosas que creías haber guardado para siempre. Ahora tienes que pasar por todo de nuevo. Una y otra vez. Como ayer. Querías que fuera a la farmacia para comprarte tampones. Dijiste que era una emergencia.

Igual lo era.

Jennifer, tienes sesenta y cinco años.

Oh. Sí.

De todos modos, Amanda hizo o dijo algo que te molestó muchísimo poco antes de morir.

¿Qué fue?

No lo sé. Yo estaba en el despacho. Oí voces subidas de tono. Para cuando llegué a la sala, ya se había acabado. Al menos, los gritos. Pero había sucedido algo entre vosotras dos que todavía no se había resuelto. Amanda estaba a punto de salir. Dijo una cosa antes de marcharse.

No vacilaré ni por un momento, *dijo. Estabas extremadamente nerviosa. Aquella noche sufriste uno de tus episodios. Tuve que llevarte a Urgencias. No querías tomarte el Valium. Hubo que inyectarte algo para calmarte.*

No me acuerdo de nada de eso.

Ya lo sé. Al día siguiente querías ir a casa de Amanda, para ver qué tal le iba, dijiste, porque hacía mucho que no os veíais. Fingí que la llamaba, colgué y te dije que no estaba en casa.

¿Y me lo tragué?

Sí. Y resultó que la tarde anterior fue la última vez que la vimos. Seguía viva; han podido reconstruir sus movimientos por la ciudad, a una reunión, a la tienda. Pero al día siguiente dejó de recoger el Tribune, y una semana después la señora Barnes fue a ver qué le pasaba y encontró su cadáver.

¿Le has contado todo esto a la Policía?

Sí, muchas veces.

Entonces, ¿por qué quieren verme? No podré decirles nada.

Siguen intentándolo. Desde que encontraron el mango de tu bisturí y las cuchillas. Tu abogada dice que esperan que si te preguntan lo suficiente, y de modos distintos, obtendrán una respuesta distinta.

¿No dijo alguien una vez que eso es la encarnación de la locura? ¿Hacer lo mismo una y otra vez esperando un resultado diferente?

Bueno, a veces te acuerdas de cosas. Nos sorprendes a todos. Como el otro día. Sin venir a cuento, me preguntaste por mi codo, sobre el que aterricé cuando me tropecé en la calle. Me había pasado unos días antes, pero estabas muy lúcida, recordaste que me habías examinado y determinado que no había nada roto ni torcido. Una de las ventajas de trabajar para una médica. Algo bueno, la verdad, porque mi seguro es una porquería.

No me acuerdo. Las cosas van y vienen. Por ejemplo, ¿cómo te llamas?

Magdalena. Mira, está aquí escrito. En este cartel.

¿Cuánto tiempo llevas aquí?

Me contrataste hace casi ocho meses. El pasado octubre. Justo antes de Halloween.

Me encanta Halloween.

Lo sé. Fue el más divertido que he pasado desde que mis hijos eran pequeños. Insististe en que nos disfrazáramos. De brujas. El único disfraz decente para unas viejas como nosotras, dijiste. Decoraste la casa de un modo espectacular. Compraste esos caramelos por los que los niños se pelean y que no cambian por nada. E insististe en abrir tú misma la puerta y montar el numerito de los disfraces. La verdad es que me sorprendiste. La primera de muchas sorpresas.

Sí, Halloween me ilusiona. Toda esa época del año, el otoño, me resulta estimulante. Una estación apasionada. Las otras son tan sosas... En otoño ves oportunidades de cambio. Cambio de verdad. Las posibilidades se presentan solas. Nada que ver con los clichés de renovación y redención de la primavera. No. Algo más oscuro, más fundamental y más importante que eso.

Aquella noche estuviste andando por la casa hasta las tres de la madrugada. Estabas realmente excitada. Pero no de un modo negativo. Era la primera vez que te veía hacer eso. Arriba y abajo, toda la noche. Me quedé dormida en mi silla del cuarto de estar. Tú acabaste en el sofá. Las dos todavía con los disfraces de bruja puestos.

Siempre me gustó disfrazarme. Repartir caramelos. Asumir mi propia apariencia por una noche.

Bueno, el disfraz te sentaba bien. El exagerado maquillaje blanco en contraste con tus ojeras, la larga peluca gris-negruzca cayéndote sobre los hombros. El lunar falso a la derecha de tu boca llamando la atención sobre esos pómulos marcados. Una forma peculiar de Bella Durmiente pero, de todos modos, bella. Abriste los ojos y me descubriste observándote. Perverso desenfreno, susurraste.

Mark está de buen humor. Eso no consigue que el corazón de esta madre se alegre. La hace sospechar. La euforia. La verborrea ingeniosa. El comentario relevante sobre la calidad ínfima del sándwich de ensalada de huevo que Magdalena nos ha ofrecido como almuerzo. Su incapacidad para reconocer que las cortinas del salón tienen el mismo tono de rojo espléndido que siempre. Su deseo de mantener una charla íntima.

¿Cómo estás, mamá?

¿Cuánto quieres?, pregunto.

No lo duda. *Todo lo que puedas darme.*

¿Así de mal están las cosas?

Peor.

Por una vez estás siendo directo. ¿Es porque estás colocado?

Posiblemente. Me resultas difícil de soportar en cualquier otro estado.

Tendrás que pedírselo a tu hermana.

¿Qué?

Ya ni siquiera tengo una chequera. Incluso cuando la quiero. Fiona se encarga de todo.

Pero sí que puedes extender un cheque.

No tengo ni uno. Fiona fue muy exhaustiva.

Pero me extendiste un cheque hace seis meses.

Sí. Encontré una vieja chequera en mi despacho. En cuanto se cobró, Fiona repasó todos mis cajones y la confiscó.

Qué zorra.

De casta le viene al galgo.

Tú lo has dicho.

Tamborilea con los dedos sobre la mesa con un ritmo que casi consigo reconocer. *Da-da-da, day-day-da, da-DA-da-dada.*

Estás muy aguda hoy.

Sí.

Interesante cómo va y viene.

Interesante no es la palabra que yo usaría.

Nos encontramos en el despacho porque las de la limpieza están en casa, y nos han sacado del salón y de la cocina, nuestras guaridas habituales. Podemos oír el rugido de la aspiradora acercándose, el ruido de fregonas y cubos abriéndose paso hacia esta última estancia.

Tengo curiosidad. ¿Recordarás esta conversación mañana? Mark está de pie junto a la televisión, repasando despreocupado la colección de DVD de películas clásicas de James. No había una película de cine negro que James no se conociera de memoria.

Puede. O puede que no. Todo depende, digo. Observo cómo Mark saca *Rififi*, y finalmente la cambia por *Al rojo vivo.*

Entonces, ¿no debería decir nada que luego pudiera lamentar? Abre la caja de plástico, saca el disco plateado, mete el dedo en el agujero central y le da vueltas.

Depende de la causa por la que lo lamentes. ¿Lo lamentarías porque fuera una cosa cruel o quizá despreciable de decir, o porque me acordase de que la has dicho?, pregunto.

Probablemente por lo último. No tengo tendencia a lamentar las cosas a menos que tengan repercusiones. Sonríe al decir esto, posa el DVD encima de la televisión y se sienta frente a mí. Parece que sus nervios comienzan a calmarse. *¿Y tú?*, me pregunta. *¿Te lamentas de algo?* Aunque su tono es burlón, tengo la sensación de que realmente quiere saberlo.

Yo era lo contrario, digo. Nunca dejé que las posibles repercusiones influyeran en ninguna de las decisiones que tomaba.

¿Qué hay de tus decisiones médicas? ¿No te preocupaba que las decisiones que tomabas pudieran tener determinados resultados? Como, por ejemplo, ¿la muerte? Su rostro oscuro es exageradamente solemne. Espera pillarme en algo. No lo dejaré.

Eso eran consecuencias. Las consecuencias son distintas de las repercusiones.

Yo hubiera jurado que eran sinónimos, dice.

Hay matices, comento. La discusión empieza a gustarme. Cualquier cosa es mejor que otra interminable charla sobre naderías mientras tomo té con Magdalena. Una repercusión tiene el matiz de ser punitiva, digo. Una consecuencia es simplemente un resultado. Haces algo, y obtienes una consecuencia. El producto de una acción.

¿Y siempre estuviste contenta con los... productos... de tus acciones?

No estoy contenta con las consecuencias de algunas de mis operaciones, por supuesto —en un porcentaje pequeño, pero aun así las hubo—. Pero tomé las mejores decisiones teniendo en cuenta las circunstancias. No fueron errores. Fueron decisiones que tuvieron consecuencias.

Mark guarda silencio por un momento. *Estás en tu máximo esplendor, la verdad,* dice. *Nadie podría colártela hoy.*

Eso sí que me hace reír. Parece que tuviera diez años y acabara de pillarlo fumando cigarrillos con Jimmy Petersen tras el supermercado Jewel.

¿Por qué?, pregunto. ¿Esperabas hacerlo?

No responde. En lugar de eso, cambia de tema.

¿Amanda ha hablado contigo?

¿De qué? Ay. ¿Has ido a sablearla a ella también?

Bueno, te saqué un buen cheque. Hubiera sido de mal gusto volver a acudir a ti tan pronto.

¿Y qué te dijo?

Vaya, ¿no te lo contó? Raro. Pensé que sería lo primero que hiciera.

No. Le gustaba reservarse su opinión. Entonces, ¿qué te dijo?

Se rio de mí. Me dijo que me lo metiera por la nariz.

Eso suena a frase típica de Amanda.

Fue exasperante. La habría matado. Mark se revuelve en su silla. *Oh, lo siento. No debería haber dicho eso.*

Decir ¿el qué?

Ya sabes. Me mira. *O igual no. No importa.*

Permanecemos sentados en silencio por un momento. Cuando Mark vuelve a hablar, su voz es de nuevo la de un niño pequeño.

No me has preguntado qué tal me va, dice. *Cómo llevo el trabajo, mi vida amorosa.*

Me pongo en pie. Las limpiadoras se están acercando, estarán aquí en unos minutos y tendremos que salir. Me alegro. La conversación me está molestando.

Supuse que si tenías algo que contarme, lo harías, digo. Ya no eres un niño. Usa tu capacidad para hablar.

Mark se levanta también, e inesperadamente se ríe. *Debería haber sabido que no picarías,* dice. *Pero merecía la pena intentarlo.*

Nunca he sido sensible al chantaje emocional, digo. Y a pesar de mi cerebro enfermo, no tengo intención de serlo ahora.

Bueno, déjame usar mi capacidad para hablar, como sugieres, y ofrecerte un resumen de mi estado actual, dice Mark. *Abogado de veintinueve años, alto, moreno, guapo, con un pequeño problema de abuso de las drogas, busca amor y dinero en lo que resultan ser lugares equivocados.* Su voz es socarrona, pero hay un ligero flaqueo en sus hombros. Me fijo en que sus ropas le quedan holgadas, que los puños de su chaqueta llegan demasiado por debajo de sus muñecas y que su cinturón está muy apretado para que no se le caigan los pantalones por su cintura demasiado delgada.

Me sorprendo estirando el brazo y casi tocando su mejilla derecha, cuando él se estremece y se aparta.

Me gustas más del otro modo, dice. *Te pega más.* Señala hacia las limpiadoras, que están en la puerta del despacho, esperando que les demos permiso para entrar. *Así termina otra visita a mi querida mamá,* dice, añadiendo al salir de la habitación, *y para usar otra expresión irónicamente apropiada, olvidemos que esta conversación ha tenido lugar.*

De mi cuaderno. 15 de diciembre de 2008. El nombre de Amanda está escrito en la parte superior de la página.

Jennifer:

Hoy hemos decidido ir a nuestro sitio favorito de comida oriental para llevar, en Lincoln, ese que prepara un hummus *sublime, y luego fuimos al parque a hacer un picnic. Sí, ¡hacía calor! Te obligué a ponerte guantes y un sombrero, porque todavía sigues peleando con esa tos. Magdalena protestó un poco, pero no le hicimos caso. Estaba claro que te morías por salir un rato.*

No parabas de decir cuánto te hubiera gustado que James y Peter hubieran podido acompañarnos. Al principio no tenía claro a qué pensabas que se debía que no estuvieran con nosotras, y resultó que atribuías su ausencia a la vieja excusa masculina: trabajo. No importa que Peter se haya jubilado hace más de una década, y que, de seguir vivo, James también lo hubiera hecho el año pasado.

Es divertido cómo al final de la vida las cosas se aceleran a un ritmo superior a nuestra capacidad para procesarlas. Después de jubilarme, seguí levantándome a las seis durante tres años para preparar las clases. Aún no puedo creerme que lleve doce años sin pisar un aula, que en todo este tiempo no haya tenido que enfrentarme a un doceañero llorón o a un padre enfadado. «Parece como si hubiera sido ayer.» ¡Cómo nos burlábamos de nuestros padres y abuelos cuando usaban esa frase! Y para ti, no parece como si hubiera sido ayer, sino hoy. Ahora.

En fin, que nos compramos nuestro hummus *y nuestro* baba ganoush *y nos encaminamos despacito hacia el parque. Encontramos un banco vacío junto al zoológico. Un día magnífico. El parque a reventar de gente corriendo, bebés y perros.*

Un padre jovencito y ambicioso llevaba a un bebé en una mochila a sus espaldas y la correa de un perro atada al cinturón mientras ayudaba a su hijo de cuatro años a volar una cometa. No eras tan consciente de tu estado como te he visto en otras ocasiones. No parecías darte cuenta de que estás enferma. Es interesante cómo la conciencia de uno mismo viene y se va. Pero estabas operando a un nivel lo bastante alto como para que eso no supusiera un problema aquel día.

Quizá por ese motivo, querías regodearte en el pasado. Tuve un pálpito –solo un pálpito– de cómo debías de sentirte cuando preguntaste, ¿Tengo que usar esto?, mostrándome una cucharilla de plástico que venía con el envase de tabulé.

Hablamos sobre Peter y James, no mucho, expusimos nuestras típicas quejas sobre sus flaquezas. Lo que hacen las mujeres cuando están aburridas y en realidad no tienen nada que decir, pero les gusta escuchar el sonido de sus voces respondiéndose. Primero yo, luego tú, y luego yo otra vez. Tan entretenido como un buen punto de tenis.

Por primera vez no te corregí. Normalmente no me muestro condescendiente contigo –siempre discuto con Fiona por eso–, pero tenía que esforzarme por rectificar cada vez que se me escapaban verbos en pasado. Sí, James era un poco dandi. No, no era tan duro convivir con Peter.

Hubo un momento que se salió de la sensación general de pereza y bienestar del resto del día. En cierto punto, un animal del zoológico soltó un grito. No sé qué sería; ¿un elefante?, ¿un gran felino? En realidad fue algo más parecido a un lamento angustioso que se terminó rápido, pero te alteró.

¡Devuélvele a esa niña su manta!, gritaste en voz alta, sorprendiendo a todos los que nos rodeaban.

A mí también me sorprendiste, se me cayó el refresco y me mojé los pantalones. Sin embargo, tú parecías haber olvidado tu arrebato en cuanto salió de tus labios. Me acordé de lo que dice Magdalena sobre cuánto puedes cambiar repentinamente. No era algo que hubiera visto antes. Siempre estás en un estado o bien un poco mejor, o bien un poco peor.

Sé que has tenido lo que todo el mundo llama episodios. Les dije a Magdalena y a Fiona que me llamaran cuando necesitaran ayuda. Hasta el momento, no lo han hecho. Creo que hay cierta sensación de actitud posesiva, cierta rivalidad en ello.

Aparte de eso, el día me recordó cómo nos habituamos gradualmente a la tragedia. Porque lo que te está pasando, mi vieja amiga, es una tragedia.

Soy muy egoísta: estoy más preocupada por mí que por ti en este aspecto. Se te pasará este estado de conciencia y la propia enfermedad

actuará como reguladora del dolor. Pero yo... Estas pequeñas salidas
me recuerdan cuánta anestesia voy a necesitar. Como el sedante tópico
que se echa antes de la gran aguja, todo lo que he hecho para prepa-
rarme va a ser demasiado débil para soportar el dolor ante la separa-
ción que se avecina.

El fin de mi matrimonio no es nada comparado con el fin de nuestra
amistad, si prefieres llamarlo así. Es bastante como para querer quemar
el puente y dejarte en la otra orilla. Demasiados adioses nos esperan.
¿Cuántas veces has tenido que soportar la muerte de James? ¿Cuántas
veces tendré que decirte adiós, para luego verte reaparecer como un Cristo
recién resucitado? Sí, es mejor quemar el puente y evitar que se pueda
cruzar y recruzar hasta que mi corazón se rinda de puro agotamiento.

Estoy llevando a cabo una compleja cirugía de plexo braquial
en la que el conjunto de las lesiones del plexo ha permeado
todas las raíces nerviosas. El (¿la?) paciente ha recibido anestesia general. Su rostro está cubierto.

Las cosas no van bien. Estoy intentando una neurotización
intraplexual usando las partes de las raíces que siguen unidas a
la médula espinal como donantes para los nervios desgarrados.
Pero yerro en mis cálculos y toco la vena subclavia. Escalo-
friantes cantidades de sangre. Aplico presión y llamo al cirujano
vascular, pero es demasiado tarde.

Pienso en los rostros de los familiares en la sala de espera.
Tampoco puedo evitar pensar, con vergüenza, en los abogados,
en la investigación interna del hospital que inevitablemente
vendrá a continuación. El tedio del papeleo que acompaña a las
meteduras de pata, grandes y pequeñas.

Entonces, la estancia sufre una especie de sacudida sísmica y
ya no estoy en el quirófano. Ya no hay un paciente anestesiado
sobre una mesa. En su lugar, contemplo delante de mí una cama
con sábanas arrugadas de motivos florales. Sigo sudando, todavía hay un martilleo irregular en mi pecho, pero mis manos ya
no están enfundadas en guantes de goma, ya no sostienen instrumentos afilados. Es una cama grande con una estructura de

roble. Hay un aparador a juego. Una trabajada alfombra oriental roja. Nada me resulta familiar.

Quiero que vuelva el quirófano, las relajantes paredes verdes, los instrumentos de acero aumentados en el reflejo del armario de acero. Todo dispuesto de un modo impecable. Pero esto... Este ambiente profusamente amueblado, sin esterilizar. Me hace sentir incómoda. Quiero lavarme las manos, ponerme la ropa, intentarlo de nuevo. Cierro los ojos, pero cuando los abro sigo en la misma habitación.

Entonces oigo voces. Con dificultad, encuentro la puerta de la habitación. Tengo que inspeccionar cada centímetro de la pared antes de que finalmente se materialice. Fuera hay un largo pasillo, pintado de carmesí oscuro, con fotos colgadas. Al final, la bajada. Un material suave acolchado bajo mis pies encima de la madera pulida, con un motivo de flores azules y verdes entrelazadas.

Camino con cuidado, mirándome los pies y apoyándome en una pieza de madera alargada y suave. Bajo y cuento. Veinte veces extiendo mi pie derecho y lo poso sobre una superficie más baja. Veinte veces muevo mi pie izquierdo hasta bajarlo al nivel del derecho. Y una vez más. Las voces aumentan a medida que bajo. Hay risas. Oigo mi nombre. Actuaré con precaución.

Son dos, un hombre y una mujer, sentados en el salón, en el sofá de madera de roble. La mujer tiene una melena rubia que le llega hasta los hombros. Es evidente que lleva el pelo teñido. No le sienta bien. Es corpulenta. Viste unos pantalones demasiado ajustados como para resultar cómodos, puedo ver el último botón clavándosele en la tripa.

El hombre se levanta cuando me ve. Es mayor. Un anciano. Abre los brazos. *¡Jenny!*, dice, y sin esperar, sus brazos me rodean. Huele bien. El tacto de su camisa lisa en mis mejillas resulta suave, pero su barba me pica. Pelo blanco como la nieve que escasea en la coronilla. Una barba gris, que no blanca. Por el contraste, parece sucia. Le da un ligero aspecto de tipo con mala reputación.

¿No te alegras de ver a tu viejo amigo Peter?, dice la rubia.

Oh, sí, digo, y sonrío. Peter. ¿Qué tal estás? Insuflo algo de entusiasmo a mi voz. Incluso me fuerzo a darle la mano. Una tiene que ser astuta. Hay que seguirles el juego.

Muy bien, dice. *Disfrutando del sol. Como bien sabes, nunca fui un apasionado de los inviernos de Chicago. Aunque este parece que ya se está acabando. Ven, siéntate, siéntate. Aquí.* Acerca una silla beis, y me hundo en su suavidad. Vuelve a agarrarme de la mano. *Ha pasado mucho tiempo, Jen.*

¿Cuánto?, pregunta la rubia. No espera una respuesta. *¡Deben de haberte pitado los oídos!*, dice. *¡Peter no ha hecho otra cosa que hablar de ti!*

Ella sonríe. Él sonríe. Yo sonrío también.

Sí, la verdad es que sí, digo. Me han pitado.

Hay un silencio, bastante incómodo. El hombre vuelve a hablar, con menos entusiasmo, pero con más tacto.

No te acuerdas de mí, ¿verdad?, pregunta. Pero no tiene ese gesto suplicante y dolido que normalmente pone la gente cuando me hacen esa pregunta. Esa mirada que me pide que les mienta, para tranquilizarlos.

De inmediato, me cae bien. No, digo. Ni la más remota idea.

He venido a la ciudad para solucionar unos asuntos, dice. *Estuve por el funeral, pero todos pensaron que era mejor no molestarte. Por desgracia, las cosas están un poco enredadas. Amanda no actualizó su testamento tras el divorcio. El reparto de la herencia tienen que decidirlo los tribunales. Tardará meses en resolverse, en encontrar quién es el pariente más próximo que heredará la casa. Era su único activo. Pero, incluso tal y como está el mercado, será una suma importante. Por ahora, tengo las manos atadas.*

¿Qué divorcio?, pregunto. ¿Qué funeral?

Guarda silencio. *Bueno, ya lo recuerdo yo por los dos*, dice, sonriendo. Luego se pone serio. *Tengo entendido que estás metida en un problemilla*, dice. *Quería que supieras que te creo. Sin reservas. Resulta evidente que no sabes de qué estoy hablando. Probablemente no te acuerdes de esto. Pero en el caso de que algunas cosas se te queden grabadas, quería decírtelo.*

La rubia hace amago de levantarse de la mesa.

No, no. No es necesario que te vayas, dice el hombre. *Esto no es una conversación privada. Solo es algo que quería poner sobre la mesa. Por mí, principalmente, como parece ser. De todos modos, me gustaría hablar de cosas buenas*, añade. *Quizá consigamos despertar algo.*

Yo seré la secretaria, dice la rubia. *Lo anotaré todo. De ese modo, ella podrá releerlo cuando esté mejor. Puede que así tenga más sentido para ella.* Sale de la habitación y vuelve con un gran cuaderno con tapas de cuero, lo abre por una página en blanco, toma un bolígrafo. Escribe algo en la parte superior de la página, se detiene, y mira expectante al hombre.

¿Por dónde empiezo?, pregunta el hombre. *Había una vez. Sí, así es como hay que tratarlo. Un ejemplo de creación de mitos. Lleno de arquetipos.*

Me interesa. Sigue, digo.

Había una vez seis personas. Cuatro adultos y dos niños. Dos matrimonios. La primera pareja, casi una década mayor, sin hijos. La pareja más joven tenían una chica y un chico. La niña era muy pequeña, tendría quizá dos años. El niño, siete. Aunque de edades diferentes, la amistad entre las dos parejas era muy fuerte. Hace una pausa y reflexiona. *¿Qué te voy a contar de ellos? Nada de generalidades, sino un evento concreto.* Y continúa.

Un día, deciden ir a la playa. Preparan unos sándwiches de jamón, huevos duros, manzanas, peras y llevan unas botellas de vino para rematar.

Deciden subirse al coche y salir de la ciudad. Hacia el norte. A un parque estatal en el lago que ofrece grandes dunas de arena que por lo general están desiertas en los hermosos domingos de verano como ese.

Por supuesto, hay un motivo para ello. Una gigantesca central nuclear domina las dunas de arena, vertiendo sus residuos en las aguas poco profundas. Empaña el paisaje para cualquiera que se amilane fácilmente. Pero ese no es el caso de los miembros adultos de las dos familias. Bromean sobre la temperatura relativamente alta de las aguas del lago, sobre peces mutantes y el tamaño desmesurado de las aves acuáticas.

La madre de la niña de dos años lleva a su pequeña, desnuda de todas sus ropas excepto los pañales, al agua para mojarse los pies. El niño toma su cubo y pala y comienza a excavar agujeros por doquier en la arena. La mujer más mayor y los dos hombres se sientan en sillas de playa y charlan. Todo está tranquilo. Un día plácido a la orilla del lago. Cuando empiezan a sentir hambre, sacan la comida y toman unos bocados arenosos regados con vino tinto. Una tarde idílica en la playa entre viejos amigos. Todo es perfecto. Más perfecto de lo que será jamás. El narrador hace una pausa, aparentemente absorto.

La rubia escribe frenéticamente. *Qué regalo más bonito, esta historia,* dice. *Jennifer disfrutará leyéndola más adelante.* Pero estoy vislumbrando algo. Más que vislumbrar, es una película en tecnicolor. Viene en ráfagas de imágenes. Despertando todos mis sentidos. Hablo rápido antes de que se desvanezca.

Sí. El jamón manchado de arena que cruje entre nuestros dientes, el vino ácido. La central nuclear amenazante encima de nuestras cabezas. Los adultos igual han bebido un poco de más. Alzan la voz. Les entra la risa con facilidad. El hombre más mayor se abstiene. Es el que conduce, pero sigue sirviendo. Los otros tres beben hasta sobrepasar el punto de placer. Sobrepasan el punto de sinceridad. Llegan a un lugar más primario.

Es cierto, dice el hombre. Abre la boca como si fuera a continuar, pero yo avanzo, siguiendo la película que se desarrolla en mi cabeza. Puedo sentir el calor del sol de mediodía sobre mis brazos desnudos. La arena en mis muslos. Oigo el canto de los pájaros mutantes.

La mujer mayor lo empieza todo. Pregunta al hombre más joven si ha notado algo distinto en su esposa.

Distinto, ¿cómo?, pregunta el hombre joven.

Su pelo. Sus ropas. Un brillo general.

Pues la verdad es que no. Siempre me parece que está fantástica. Y ofrece una sonrisa cariñosa a su mujer, indicando al otro hombre que le llene su copa de vino.

La mujer más joven está sorprendida. Ha sucedido algo que no se esperaba.

¿No te parece, por ejemplo, que igual tiene un motivo para celebrar?, pregunta la mujer mayor. *¿Que ha pasado algo que considera una cosa buena? Igual no son noticias que alegrarían a todas las mujeres. Pero ella no es una mujer normal.*

El hombre joven le sigue el juego. Es un abogado con una reputación creciente. Así se comporta en el tribunal, en las reuniones. No hay ninguna pelota que no sea capaz de parar, ninguna supuesta revelación que no parezca conocer a fondo de antemano.

Mi mujer no es tonta, dice.

Pero tú igual sí, dice la mujer mayor. Toma un sorbo de vino sin apartar los ojos de él.

No te sigo.

El poder es algo extraño.

Lo es. Pero ¿qué tiene eso que ver con esta conversación?

Dicen que conocer es poder, replica la mujer mayor.

Y que la ignorancia es la dicha, dice el joven, con sorna.

¿Significa eso que quieres terminar esta conversación?

El hombre joven reflexiona. *No*, contesta. *Quiero ver adónde pretendes llegar.*

La mujer joven interviene: *Yo también, la verdad.*

El hombre mayor es el único que no capta lo que sucede. Los otros tres están enfrentados. Los niños se pelean por los juguetes de arena.

El hombre joven es el primero en romper el silencio. *De modo que ella lo sabe. No he sido precisamente discreto. Si me lo hubiera preguntado, se lo habría contado. No es importante. Nada puede tocar lo que tenemos.*

La mujer joven se relaja. Se siente aliviada por la respuesta del hombre, y la tensión se desvanece de sus cervicales. Se encoge de hombros indiferente. *No había nada que quisiera preguntar. Nada que mereciera la pena tomarse la molestia de preguntar. Hice unas comprobaciones por mi cuenta. Descubrí lo que necesitaba saber. Una relación trivial, que terminará pronto. Eso fue todo.*

El hombre joven sonríe, una sonrisa rara, casi de orgullo. *Sí, nuestro matrimonio no es tan frágil.*

Por supuesto que no.

Ah, dice la mujer mayor. *Pero esto no va sobre lo trivial. Para nada. El sexo es algo banal. No era mi intención hablar de sexo. Quería hablar de eso que mantiene unidas o separa a las familias. Algo mucho más poderoso que el sexo o incluso que el amor. El dinero.*

La mujer joven se pone tensa otra vez, sus rasgos se vuelven rígidos. *No lo hagas*, dice.

La mujer mayor se dirige al hombre joven. *Cierras con llave la puerta de tu despacho. Cierras con llave los cajones dentro de una habitación cerrada con llave. No dejas entrar a tu mujer. ¿Por qué?*

Por los niños, por supuesto. Tengo documentos importantes ahí dentro. No puedo permitir que pruebas de memorandos confidenciales acaben garabateadas con pintura roja.

¿Por los niños?

Porque es el protocolo habitual cuando sacas documentos delicados del despacho.

Pero ¿qué encontraría alguien que consiguiera burlar tus puertas y cajones cerrados a cal y canto?, pregunta la mujer mayor. *¿Qué pasaría si alguien te conociera lo suficiente como para saber dónde escondes las llaves?*

No encontraría nada de interés para alguien que no se dedique a los litigios financieros entre empresas, dice el hombre joven.

La mujer mayor alza la ceja derecha. Parece un gesto que hubiera practicado, un recurso dramático empleado para controlar a los demás.

La mujer joven interviene. *Bueno, eso no es del todo cierto.* Parece indignada por el tono displicente de su marido.

El hombre joven la mira a los ojos. *¿Entonces?*

Entonces, dice la mujer joven, y repite, *conocer es poder.*

Por lo visto, has compartido algo de ese poder. Con tu buena amiga aquí presente. ¿Por qué demonios harías algo así? Su compostura comienza a resquebrajarse.

Por lo visto, eso hice, dice la mujer joven, sin mirar a la otra mujer. *Y por lo que parece, fue un error.*

¿Entonces?, pregunta el hombre joven, dirigiéndose a su mujer. *Entonces, ¿qué? ¿Qué vas a hacer? ¿Denunciarme? Eso iría contra tus propios intereses.*

En absoluto, dice la mujer joven. *Me costó hacerlo, pero decidí dejar las cosas como estaban. No enfrentarme a ti. Este descubrimiento fue fruto de una cierta curiosidad que me saqué de la manga y que contemplo de vez en cuando. Como mi querida amiga aquí presente dice, una fuente de poder. Me hizo feliz.*

Esto siempre fue algo que nos incumbía a los dos, no solo a mí, dice el hombre. Se bebe el vino de un trago. Se incorpora y le arrebata la botella al hombre mayor, que se encuentra francamente perplejo, y se sirve otra copa hasta arriba. *No echarán en falta lo que me he llevado. Me aseguré de ello. No hice daño a nadie, no he robado a niños ni a huérfanos. Solo las instituciones tienen valores. Fueron pequeñas cantidades desviadas con el paso del tiempo. Han llegado a formar una gran suma, pero no he hecho daño a ningún ser humano. Esto nunca saldrá a la luz. Y es para ti tanto como para mí.*

Me lo creo, dice la mujer más joven. *Creo que te dices eso a ti mismo y lo piensas sinceramente.*

Y para los niños.

Lo creo, también, dice la mujer joven. Se gira hacia la niña, le limpia la arena de la frente y le acaricia el pelo. El chico sigue entretenido con el cubo y la pala. Está cavando un agujero para llegar a China. Para la mujer joven, la discusión ha terminado. Está lista para cambiar de tema. Pero la mujer mayor no lo acepta. Se levanta.

Pero esto no es solo algo entre vosotros dos. Es una cuestión de moralidad. Esta... actividad debe parar. Aquí mismo y ahora. Se acabaron los amaños de cuentas. Se acabaron los delitos de guante blanco.

Nadie duda que esto es una orden rotunda. Y nadie pone en duda que las repercusiones de no obedecerla serán graves.

Detengo la película. Regreso mentalmente al mundo. Le pregunto al hombre mayor, *¿Por qué haría aquello Amanda? ¿Qué objetivo tenía?*

Peter parece resignado a seguir la dirección que ha tomado la conversación. *¿Quién sabe?*, pregunta. *Con Amanda nunca se sabía. ¿Venganza? ¿Malicia? Quizá pensaba que estaba haciendo lo correcto: evitar un delito importante. O salvar a sus amigos de la humillación de que los detuvieran y los encerraran. Pero no has terminado tu historia.*

Ya no necesito que la película me guíe. El resto ha tomado forma en mi mente.

De vuelta en la playa, digo. El hombre mayor está molesto. Su mundo se está viendo sacudido.

¡Discúlpate!, le dice a su esposa. *Pide disculpas por tu vergonzoso comportamiento. No me importa lo borracha que estés, no se va por ahí hundiendo vidas por mera diversión.*

Pero la mujer joven lo interrumpe y se dirige directamente a la mujer mayor. *No hacen falta disculpas porque no las aceptaré. No podría hacerlo. Has traicionado mi confianza.*

¿Ves?, dice la mujer mayor. *La confianza es importante. La traición es algo serio.*

La mujer joven reflexiona sobre eso. *Es cierto*, dice. Agarra un huevo duro. *Pero hace setecientos años habría tomado medidas más duras.*

¿Y cuáles habrían sido?, pregunta la mujer mayor, entretenida.

Habría enterrado esto en tu patio una noche de luna menguante, como hacían las mujeres medievales con sus enemigos.

¿Y...?

Habrías empezado a pudrirte. La mujer joven hace una pausa. *Por supuesto, ya estás podrida de mente y espíritu*, dice. Los dos hombres, el mayor y el joven, se tensan en sus sillas y escuchan atentos. Esto es serio. Son palabras que no se pueden callar.

Pero esto se ceñiría al cuerpo. Comenzaría en tu interior. Con el corazón. Luego los demás órganos. Empezarías a apestar. La descomposición alcanzaría la capa externa de tu epidermis. Comenzaría a desintegrarse. Los insectos carroñeros se encargarían del resto. Tus ojos. Tus genitales. Tus extremidades, las orejas, los dedos de las manos y de los pies.

La mujer mayor se ríe. Parece encantada. *Siempre me olvido de que estudiaste Historia medieval antes que Medicina. ¡Qué combinación más potente!*

Esto no es una anécdota, dice la mujer joven. *Es un aviso. Más te valdría prestarle atención.* Y comienza a recoger las cosas del picnic, como si una conversación razonable entre personas razonables acabara de concluir.

Magdalena ha dejado de escribir. El cuaderno y el bolígrafo están sobre su regazo.

¿Qué pasó con los hombres? ¿Y con los niños? ¿Qué estaban haciendo mientras se decían estas cosas?, pregunta.

Eran el público. El público necesario. Porque esas mujeres no eran más que unas expertas dramaturgas.

¡Pero los niños!

Sí, los niños. Eso mismo.

Pero ¿qué pasó después?, pregunta.

Nada. Nada en absoluto. El efecto del vino se desvaneció, condujeron de vuelta a casa todos juntos en un mismo coche, apretados codo con codo. La niña era demasiado pequeña como para enterarse de lo que pasaba. El chico se reservó su opinión. Ningún daño colateral.

Llegaron a casa, vaciaron el maletero. Las mujeres se dieron un beso, y también al marido de la otra. Los hombres se estrecharon la mano. Se fueron a sus casas respectivas. Y siguieron como si nada hubiera pasado.

Y así tu matrimonio no se rompió, dice Magdalena. No es una pregunta.

Peter habla.

Pudo haber sufrido un tropiezo temporal. Pero nadie se mudó. Nadie acudió a los juzgados. El hombre y la mujer jóvenes siguieron mostrando la misma camaradería respetuosa. Si era todo teatro, lo representaban muy bien. Nadie vio una fisura jamás.

¿Qué pasó con el dinero? Supongo que el... robo... o lo que fuera, se paró, dice Magdalena.

Sí. No hubo escándalo, ni juicio, ni cárcel. Pero la pareja dejó de hacer viajes costosos, de comprar muebles, alfombras y cuadros caros. Aun así, parecía que seguían llevando una vida aparentemente feliz.

¿Y las dos mujeres?, pregunta Magdalena.

Lo mismo. Fue como si aquel día nunca hubiera existido. Como si se hubiera borrado la memoria del grupo. Una *folie en quatre* olvidada para siempre.

El hombre con barba habla. *Y te acuerdas*, me dice. *De todas las cosas, sobrevive esta historia.* Suspira pesadamente. *Habría sido mejor si esta conversación no hubiera tenido lugar*, dice.

113

Se levanta para marcharse, y algo en la forma que tiene de andar, apoyándose en la pierna derecha, me enciende una luz. Eres Peter, digo.

Se vuelve a sentar. *Eso es*, dice. *Eso es*. Sonríe. Es una sonrisa encantadora.

¡Peter! ¡Mi amigo, mi querido amigo! Me acerco y lo abrazo. No, lo retengo. Tengo problemas para soltarlo.

¡Han pasado años!, digo. ¿Qué te ha hecho estar fuera tanto tiempo?

En realidad, solo hace dieciocho meses que me marché. Pero parece mucho tiempo. No tenía demasiados motivos para volver. No hasta… lo sucedido últimamente.

¿Te refieres al asesinato de Amanda?

Suelta una risa breve. *Sí, eso.*

¿Cómo lo llevas?

No muy bien. Gracias por preguntar. Resulta divertido –bueno, no divertido, sino inocente– cómo la gente piensa que solo porque nos habíamos separado se hubieran roto todos los vínculos emocionales.

Lo sé. Lo veía todo el tiempo en el hospital. Las parejas divorciadas ofrecían las escenas más emotivas en la sala de reanimación.

Magdalena me agarra del brazo. Me estremezco y lo aparto. *Es hora de vestirse*, dice.

Me miro y me fijo en que todavía estoy en camisón. Me sonrojo. Por supuesto, digo. Ahora mismo bajo.

Pero algo sucede. Al subir las escaleras, me desoriento. Había una idea en lo más profundo de mi cabeza. Un propósito. Lo he perdido. Solo un pasillo oscuro, iluminado por la luz que sale de las puertas abiertas.

A través de ellas me fijo en camas recién hechas, el sol colándose por las ventanas. Siento una vena palpitando en mi cuello. Me falta el aire. Estiro los brazos, toco una pared, hago contacto con una placa de plástico rectangular. Esto lo conozco. El interruptor de la luz. Lo enciendo. Paredes azul marino. Fotos de gente sonriente. ¿Cómo puede haber tanta gente tan feliz todo el tiempo?

Apago el interruptor, sumiéndolo todo en la oscuridad. Arriba, iluminación, abajo, desesperación. Arriba y abajo. El clic familiar y gratificante. Sé lo que es esto. Mi cuerpo comienza a sentirse cómodo de nuevo, mi respiración se estabiliza. Sigo con lo que estoy haciendo hasta que la rubia viene y me lleva.

Algunas cosas se quedan grabadas. Hago lo que me sugiere mi amigo neurólogo Carl y repaso mi memoria. *Solo para ver qué asoma*, dice. *Para ver adónde te lleva. Ejercita esas neuronas.*

Cosas sorprendentes. No lo que me hubiera esperado. Nada de bodas, ni funerales. Ni nacimientos, ni muertes. Pequeños momentos. Mi gato, *Binky*, en lo alto de un árbol cuando yo tenía cinco años. Unas bragas que se las llevó el viento del tendedero y aterrizaron en el patio del vecino, Billy Plenner, cuando yo estaba en séptimo; algo que él se encargó de que yo jamás olvidara. Encontrarme un billete de cinco dólares en el suelo de la pista de patinaje y sentirme rica. Rodar por la hierba de Lincoln Park con Fiona cuando tenía nueve años.

El día después de cumplir los cincuenta, tras una fiesta que James montó para mí. Preguntándome si esta vez las cosas estaban hechas añicos para siempre.

Había sido una noche de diversión. El salón estaba a rebosar de gente, que se extendía por la cocina, algunos sentados en las escaleras. Bebiendo el excelente vino que había elegido James. Mis compañeros del hospital. Mi querido Carl, y mi ayudante, Sarah, y, naturalmente, el equipo de Ortopedia: Mitch y John. También estaba Cardiovascular al completo, igual que Psiquiatría. Y mi familia. Mark, con quince años, más guapo que nunca, pasando su brazo por mi hombro y dejándolo allí mientras me guiaba hasta la mesa dispuesta con botellas y maravillosos manjares. Abrazándome antes de servirme una copa de vino. Amigos. Fiona revoloteando entre los asistentes, surgiendo de cuando en cuando para acariciarme el brazo. Y James. Emocionado de saber que estaba en la habitación. A veces coincidíamos entre la multitud. En cada ocasión, me daba un rápido beso apasionado en los labios. Como si lo hiciera con sentimiento. Felicidad.

Pero entonces, la caída, el descenso a los infiernos. Estaba buscando a James, que había desaparecido. Busqué en la cocina, en el salón, en el comedor, incluso llamé a la puerta del baño. James no estaba.

De repente, la habitación me resultaba demasiado agobiante, demasiado calurosa. Abrí la puerta de casa y escapé a las escaleras, para sentir el aire fresco de la noche de mayo. Entonces oí voces bruscas. Peter y Amanda. Tan concentrados el uno en el otro que no se dieron cuenta de mi presencia.

Te has pasado de la raya, decía Peter. Hablaba en voz baja, pero era evidente que estaba furioso.

Pero si no he hecho nada... La voz de Amanda sonaba serena y controlada.

¿Nada? ¡Tú nunca haces nada! Nunca. Y ahora, una mentira. Encima de tanta crueldad. Como te he dicho, te has pasado de la raya.

La luna brillaba lo suficiente como para ver sus caras. Emanaban un aura de rectitud moral. Una batalla entre dos ángeles vengadores.

Ya es hora de que James lo sepa, es hora de que comprenda que su pequeña familia tiene ciertas imperfecciones, ciertos... antecedentes poco convencionales. Que le metieron un huevo de cuco en su nidito. Que, en realidad, él también es un cornudo. Que no es el único que ha sido infiel. Ahí estaba James, agarrado de la mano de Fiona, contando en broma que igual le habían cambiado a su hija en el hospital al nacer, de lo distinta a él que había salido. Era la ocasión perfecta, llevaba tiempo esperándola. Una oportunidad que no se podía dejar escapar. Había que soltar la verdad.

¿Y tú fuiste sencillamente el vehículo de la verdad?

No dije nada. Me limité a mirar. Solo lancé una mirada. James no necesitó nada más. Casi seguro que lo pilló. ¿Cómo no?

Así que mentías cuando me dijiste que no habías hecho nada.

Peter tenía problemas para controlar su voz y su respiración estaba acelerada. Nunca lo había visto así. Normalmente le cuesta mucho enfadarse; el gigante dormido.

Yo nunca miento. No dije nada, a fin de cuentas. Ni una palabra. Así que no. Yo nunca miento.

Excepto in extremis, eso es verdad.

¿Qué se supone que significa eso?

Significa que cuando es lo bastante importante para ti, cuando se trata de protegerte contra alguna consecuencia intolerable, eres como el resto de los mortales.

Dime una sola vez en que haya mentido. Solo una. Aparte de este supuesto incidente.

Tengo que retroceder cincuenta años. Pero sucedió, y tengo buena memoria. Peter estaba ahora más tranquilo, había recuperado el control. Hablaba pausadamente. *El examen de filosofía de 1966,* dijo.

Silencio. Amanda no se movió. No oía más que los coches pasando por Fullerton.

¿Cómo te enteraste de eso?

Yo era ayudante de investigación del profesor Grendall. Estaba esperando a la puerta de su despacho. La puerta estaba medio abierta. Lo negaste todo. Que habías copiado, plagiado. Entonces mentiste.

Pues claro que lo hice. Era necesario.

Y luego, después de marcharte, el profesor Grendall salió, me vio, meneó la cabeza y dijo: ¡Qué mujer! ¡Qué perversidad! Llegará lejos.

¿Y tú qué dijiste?

Tenga cuidado. Está hablando de mi futura esposa.

Entonces, cuando me entraste en el Club Quad aquel año...

Ya lo tenía decidido.

Hubo un silencio. Amanda retrocedió un paso, puso la mano sobre la barandilla de hierro que rodeaba el jardín delantero y envolvió sus dedos alrededor de uno de los pinchos de hierro.

Bueno. La verdad es que sabes cómo ganar una discusión.

No pretendía ganar.

El Peter que yo conocía comenzaba a aparecer de nuevo. La tensión abandonó su espalda, se llevó la mano a la cabeza y se atusó el pelo, un gesto de contemporización que usaba a menudo cuando estaba con Amanda.

No, nunca lo pretendes. Vi sus dedos soltándose lentamente de la valla. Ella también se llevó la mano a la cabeza, pero como si le doliera.

Entonces, ¿por qué lo hiciste?, preguntó Peter. *Hacer que se diera cuenta de la… ambigua paternidad de Fiona. Del único desliz que tuvo Jennifer, de lo que todos hemos sabido durante nueve años. Como ya te he dicho, nunca mientes a menos que te encuentres in extremis. ¿Qué está pasando?*

De nuevo, nada más que el ruido del tráfico.

Peter hablaba ahora más despacio, midiendo cada palabra.

La fiesta. Tiene algo que ver con la fiesta. Pero ¿qué? Estamos celebrando, es un motivo de alegría. Y en honor a tu mejor amiga. Ayudaste a James a organizarla. Y ha salido genial. Raras veces he visto a Jennifer tan contenta. Es una mujer muy difícil de complacer, pero lo has conseguido. Seguro que lo has visto: Jennifer y James tan abiertamente cariñosos. Mark tan orgulloso de su madre, una especie de milagro a su edad. Fiona realizando valientes incursiones entre la multitud antes de regresar corriendo a Jennifer o James en busca de refugio. Entonces, ¿qué?

Amanda estaba rígida. No iba a ayudarlo.

Peter paró de atusarse el pelo y dejó la mano en la nuca. Alzó la otra mano y la extendió hacia Amanda. Casi señalando, pero en el último instante la cerró en un puño.

Eso es, ¿verdad? Demasiada felicidad. Eres envidiosa. Una amiga solo para lo malo.

Ahí fue cuando sin hacer ruido me giré y volví a entrar en la casa, al calor y la luz. James no aparecía por ningún lado. Sonreí y saludé con la cabeza hasta que me dolieron los músculos de la cara y el cuello y el último invitado se hubo ido. Acosté a Fiona y di un beso de buenas noches a Mark. Luego permanecí en vela en mi cama hasta la mañana.

Al día siguiente, James no quiso acompañarnos a Fiona y a mí al parque. Se llevó a Mark al zoológico. Rechazó la idea de una cena en familia, y fue con Mark al McDonald's. Durante un mes después de aquello, se estuvo mordiendo la lengua cada vez que hablaba con él. Me daba la espalda en la cama.

Giraba la mejilla cuando Fiona intentaba darle su beso de buenas noches.

Y luego, al cabo de un mes o así, el problema pasó. Como siempre sucedía entre James y yo. Descubres, sufres, perdonas, o al menos aceptas. Por eso hemos durado tanto. Así es como hemos aguantado. El secreto de un matrimonio feliz: no la sinceridad, ni el perdón, sino aceptar, que es una forma de respeto hacia el derecho del otro a cometer errores. O mejor, el derecho a tomar decisiones. Decisiones de las que no te puedes lamentar, porque fueron las correctas. Por eso nunca le pedí perdón. Y así, el asunto murió entre nosotros, pero con él, algo más. No lo bastante para derribar el árbol de nuestro matrimonio, pero una rama cayó y no volvió a crecer.

Mark y Fiona lo sintieron, por supuesto. Como sucede con los niños, lo exteriorizaron. Mark era hosco y agresivo con James. A mí me trataba con distancia. Pero para Fiona aquello fue más duro. Se sentaba en el sofá entre James y yo mientras veíamos una película, posando su mano sobre nuestros brazos, como si pudiera ser un conducto. ¿De qué? El cariño permanecía. El placer en la compañía del otro, aunque un poco apagado. Pero el respeto... Sí, ese era el problema. Ahora había una mancha de desprecio cuando James me hablaba, sus abrazos eran ásperos. En la cama se mostraba insistente y agresivo. Para mí, aquello no era necesariamente algo malo. Pero Fiona llevó muy mal el cambio en nuestro hogar. Pasaba salvajemente de intentos de reconciliación a ataques de rabia. Cuando estaba bien, estaba muy, muy bien. Pero luego, los episodios. Demasiado pronto para culpar a las hormonas adolescentes. Aunque a medida que se acercaba a la pubertad, se fueron haciendo más intensos. Pasaba mucho tiempo con Amanda. Cuando no la encontraba en el salón o en su cuarto, recorría el tramo de las tres casas para recuperarla. Amanda en pie a la puerta, diciéndonos adiós con la mano, un gesto que era a la vez una señal y una despedida. Fiona, una extraña obstinada y recalcitrante. Luego, después de pasarse horas tras la puerta cerrada, aparecía la otra Fiona, ofreciéndose para fregar los platos y ayudar a Mark con sus deberes de matemáticas.

Fueron años extraños y difíciles. Hice turnos extra, acepté pacientes para los que no tenía tiempo. Publiqué artículos. Comencé a trabajar en el hospital de beneficencia. Ocupé mi mente y mi cuerpo, pero emocionalmente descendí a la desesperación. Fue Amanda, por supuesto, la que se dio cuenta y poco a poco me remendó. La causante y sanadora de mi dolor, ambas cosas.

Abro la puerta, y ahí están. Mis dos hijos. El chico y la chica. Más mayores, con un aspecto agobiado por las preocupaciones, sobre todo el chico. Los atraigo hacia mí, un brazo alrededor de cada uno, la mejilla a medio camino sobre el hombro de mi hija.

¿Por qué habéis llamado a la puerta?, les pregunto. ¡Esta es vuestra casa! Siempre seréis bienvenidos. Lo sabéis.

Los dos sonríen al unísono. Casi como en una coreografía. Parecen aliviados. *Oh, no queríamos asustarte*, dice mi hijo, mi chico requeteguapo. Ya antes de que le cambiara la voz, las chicas ya llamaban preguntando por él.

Bueno, pasad, digo. Mi amiga y yo acabamos de hacer galletas. La rubia aparece detrás de mí. Sonríe a la pareja de jovencitos.

Nos sentamos alrededor de la mesa de la cocina. La rubia ofrece café, té, galletas. Los dos rechazan el ofrecimiento, aunque el chico acepta un vaso de agua. La rubia se sienta, también. Hay cierta tensión de fondo.

¿Qué tal lo llevas?, me pregunta el chico.

Bastante bien, digo.

El chico mira a la rubia. Ella menea ligeramente la cabeza.

¿Estás segura? Pareces un poco… excitada. Alterada, incluso.

Esto lo dice la chica, mi hija. La serpiente se enrosca con ternura alrededor de sus delicados huesos. Por extraño que resulte, ha salido a James. Su padre, a pesar de su altura, es en cierto modo frágil. Siempre cinco kilos de menos. Por supuesto, él no lo ve así. Siempre corriendo, siempre nadando, siempre moviéndose.

Los días que no puede salir porque llueve mucho, o ha nevado, o hace frío, se pasa una hora subiendo y bajando las escaleras sin parar.

Reflexiono sobre su pregunta. Sopeso mis opciones, mis elecciones. Y aclaro mi mente.

Esta es una conversación que antes o después teníamos que mantener, digo. He estado retrasándola. Pero ya que estáis aquí los dos, ahora es buen momento.

La chica asiente. El chico me mira. La rubia no aparta los ojos de la mesa.

Vuestro padre no lo sabe. Todavía no. Así que, por favor, no se lo contéis.

No lo haremos, dice el chico. *Puedes estar segura*. Esboza una sonrisa irónica al decir eso.

Todo empezó hace un tiempo. Meses. Noté que me olvidaba de cosas. Tonterías sin importancia, como dónde había dejado las llaves, o la cartera, o la bolsa de pasta que había sacado de la despensa. Luego empezaron los lapsos en blanco. Yo estaba en mi despacho, y al minuto siguiente me encontraba en la sección de congelados del supermercado Jewel sin recordar cómo había llegado hasta allí. Después las palabras empezaron a desaparecer. Estaba en mitad de una operación y me olvidaba de la palabra «pinza». La recordaba más tarde, al volver a casa. Pero en aquel momento tenía que decir, «Dame esa cosa brillante que pincha y sujeta». Veía cómo mis ayudantes cruzaban la mirada. Humillante.

El chico y la chica no parecen sorprendidos. Mejor. La parte más dura está por venir.

Incluso os tengo que confesar algo, digo. No recuerdo vuestros nombres. Mis propios hijos. Vuestras caras están claras, y doy gracias por ello. Otros no son más que un borrón irreconocible. Las habitaciones están selladas sin puertas, sin posibilidad de entrar o salir. Y los cuartos de baño se han convertido en algo increíblemente difícil de encontrar.

Yo soy Fiona, dice la chica. *Y este es tu hijo, Mark*.

Gracias. Claro. Fiona y Mark. Bueno, en resumidas cuentas, que he ido al médico, a Carl Tsien. Conocéis a Carl, por supuesto. Me hizo algunas preguntas, me envió a un especialista de la Universidad de Chicago. Allí tienen una clínica especializada. La llaman, sin nada de ironía, la Unidad de Memoria.

Me hicieron unas pruebas. No sé si lo sabéis, pero no hay un modo concluyente de diagnosticar el Alzheimer. Es básicamente un proceso de eliminación. Realizan una serie de análisis de sangre. Se aseguran de que no haya infecciones de baja intensidad. Descartan el hipotiroidismo, la depresión. Sobre todo, te hacen un montón de preguntas. Y al final, no me dieron mucho espacio para la esperanza.

Mis dos hijos asienten tranquilos. No lloran. No parecen muy afectados. Es la rubia la que se acerca y pone su mano sobre la mía.

Quizá no estoy siendo clara, digo. Esto es una sentencia de muerte. La muerte del cerebro. Ya lo he comunicado en el hospital, he anunciado que me retiro. He empezado a escribir un diario para tener algo de continuidad en mi vida. Pero no seré capaz de vivir por mi cuenta mucho tiempo. Y no quiero ser un peso para vosotros.

La chica se acerca y toma mi otra mano. Esto no es un consuelo, resulta incómodo tener las dos manos atrapadas por esta gente sin nombre. Me suelto de ambas y poso mis manos sobre mi regazo, a resguardo.

Debe de haber sido terrible para ti, dice la chica.

El chico me ofrece una media sonrisa. *Eres una vieja dura de roer*, dice. *Vas a tirar a esta enfermedad a la lona y romperle el brazo antes de que te lleve.*

No parecéis sorprendidos.

No, dice la chica.

¿Lo habíais notado?

¡Era un poco difícil no darse cuenta!, dice el chico.

¡Calla!, le chista la chica. *En realidad, esto en cierto modo nos lleva a la razón por la que estamos hoy aquí, mamá.*

No solo no estamos sorprendidos, dice el chico. *La verdad es que la cosa está tan mal que ha llegado el momento de hacer cambios. Vender la casa. Buscar un sitio más… adecuado… para vivir.*

¿Qué quieres decir con eso de vender la casa?, pregunto. Esta es mi casa. Siempre será mi casa. Cuando entré aquí hace veintinueve años –embarazada de ti, por cierto–, me dije: Por fin he encontrado el lugar en el que poder morir. Solo porque me olvide las llaves de vez en cuando...

No son solo las llaves, mamá, dice el chico. Es la inquietud. La agresividad. Tus escapadas. Tu incapacidad para usar el baño, hacerte cargo de las necesidades sanitarias elementales. Rechazar la medicación. Es demasiado para Magdalena.

¿Quién es Magdalena?

Magdalena. Esta de aquí. ¿Ves? Ni siquiera te acuerdas de la mujer que vive contigo. Que te cuida. Una ayuda maravillosa. Ni siquiera te acuerdas de que papá está muerto.

¡Tu padre no está muerto! Está en el trabajo. Volverá a casa –¿qué hora es?– dentro de poco.

El chico se gira hacia la chica. ¿Para qué sirve esto? Hagamos lo que habíamos pensado. Tenemos todos los papeles que necesitamos. Es lo correcto. Lo sabes. Hemos considerado todas las opciones, incluida la de que te instales aquí para ayudar a Magdalena. La idea era una locura.

La chica asiente lentamente.

Podríamos tener una enfermera profesional. Empezar a usar los pestillos que hemos instalado en las puertas. Pero eso la molesta mucho, le hizo más mal que bien. Y se está deteriorando muy rápido. Para ella ya solo es seguro estar en un ambiente altamente controlado.

La chica no responde. La rubia se levanta de pronto y sale de la habitación. Ni la chica ni el chico parecen darse cuenta.

No entiendo las palabras del chico, así que me concentro en su expresión. ¿Es amigo o enemigo? Creo que amigo, pero no estoy segura. Me siento incómoda. Hay un resto de hostilidad en sus ojos, tensión en sus hombros, que podrían ser restos de viejas heridas, viejas sospechas.

Estoy sentada a la mesa con dos jóvenes. Se levantan para marcharse. La chica tenía la mente en otra parte, no estaba con nosotros. Entonces, de repente, regresa.

Mamá, espero que nos perdones. Hay lágrimas en sus ojos.

Fiona, ni siquiera se va a acordar. Esta conversación no tiene sentido. Te lo dije.

La chica se pone su jersey, secándose los ojos. *Y luego está Magdalena. Ha sido tan importante para nosotros durante estos ocho meses. Eso es duro, también.*

El chico se encoge de hombros. *Es una empleada. Era una relación comercial. Un quid pro quo.*

Capullo, dice la chica. Luego, tras una pausa, *Todavía me alegro de que hayamos venido*, dice. *Es curioso, nunca supe cómo se sintió al darse cuenta de lo que le estaba pasando. Cómo lo descubrió. Esa parte siempre fue un misterio.*

Bueno, nunca ha sido muy dada a compartir sus sentimientos.

No, pero me siento… honrada en cierto sentido.

Está agachada junto a mi silla.

Mamá, sé que tu mente ya está en otra parte. Sé que no recordarás esto. Y todo es demasiado triste. Pero ha habido momentos de gracia. Este ha sido uno de ellos. Te doy las gracias por ello. Pase lo que pase, que sepas que te quiero.

He estado escuchando cómo su voz suave subía y bajaba, prestando atención a la cadencia. Preguntándome quién es. Este pajarito de colores brillantes en mi cocina. Esta chica hermosa con la cara de un ángel que se inclina para rozar sus labios con mi pelo.

El chico parece entretenido. *Siempre fuiste una sentimental*, dice.

Y tú siempre fuiste un capullo.

Le da un empujoncito mientras caminan hacia la puerta. *El final de una época*, oigo que dice el chico al cerrarla.

El final, repito, y las palabras permanecen suspendidas en la casa, ahora vacía.

DOS

La mujer sin cuello está gritando otra vez. Un timbre a lo lejos y luego el sonido amortiguado de zapatillas de suela blanda sobre una gruesa moqueta que pasan a toda prisa por delante de mi puerta.

Brotan distintos ruidos de otras habitaciones en la planta. Los chillidos de animales encarcelados cuando molestan a uno de su especie. Algunas palabras reconocibles como «ayuda» y «venid aquí», pero sobre todo gritos que crecen y se entremezclan.

Esto ya ha pasado antes, este descenso de un círculo del infierno al siguiente. ¿Cuántas veces? Los días se han convertido en décadas en este lugar. ¿Cuándo sentí el calor del sol? ¿Cuándo fue la última vez que una mosca o un mosquito se posó en mi brazo? ¿Cuándo fui capaz por última vez de ir al baño por la noche sin que surgiera de repente alguien a mi lado? Recogiéndome el camisón hasta la cintura. Agarrándome con tanta fuerza que después tenía que buscar el moratón.

Los gritos, aunque más apagados, no han remitido, así que me levanto. Puedo parar esto. Recetar algo. Alguna benzodia-cepina. O quizá Nembutal. Algo que alivie la ansiedad, detenga el ruido, que ahora proviene de todas direcciones. Pediré una ronda para todos. ¡Invita la casa! Cualquier cosa con tal de evi-tar que este lugar se convierta en un auténtico manicomio. Pero unos brazos tiran de mí, bruscamente. Poniéndome en pie antes de estar lista.

¿Adónde vas? ¿Al baño? Deja que te ayude. En la tenue luz ape-nas puedo distinguir la cara de quien habla. Una mujer, creo, pero cada vez me cuesta más distinguirlo. Batas blancas unisex. Pelo corto o recogido por detrás. Rasgos impasibles.

No. Al baño, no. A ver a esa pobre mujer. A ayudar. Déjame en paz. Puedo salir sola de la cama.

No, no es seguro. Es por la nueva medicación. Te hace inestable. Podrías caerte.

Pues deja que me caiga. Si vas a tratarme como a una niña, hazlo como si fuera una de verdad. Deja que me levante sola si me caigo.

Jen, podrías hacerte daño, y entonces me metería en un lío. Y no quieres eso, ¿verdad?

Llámame doctora White, no Jenny. Y en ningún caso Jen. Y no me importaría que te despidieran. Otra ocupará tu lugar. Sois fáciles de intercambiar.

Decenas de personas van y vienen, algunas más rubias, otras más morenas, unas hablan inglés mejor que otras, pero las caras de todas se funden entre sí.

Vale, doctora White. No hay problema.

No me suelta el brazo. Con una fuerza que podría reducir a un hombre de cien kilos me pone en pie, colocando una mano en mis riñones y la otra en el codo.

Ahora podemos ir juntas y ver lo que pasa, dice. *¡Apuesto a que puedes serle de ayuda a Laura! ¡Hay veces que la necesita!*

Todavía aferrando mi brazo, me conduce al pasillo. La gente deambula sin rumbo, como después de un simulacro de incendio.

¡Mira qué bien, ya se acabó todo! ¿Ves? ¿Te apetece volver a la cama ahora o tomarte un vaso de leche caliente en el comedor?

Café, digo. Solo.

¡No hay problema! Se dirige a una chica, que viste una bata verde. *Toma. Lleva a Jennifer a la cocina y que se beba un vaso de leche. Y oblígala a tomarse sus medicinas. No quiso hacerlo a la hora de irse a la cama. Ya sabes lo que pasará mañana si no se las damos.*

Leche, no; *café,* digo, pero nadie me escucha. Así son las cosas aquí. Te dicen lo que sea, te prometen lo que sea. Puedes ignorar sus palabras, incluso los días en que eres capaz de retenerlas, porque tienes que mantener los ojos en sus cuerpos. Sobre todo, en sus manos. Las manos no mienten. Puedes ver lo que sujetan. Lo que buscan. Si no puedes ver las manos, es hora de preocuparse. Hora de empezar a chillar.

Estudio la cara de la chica que me conduce al comedor. Mi prosopagnosia, mi incapacidad para distinguir un rostro de otro, está empeorando. No puedo aferrarme a los rasgos, así que cuando tengo a una persona delante, la analizo. Intento hacer lo que cualquier niño de seis meses puede hacer: separar lo conocido de lo desconocido.

Esta no me suena de nada. Su cara está picada de viruela, y su cabeza es braquiocefálica. Tiene sobremordida y el pie derecho ligeramente varo, probablemente debido a una torsión interna de la tibia. Mucho trabajo para varios especialistas caros. Pero no para mí. Porque sus manos son perfectas. Grandes y hábiles. Nada suaves. Pero en este lugar la suavidad no triunfa. La selección natural se encarga de eso, tanto para los cuidadores como para los cuidados.

Es una palabra que se usa mucho aquí. *Cuidado. Necesita cuidados a largo plazo. No es apta para cuidados a domicilio. Estamos buscando más cuidadores. Cuídala. Cuidado con eso.* El otro día, acabé repitiendo la palabra una y otra vez hasta que perdió su significado. *Cuidado. Cuidado. Cuidado.*

Le pedí un diccionario a uno de los celadores. El hombre sin barba pero que no está bien afeitado, ese cuya cara recuerdo por el hemangioma en la mejilla izquierda.

Regresó más tarde con un papel. *Laura te lo buscó en Internet*, me dijo. Intentó dármelo, pero meneé la cabeza. Ese no era un día de leer, ya me quedan pocos de esos. Sostuvo el papel y habló con voz entrecortada, trastabillándose con las palabras. Es de Filipinas. Cree en el Espíritu Santo, Señor y Dador de Vida. Se santigua frente a la estatua del hombre con halo de mi aparador. Me ha preguntado varias veces por mi medalla de san Cristóbal y está claro que le gusta que yo la lleve.

Cuidado: estado de preocupación mental, como el que se deriva de responsabilidades pesadas, me leyó. *Vigilancia recelosa. Asistencia o tratamiento a aquellos que lo necesitan.*

Hizo una pausa y frunció el ceño, luego sonrió. *Mucha definición para una palabra tan pequeña. ¡Hace que mi trabajo parezca duro!*

Es duro, le dije. Estás en uno de los trabajos más duros. Me gusta este chico. Tiene una cara que apruebo, a pesar de –o quizá debido a– su marca de nacimiento. Una cara que se puede recordar. Una cara que hace que mi angustia por mi prosopagnosia disminuya un poco.

¡Qué va, qué va! No con pacientes como usted.

¡Deja de ligar!, le dije. Pero consiguió arrancarme una sonrisa. Algo que esta chica de las manos buenas no va a hacer.

Llegamos al comedor y me deposita en una silla, se marcha. Otra ocupará su lugar. Y otra.

Igual que con los pacientes de la clínica de beneficencia en la que trabajo de voluntaria todos los miércoles: me centro en los síntomas, ignoro las personalidades. Esta misma mañana he visto un caso. Si no fuera por la hinchazón en manos y tobillos, habría diagnosticado simplemente un caso de depresión leve. Estaba irritable. Incapaz de concentrarse. Su esposa había estado quejándose, dijo. Pero la inflamación me hizo sospechar, y mandé hacer pruebas de anticuerpos endomisiales y antitransglutaminasa tisular.

Si no me equivoco, le espera una vida de privaciones. Nada de trigo. Nada de lácteos. Nada de pan, la esencia de la vida. Algunas personas más dadas al dramatismo y la autocompasión se tomarían el diagnóstico de celíacos como una sentencia de muerte a los placeres de la vida. De haber sabido lo que les esperaba, ¿qué hubieran hecho diferente? ¿Se habrían permitido más? ¿O habrían comenzado a contenerse antes?

Llega mi leche, junto a un vasito con pastillas. Escupo en la leche y tiro las pastillas para que se dispersen bajo las mesas, en los rincones.

¡Jen!, dice alguien. *¡Sabes que eso va contra las reglas!*

La gente empieza a agacharse, a ponerse a cuatro patas para recuperar las pastillas rojas, azules y amarillas. Reprimo las ganas de dar una patada en el trasero a uno de los que están más cerca y en su lugar regreso a mi cuarto. Sí. Romperé todas las reglas, cruzaré todas las líneas. Y me prepararé para la batalla mientras empiezan a llegar refuerzos.

Hay algo que me reconcome. Pero está fuera de mi alcance. Algo que da escalofríos. Algo sangriento pero que mi resistencia no consigue doblegar. Esta vergüenza oscura. Un dolor demasiado solitario para soportarlo.

Las visitas vienen y van. Cuando se dirigen a la salida, siempre las sigo, avanzo lentamente, me congracio con la persona o personas que salen. Cuando pasen por la puerta, yo también pasaré. Así de simple. No importa que siempre me hayan parado hasta ahora. Algún día funcionará. Nadie se fijará. Nadie se dará cuenta hasta que llegue la hora de comer. Para entonces, yo ya estaré lejos. Al final lo lograré. Seguro que en la próxima ocasión.

Aquí hay una mujer que siempre está rodeada de gente. Visitas, día y noche. Querida por todos. Es una de las afortunadas. No sabe dónde está, no siempre reconoce a su marido o a sus hijos, lleva pañales, y ha perdido gran parte de su vocabulario, pero es dulce y serena. Está hundiéndose con dignidad.

El veterano de Vietnam, por el contrario, está solo. Nada de visitas. Revive constantemente y en voz alta sus días de gloria o sus pesadillas, dependiendo del día o incluso de la hora. Puede o no que participara en una masacre, una de las famosas. Algunos detalles suenan más ciertos que otros. Lanzar el cadáver de una cabra a un pozo. El modo en que la sangre se oscurece al rajar una vena. Como yo, él comprende que está encarcelado por crímenes pasados.

James ha vuelto hoy de uno de sus viajes. De Albany, esta vez. Un caso aburrido, dice. Su programa de trabajo es tan agobiante como el mío.

Igual que yo, no ha bajado el ritmo con la edad. Sigue siendo tan apremiante, tan implicado como cuando estábamos en la universidad. Y para mí, siempre esa emoción, esa sensación de descubrimiento, por muy breve que fuera su ausencia. Un atractivo no del tipo convencional. Demasiado afilado, demasiado anguloso para la mayoría de los gustos. Y moreno. De ahí sacó Mark su oscuridad, tanto por dentro como por fuera.

James empieza a sentarse, pero cambia de opinión, recorre la estancia en cuatro zancadas, endereza mi Calder en la pared. Después vuelve. Finalmente se instala en la silla, pero no está relajado. Se sienta al borde de la silla, dando golpecitos en el suelo con el pie. Siempre moviéndose. Llevando a la gente al límite, preguntándose qué hará a continuación. Un arma extraordinariamente útil en los juzgados y en la vida. En un mundo en el que la gente por lo general se comporta como se espera de ella, James es cirugía exploratoria: abres e indagas, y descubres cosas. A veces malignas, pero con frecuencia algo que resulta agradable. Hoy, sin embargo, está inusualmente tranquilo. Espera unos instantes antes de hablar.

Parece que estás hecha una mierda, dice. *Pero me imagino que solo es una sombra de cómo te sientes.*

Siempre llamas a las cosas tal y como son, digo. Y, como sus rasgos se difuminan en la tenue luz de primera hora de la mañana, añado, ¿Puedes encender la luz?

Prefiero así, dice, y guarda silencio. Juguetea con algo entre sus manos. Me acerco. Es una especie de cadenita con una medalla grabada. Parece importante. Estiro el brazo, con la palma abierta, el gesto universal de «dámelo». Pero lo ignora.

Te olvidaste de esto, dice. Lo sostiene con un dedo, y la medalla se balancea ligeramente. *Podría ser un problema*, explica.

Intento recordar. Hay una conexión que debo hacer. Pero se me escapa. Estiro de nuevo el brazo hacia la medalla, esta vez con intención de aferrar más que de pedir. Pero James retira rápido la mano, negándomela. Y, de repente, ya no está. Siento una aguda sensación de pérdida, el escozor de las lágrimas en mis pestañas.

La gente va y viene muy rápido aquí.

132

Mark y yo estamos sentados en una gran habitación. Me suplica. *Por favor, mamá. Sabes que no te lo pediría si no fuera importante.*

Intento comprender. Nos están observando. ¡Una escenita! La televisión está apagada, tienen sed de drama. Pues aquí lo tienen, con Mark y conmigo como protagonistas principales. Aunque sigo sin captar lo que me está diciendo.

Mamá, es solo hasta finales de año. Hasta que paguen la extra.

Necesita un corte de pelo. ¿Estará ya casado? Hubo una chica. ¿Qué habrá sido de ella? Parece tan joven, son todos tan terriblemente jóvenes. *Se lo he pedido a Fiona pero dice que no. Mamá, ¿entiendes lo que te digo?* Mark a los diez años. Mi niñito. Fiona más pequeña todavía, pero cuidando de él. Mark ha roto la ventana del garaje de los Miller con su bate de béisbol por una apuesta y es Fiona la que llama a la puerta y se ofrece para cortarles el césped durante seis semanas para pagar por el destrozo.

No deberías haberlo hecho, digo. Tendrías que haber asumido tu responsabilidad.

¿Mamá? Quédate aquí, conmigo.

Y anoche volviste a casa borracho. Pillé a Fiona limpiando el vómito en la alfombra del salón. Fiona siempre está cuidándote.

Sí, siempre Fiona. No sabes cuánto me fastidia eso.

¿Qué habrás hecho esta vez, que ni siquiera tu hermanita piensa cubrirte?

Mamá, te juro, te prometo que esta vez será la última. Está empezando a enfadarse. *Tienes más de lo que necesitas. De todos modos, al final nos dejarás todo a Fiona y a mí. ¿Qué hay de malo en un anticipo?*

Más gente se para a mirar. Hasta el veterano de Vietnam acerca una silla. ¡Diversión! La voz de Mark sigue alzándose con una rabia impotente.

Solo con que le digas a Fiona que estás de acuerdo, ella me daría el dinero. ¿Por qué no haces esto por mí? Solo esta vez, la última.

Fui una madre reacia. Y Mark no se dejaba querer, recuerdo intentar abrazarlo cuando tenía tres o cuatro años y lloraba por alguna herida que se había hecho en el parque, y sentirme

133

frustrada ante lo extraño que resultaba todo, los codos afilados y las rodillas huesudas. Sin embargo, es mi chico.

¿Mamá? Ha estado mirándome fijamente.

Sí.

¿Lo harás?

Hacer ¿el qué?

¿Darme el dinero?

¿Eso es lo que querías? ¿Por qué no lo has dicho antes? Sí, claro que sí. Espera que voy por mi talonario de cheques.

Me levanto para ir a buscar mi bolso en la habitación, pero Mark me detiene. Saca un cuaderno y un bolígrafo.

Mamá, ya no tienes talonario. Eso lo maneja Fiona. Lo único que tienes que hacer es escribir una nota aquí diciendo que me prestarás el dinero. Solo estas palabras: «Acepto entregar a Mark 50.000 dólares». No, falta un par de ceros más ahí. Eso es. Ahora, fírmalo. ¡Genial! ¡Magnífico! No lo lamentarás, te lo prometo. Te demostraré que puedo hacer bien las cosas.

Está a medio camino de la puerta cuando recobra la calma, se gira y me da un beso en la mejilla. *Te quiero, mamá. Sé que a veces soy un hijo de puta, pero te quiero. Y no lo digo solo por el dinero.*

Se acabó el espectáculo, le digo a la gente que se ha reunido a nuestro alrededor. Todos a vuestros cuartos. ¡Arreando! Se alejan como cucarachas.

Amor, hay amor en todas partes. La gente se empareja, de dos en dos, a veces de tres en tres. Parejas que duran quizá una hora, quizá un día. Es como volver al instituto con el decorado de un geriátrico.

La mujer sin cuello es extremadamente promiscua. Se lía con cualquiera. Aquí, eso significa agarrarse de la mano. Sentarse juntos en la sala. Acaso una mano posada en un muslo. Pero pocas palabras.

Maridos y esposas se presentan, y los miran sin reconocerlos. Algunos lloran, todos se sienten aliviados. Se han quitado un peso de encima. Pero estos amantes... Estar buscando eternamente, ser amado, retirarse y quedarse atrapado en el estado más innoble de la vida. Dios me guarde de volver a pasar por eso.

Solo he sido así de tonta dos veces. Con James. Y con ese otro. Terminó mal, por supuesto. ¿Cómo no? Su cara joven y su expresión ofendida. Su sensación de tener derecho.

Ahora estará cerca de los cincuenta; qué raro se me hace pensarlo. Será unos diez años mayor de lo que yo era en aquel entonces. Nunca me preocupé por ver cómo le fue tras dejarlo. Supongo que le iría bien, las cosas son más sencillas para los guapos.

Pero no fue su hermosura lo que me atrajo. Fue su mano con el bisturí. Me excitaba. Su forma de apretar el mango, como si aferrara la mano de una amante. Sin embargo, a pesar de esa pasión, de ese deseo, no tenía talento. Me daba lástima. Y luego la lástima se convirtió en otra cosa. Nunca usé la palabra amor. No se podía comparar con lo que sentía por James. Pero tampoco era como nada más. Y eso ya es algo.

Cuando reflexionas sobre tu vida, son los momentos extremos los que destacan. Los altos y bajos. Él fue una de las cimas más altas. En algún sentido, superando a James. Si James era una montaña central en el paisaje de mi vida, entonces el otro fue una cumbre de diferente clase. Más alta, más abrupta. No sería posible construir sobre sus frágiles precipicios. Pero las vistas eran espectaculares.

Hay cinta de colores sobre la elegante moqueta; en cierto modo, estropea la sensación de lujo que tanto se preocupan por dar aquí, pero es útil. Este es un mundo lineal. Avanzas recto. Haces giros a la izquierda o a la derecha.

Si sigo la línea azul llego a mi cuarto de baño. La roja conduce al comedor. La amarilla, al salón. La marrón es para los paseos en círculo, que te hacen dar vueltas y vueltas al perímetro de la habitación grande. Vueltas y vueltas. Vueltas y vueltas.

Dejas atrás los dormitorios, el comedor, la sala de televisión, la sala de actividades, las puertas dobles al mundo exterior con

135

la palabra SALIDA pintada con unas seductoras letras rojas. Y sigues, en un movimiento perpetuo.

Hay algo que me reconcome. Algo que habita en un lugar estéril y muy iluminado, donde no hay sitio para las sombras. El lugar para la sangre y el hueso. Aunque las sombras existen. Y los secretos.

Un sitio extraordinariamente limpio, este. Están constantemente frotando, aspirando, retocando la pintura. Limpiando el polvo. Reparando. Está impoluto. Y es lujoso. Un hotel de cinco estrellas con barandillas protectoras. El Ritz de los enfermos mentales. Sillones cómodos y mullidos en la sala grande. Un enorme televisor de pantalla plana en la sala de televisión. Flores naturales por todas partes. El aroma del dinero.

A nosotros también nos tienen limpios. Duchas frecuentes con un fuerte jabón antiséptico. Toallas ásperas sujetas por manos expertas y rudas. La humillación de un frotado vigoroso de la tripa, del trasero.

¿Por qué se preocupan de exfoliarnos? Dejad que las células muertas se acumulen, dejad que me recubran hasta que, momificada, se me conserve como estoy. No más deterioro. Para detener esta caída. Lo que no pagaría. Lo que no daría.

Estoy sentada junto a una mujer bien arreglada con el cabello gris y ondulado. Estamos en el comedor, en la gran mesa común. Acaban de ponerla para una docena o así de comensales, pero somos las únicas que comemos.

Yo tengo una especie de hilos alargados y claros de materia sólida flotando en un espeso líquido rojo. Ella toma un trozo de carne blancuzca. Las dos tenemos un montón de papilla blanca con un líquido marrón por encima. Entre la neblina, reconozco a una colega de profesión. Alguien a quien puedo respetar.

136

¿Qué es eso?, señalo algo que tiene a la derecha de su comida, algo que yo no tengo.

Eso es un cuchillo.

Quiero uno.

No, no lo necesitas. ¿Ves? Tu comida es blanda, fácil de romper en trozos para masticar. No necesitas cortarla.

Pero me gusta esa cosa. Mucho.

Es lógico.

¿Cuánto tiempo llevas aquí?, pregunto.

Unos seis años.

¿Qué hiciste?

¿A qué te refieres?

Para que te enviaran aquí. ¿Qué hiciste? Aquí todos han cometido un crimen. Algunos peores que otros.

No, yo trabajo aquí. Me llamo Laura. Soy la encargada de planta. Sonríe. Es alta y ancha de hombros. Fuerte y robusta. *¿Y qué crimen cometiste tú?*, pregunta.

No me gusta contarlo.

Está bien. No hace falta que me lo cuentes. No es importante.

¿Cuánto tiempo llevas aquí?

Seis años. Me llamo Laura.

Me gusta tu collar. Una palabra surge ante mí. ¿Es ópalo?

Sí. Un regalo de mi marido.

Mi marido está fuera de la ciudad, digo. No sé muy bien cómo, pero lo sé. En San Francisco, en una conferencia. Viaja mucho.

Debes de echarlo de menos, entonces.

A veces, digo. Y luego, de repente, las palabras salen con más facilidad.

A veces me gusta dar vueltas en la cama y encontrar un lugar donde las sábanas todavía están frías. Y él puede ocupar un montón de espacio psíquico.

Pero parece que sientes mucho afecto por él. Hablas mucho de él.

¿Qué es eso que tienes en la mano?

Un cuchillo.

¿Para qué sirve?

137

Para cortar.

Ya me acuerdo. ¿Puedo tener uno?

No.

¿Por qué no?

No es seguro.

¿Para quién?

Para ti, principalmente.

¿Solo principalmente?

Hay ciertas preocupaciones.

¿De que pueda herir a alguien?

Sí. Eso es.

Pero soy médica, digo.

Y has realizado un juramento solemne.

Tengo una visión. Un texto enmarcado, colgado de la pared. Cito lo que veo escrito: «Juro por Apolo, Asclepio, Higía y Panacea, y poniendo por testigo a todos los dioses y todas las diosas...». La imagen me abandona antes de poder terminar.

Impresionantes palabras. Me atrevería a decir que dan miedo.

Sí, siempre he pensado lo mismo, digo.

Y, por supuesto, está la parte que conoce todo el mundo, sobre nunca hacer daño, dice la mujer de cabello gris.

Siempre he respetado ese juramento, digo. Creo que lo he hecho.

¿Crees?

Está esa cosa que me reconcome.

¿Oh?

Sí. Tiene que ver con la cosa que tienes en la mano.

El cuchillo.

Sí, el cuchillo.

La mujer se inclina hacia delante. *¿Recuerdas algo? No. Déjame que lo exprese de otro modo. Si te acuerdas de algo, guárdatelo para ti. No me lo cuentes.*

No entiendo, digo.

No, hoy no. No es tu día para entender. Pero podrías acordarte mañana. O pasado mañana. La memoria es algo divertido. Sería bueno que no te esforzaras mucho. Es lo único que digo.

Y con eso se marcha, llevándose consigo esa preciosa cosa afilada y reluciente. *Cuchillo*.

Una criatura viviente todavía tiembla ante mis órdenes. Un perrito, un chucho que no sé muy bien cómo ha terminado unido a mí. Nunca me han gustado mucho los perros. Más bien al contrario, la verdad. Las súplicas de los niños no sirvieron para nada.

Al principio apartaba al bicho a patadas. Pero era tenaz, me seguía desde la mañana hasta la noche. Los otros residentes intentan engatusarlo en cada esquina, pero siempre vuelve a mí tras devorar una golosina o verse sujeto a una sesión de caricias temblorosas.

No tengo claro de quién es. Recorre los pasillos como Pedro por su casa y es el preferido de todos. Pero es a mí a quien persigue sin descanso. Aunque tiene una cama en la sala de televisión, y boles de comida y agua en el comedor, duerme conmigo. Nada más acostarme noto un saltito, un ruido de sábanas y un cuerpecito caliente acurrucándose junto a mí. Una lengua raspando mi mano. El olor a perro que siempre odié. Pero, poco a poco, he empezado a sentirme a gusto con él, disfrutando de tanta adoración.

Otros residentes están celosos. Intentan robarme a *Perro*. Varias veces me he despertado de un sueño profundo y he encontrado una sombra cerniéndose sobre mi cama, intentando agarrar el cuerpecito llorón y tembloroso. Siempre lo dejo ir sin hacer comentarios, y la cosa siempre regresa a mí. Mi espíritu familiar. Toda vieja bruja necesita uno.

Lo único que ayuda es pasear. Lo que la gente aquí llama «deambular». Han dispuesto una especie de recorrido. Un laberinto para los deficientes mentales.

A cualquier hora, dos o tres de nosotros recorren el circuito. Si alguien intenta deambular con más libertad, lo detienen y lo devuelven con firmeza a la pista.

Recuerdo el laberinto de Chartres, cómo fascinaba a los niños, que seguían sus líneas hipnóticas hasta el centro. Donde los peregrinos tenían la esperanza de estar más cerca de Dios. Donde por fin llegaban pecadores arrepentidos que sufrían el camino pedregoso en sus rodillas, ensangrentados y agotados, cumplida su penitencia.

Cómo me gustaría experimentar de nuevo esa sensación de libertad que sigue al castigo, ese alivio que sienten los niños después de confesar y haber pagado por sus crímenes triviales. Pero yo... yo no tengo más salida que seguir deambulando.

Tenemos visita, Jen. ¿No estás contenta de habernos dado un baño? Mira qué bonito tienes el pelo.

Es una cara que ya he visto antes. A eso estoy reducida ahora. No más nombres. Solo características, si son lo bastante idiosincrásicas, y saber reconocer si una cara es familiar o no.

Y esas no son categorías absolutas. Puedo estar mirando un rostro que he decidido que no es familiar y de repente sus rasgos cambian y revelan una cara que no solo es conocida sino querida.

Esta mañana no he reconocido a mi propia madre, con el disfraz que llevaba. Pero luego se me reveló. Lloró mientras aferraba mi mano. La calmé lo mejor que pude. Le expliqué que sí, que había sido un parto difícil, pero que volvería pronto a casa, que el bebé estaba bien. Pero ¿dónde está James?, pregunté. *Mamá, ahora mismo papá no puede estar aquí. ¿Por qué me llamas mamá y a él, papá? Más lágrimas.*

Y luego, mi madre desapareció.

Ahora esta otra. De un tipo totalmente diferente.

Soy la detective Luton. Hemos hablado unas cuantas veces.

¿Quién realizó su tiroidectomía? ¿Fue el doctor Gregory?

¡Mi qué? Oh —y se lleva la mano al pañuelo de su garganta—. La verdad es que no me acuerdo de su nombre. ¿Por qué?

Siempre ha tenido buena mano con la aguja. Su cicatriz ha sanado muy bien.

Eso dicen.

¿Han calculado bien su dosis?

¿Disculpe?

¿Cuándo fue la última vez que se miró los niveles de T3 y T4?

Oh, pues hará un año. Pero no estoy aquí por eso.

No es mi especialidad, lo sé. Pero yo en su lugar se lo pediría a su endocrino. He comprobado que el ochenta por ciento de la gente con problemas crónicos de tiroides no controla adecuadamente sus niveles.

De acuerdo, se lo agradezco. Pero en realidad he venido aquí por otro asunto. Sé que no se acuerda, así que se lo resumiré muy rapidito. Soy de la Policía. Me encargo de la investigación abierta por la muerte de Amanda O'Toole.

Hace una pausa, como esperando algo.

¿Le resulta familiar ese nombre?

En mi calle hay alguien que se llama así. Pero no la conozco muy bien. Hace poco que nos hemos mudado al barrio, acabo de tener un bebé y estoy muy ocupada con mis prácticas. Siento mucho enterarme de lo sucedido. Pero no éramos más que conocidas.

Me alegro. Porque fue muy triste para los amigos y familiares de esta mujer. Su muerte repentina, pero también el modo en que fue tratado su cuerpo tras su muerte.

Siga.

Creemos, debido a la violencia con la que su cabeza se golpeó contra la mesa, que no fue un accidente. Y luego, poco después de su muerte, le cortaron los dedos de la mano derecha. No. Cortados no... Seccionados quirúrgicamente.

Un interesante modus operandi. ¿Y por qué me cuenta esto?

Porque quiero su cerebro. Necesito su cerebro.

No la entiendo muy bien.

Creemos que usted sabe algo de esto. Pero no sabe lo que sabe.

¿Cómo saben eso?

Es solo un presentimiento. En mi trabajo, los usamos mucho.

Sí, estoy preocupada. Mi memoria. No es como antes. Esta misma mañana le he dicho a James —mi marido— que teníamos que empezar a comer más pescado. Ya sabe, por los ácidos omega-3. No parecía muy animado. Es difícil encontrar buen pescado fresco en Chicago.

Cierto. De modo que sabe de qué le estoy hablando. A ver si me alegra el día. Hábleme de su trabajo, los recuerdos que tenga de Amanda O'Toole. Vamos a hacer algunos pasatiempos. Quiero probar y provocar una reacción de ese gran cerebro que tiene.

Cancelaré mis citas para esta mañana.

La mujer asiente con seriedad. *Se lo agradezco.*

Saca su teléfono. *¿Le importa si grabo esto? Yo también tengo problemillas de memoria. Así que, venga: piense en Amanda. Aquí tiene una foto que le avivará la memoria. ¿No? Bueno, no se preocupe por su aspecto. ¿En qué piensa cuando digo el nombre de «Amanda»?*

Pienso en una persona alta, recta e inflexible. Alguien con dignidad.

¿Cómo se enfrentaría a la muerte una persona digna?

Es una pregunta tonta. La única muerte buena es una rápida. La dignidad no tiene nada que ver con esto. Ya sea un ataque al corazón o un trauma craneal, no importa. Mientras no haya sufrimiento o sea poco, es una buena muerte.

Pero habrá oído hablar de gente que muere con honor. No solo soldados. Sabe a lo que me refiero.

Son los fármacos. Las drogas consiguen que la mayoría de la gente lo supere. Sin los fármacos, nuestras familias no esperarían a un final natural. Las drogas son tanto para ellos como para nosotros.

Usted es médica, así que está más cerca de la muerte que la mayoría de las personas. Pero en su especialidad no se enfrenta con fallecimientos a menudo, ¿verdad?

No, no hay muchas muertes debidas a traumatismos en la mano. Me permito una sonrisa.

Pero ¿amputaciones?

Sí, unas cuantas.

¿Por qué motivos amputaría usted, por ejemplo, un dedo?

Infección, gangrena, congelación, peligros vasculares, infección ósea. Cáncer.

¿Hay algún motivo por el que amputaría todos los dedos y dejaría el resto de la mano intacta?

Sí. En casos de congelación extrema o meningococcemia, hay posibilidad de gangrena, y podría ser necesario eliminar todos los dedos.

¿Y qué es exactamente la gangrena?

Una complicación con necrosis, o células muertas. Básicamente, una parte de tu cuerpo se muere y empieza a pudrirse. Finalmente, es necesaria la amputación.

¿Alguna vez ha tenido que realizar una amputación debida a la gangrena?

Sí, puntualmente. Con este clima, a veces se presentan casos de congelación. No suele llegar al grado de que sea necesario amputar. Cuando sucede, por desgracia, afecta generalmente a los pobres y a los sin techo.

Pero usted no trata a personas sin techo, ¿verdad? No en su consulta.

Trabajo como voluntaria en el centro de salud New Hope Community en Chicago Avenue, y casi todo mi trabajo de este tipo se desarrolla allí. Y a veces llegan casos de lo que se llama gangrena húmeda, que es debida a infecciones. Eso es más serio. Si no practicas amputación en esos casos, la gangrena se puede extender y terminar por matar al paciente.

De modo que, en otras palabras, corta partes del cuerpo para evitar que la podredumbre se extienda.

Sí, es una forma de expresarlo. En las gangrenas más graves.

Pero no habría ningún motivo para amputar tras la muerte.

No, claro que no.

¿Ninguno?

En ningún caso.

Entonces, ¿por qué haría alguien algo así? En su opinión.

No soy psiquiatra. No estoy al corriente del funcionamiento de las mentes trastornadas o criminales.

No, me doy cuenta.

Pero me parece que podría tener un valor simbólico.

¿Cómo sería eso?

143

Bueno, si una amputación evita que la podredumbre se extienda, entonces alguien que fuera culpable de usar sus manos para hacer el mal; si sus manos estuvieran, por así decirlo, corrompidas por actividades impuras, sería una forma de mandar un mensaje. Ya sabe lo que dijo Jesús en la última cena: «Mas he aquí, la mano del que me traiciona está conmigo en la mesa».

Pero ¿por qué los dedos y no la mano?

Eso también podría ser simbólico. Una mano sin dedos no puede agarrar cosas con facilidad, no puede aferrarse a las cosas. Podría ser un mensaje dirigido a alguien a quien se tiene por codicioso, materialista. O a alguien que no te suelta emocionalmente. A fin de cuentas, sin dedos, una mano no es más que un palo de hueso recubierto de tejido blando. Sirve para muy poco.

La mujer asiente. Se estira, se levanta y comienza a pasear por la sala.

Me he fijado en que hay unos cuantos objetos religiosos en la habitación, dice. *Y en su capacidad para citar la Biblia. ¿Es usted, en realidad, una mujer religiosa?*

Meneo la cabeza. Me educaron en el catolicismo, pero ahora solo me gustan los complementos. Es difícil evitar cierto grado de conocimiento bíblico cuando eliges licenciarte en la especialidad de Historia medieval.

La mujer se detiene frente a mi estatua.

Me he fijado en que se ha traído esto de casa. ¿Quién es? ¿La madre de Jesús?

Oh, no. Esa es santa Rita de Casia. ¿No ve la herida en la frente? ¿Y la rosa que tiene en la mano?

¿Quién es?

La santa patrona de las causas imposibles.

Pensaba que ese era san Judas Tadeo.

Sí, estos dos santos tienen unas misiones muy parecidas. Pero la feminista que hay en mí prefiere a Rita. No fue una barquita pasiva que se deja llevar como muchas de las vírgenes mártires. Pasó a la acción.

Sí, comprendo que se sintiera atraída por eso. ¿Eso que lleva al cuello es una medalla de la santa?

¿Esto? No. Este es san Cristóbal.

¿Por qué lo lleva?

Es una broma. Fue idea de Amanda.

¿Qué tipo de broma?

San Cristóbal en realidad no es un santo.

¿No?

Un fraude. No, no es cierto. Una leyenda inverosímil e indemostrable. Una fantasía de los devotos. Lo expulsaron del selecto círculo de santos acreditados hace mucho tiempo. Pero de niña me encantaba. Protegía contra muchas cosas. Una de ellas es contra una muerte repentina y en pecado. El santo patrón de los viajeros. Todavía se ve a gente que lleva figuritas del santo en el salpicadero del coche.

Más complementos.

Sí.

¿Y esto qué tiene que ver con Amanda?

Ella me lo regaló. Cuando cumplí los cincuenta. Acababa de terminar una década dura.

¿Dura, en qué sentido?

En muchos frentes. Demasiadas pérdidas. De un tipo muy personal, incluso narcisista y egocéntrico. Pérdida de atractivo. Pérdida de apetito sexual. Pérdida de ambición.

Esa última me sorprende. Cuando se retiró, estaba usted en la cima de su carrera.

Sí. Pero la ambición no es el éxito. Es otra cosa. Es un esfuerzo, no un logro. Al cumplir cincuenta ya había llegado donde quería estar. No sabía adónde más ir. De hecho, no había ningún lugar al que quisiera ir. No quería ser administradora, entrar en consejos directivos. No tenía ambición en ese sentido. No quería escribir manuales de medicina ni libros de autoayuda. No quería –no necesitaba– más dinero.

¿Y entonces?

Amanda me ayudó, a su manera. Me dijo que hiciera de voluntaria en el centro de salud New Hope Community, en Chicago Avenue, para reconciliarme con el mundo. Insistió. Tenía sus motivos para saber que yo le haría caso. Pero la experiencia resultó ser extraordinariamente gratificante en varios niveles. Tuve que volver a hacer de médica de cabecera. Pensar en el cuerpo humano más allá del codo. Fue difícil.

¿Y san Cristóbal? ¿La muerte repentina?

Sí. «Si un día a san Cristóbal vieres, contra una muerte repentina protegido estuvieres.» En mi caso, la muerte del espíritu. Contra mi miedo, mi abatimiento, la idea de que todo lo importante había llegado a su final. La medalla fue el modo que tenía Amanda de decirme no te asustes solo por la oscuridad que ves ahora. Que había una salida. Que pagando por las... transgresiones del pasado..., mi mente se tranquilizaría. Que me esperaban cosas más brillantes. O eso pensaba ella.

Así que la medalla representaba la victoria sobre las tribulaciones espirituales. Nada que ver con un roce entre usted y Amanda.

Yo no diría eso. No. Sí que hubo roce.

Se inclina y pregunta, *¿Me permite?* Toma la medalla en sus manos. Su rostro se tensa. *Hay algo en la medalla,* dice. *Una mancha. ¿Le importa si miro más de cerca?*

Me encojo de hombros, me llevo las manos al cuello, me saco la cadena por encima de la cabeza y se la entrego. La estudia.

Está sucia, dice. *Déjeme llevármela para limpiarla. Se la devolveré, no se preocupe.*

Hay un silencio. Digo: ¿Quiere algo más? Porque tengo pacientes esperando. Me sorprende que mi enfermera no nos haya interrumpido. Tiene órdenes de hacer que cumpla con mi agenda.

Le ruego que me perdone. Sí, ya le he hecho perder demasiado tiempo. ¿Le importa si me paso otro día?

Solicite una cita en el mostrador de la entrada. Trabajo en horario de oficina los lunes, martes y viernes. Miércoles y jueves son mis días de operaciones. La veré dentro de tres semanas, para seguir con la consulta.

Sí. Gracias. Ha sido muy útil.

Se agacha, pulsa un botón en su teléfono y se lo guarda en su maletín.

Sí, dice. *Estoy segura de que volveremos a hablar, muy pronto.*

Fiona está aquí. Mi chica. Sus ojos verdes se encuentran un poco enrojecidos. Lleva tres pendientes con forma de luna trazando un arco en la parte exterior de su oreja derecha.

¿Qué pasa?, pregunto. Todavía estoy en la cama. Por lo que parece, no logro encontrar un reloj para ver la hora.

¿A qué te refieres?, pregunta, pero resulta evidente que está molesta. Se sienta en la silla junto a mi cama, se levanta, vuelve a sentarse, toma mi mano y le da unas palmaditas. La aparto, lucho por incorporarme.

Pareces nerviosa, digo.

No. Bueno, sí. Vuelve a levantarse, empieza a andar por la habitación. *¿No es hora de que te levantes? Son casi las nueve.*

Me siento en la cama empujándome con las manos, aparto las sábanas, levanto las piernas y pongo los pies en el suelo, buscando equilibrio. Ella retira su silla y se incorpora para ayudarme. Sacudo su mano para que me deje.

¿Estás bien?, me pregunta.

Nueva medicación, digo. O, en realidad, más de la antigua. Han aumentado las dosis de Seroquel y de Wellbutrin. También han estado colándome Xanax cuando se piensan que no me doy cuenta.

Sí, lo sé. Me lo han dicho.

Me fijo con más atención en su cara. La nariz está también algo enrojecida, además de los ojos. Pelo flojo alrededor de las orejas, de tocárselo. Signos de inquietud. Conozco a mi chica.

Cuéntame, digo.

Busca algo en mi cara, parece indecisa. Luego toma una decisión.

Hoy hemos cerrado la operación de la casa, dice. *Acabo de venir de firmar los papeles.*

¿Te has comprado una casa?

No, dice. *Bueno, sí. Pero eso no es lo que ha pasado hoy. Hoy he vendido una.*

No sabía que tenías una casa. Pensaba que tenías ese apartamento en Hyde Park. En Ellis.

Me mudé hace tres meses, dice. *Aquel apartamento era muy pequeño. Me he comprado una casa junto al campus. Una casa de piedra, con suelos de parqué, paredes de ladrillo a cara vista.*

Su cara se torna menos lívida, como si estuviera liberando un recuerdo amable, antes de volver a nublarse. *No, es la casa de Lincoln Park, en Sheffield, la que hemos vendido,* dice.

Ahí está mi casa. Me encanta ese barrio.

Sí, lo sé. A mí también me encantaba, mamá.

Sus ojos comienzan a llenarse de lágrimas. *A Mark también. Los dos nacimos allí. No conocíamos más que esa casa. Ha sido muy, muy duro. Nos llevamos unos sacos de dormir y pasamos la última noche allí. Nos quedamos despiertos toda la noche charlando y recordando. ¿Sabes cuánto tiempo hacía que Mark y yo no pasábamos tanto rato juntos sin discutir? La primera vez que lo llamé no contestó. Pero seguí intentándolo y finalmente cedió.*

Espera un momento. ¿Estás diciendo que habéis vendido mi casa?

Sí. Sí.

¿Mi casa?

Lo siento mucho.

Pero... mis cosas. Mis libros. Mis obras de arte. Las cintas de mis operaciones.

Mamá, lo recogimos todo hace meses. Tú misma ayudaste a empaquetarlo. Decidiste lo que te llevarías y lo que podíamos tirar.

Pero ¿qué pasará cuando tenga que volver a casa?

Esta es ahora tu casa.

Esto es una *habitación*, digo. Estoy furiosa.

Indico con un gesto las cuatro paredes. Señalo el cuarto de baño de acero inoxidable sin bañera, solo con una ducha. Las ventanas con postigos con vistas a un aparcamiento.

Sí, pero mira. Aquí están todas tus cosas. Tu estatua de santa Rita. Tu Renoir. Tu Calder. Y tu posesión más preciada, tu Virgen de las Tres Manos.

Había más, mucho más. ¿Dónde está?

Guardado a buen recaudo.

¿Mis muebles?

Yo me quedé con el pequeño escritorio, y Mark el sofá Stickley de roble y la mecedora. El resto, vendido.

Balanceo las piernas, me levanto de la cama. Mis manos están cerradas en puños.

Me está costando un poco asimilar esto, digo.

Sí, mamá. Lo siento. No iba a contártelo.

Entonces, ¿por qué lo has hecho?

Porque tengo el corazón desgarrado. Porque se te va a olvidar. Porque no tengo nadie más a quien contárselo.

Llora lo que te dé la gana, digo. Me quito el camisón por encima de la cabeza. Me siento en bragas. No me importa.

Mamá, por favor, no me hagas esto. Vístete. Se dirige a los cajones, empieza a sacar ropa, me pasa un sujetador, una camiseta azul oscuro, unos vaqueros.

Que no ¿qué? Tiro la ropa al suelo, me tapo los ojos con las manos, intento detener la furia que sigue aumentando. No. No a mi chica. Contrólate.

Por favor, no llores. Ya hemos hablado muchas veces de esto. Sabías que teníamos que hacerlo. Era el momento. Por favor. No soporto verte llorar. Mira, yo también estoy llorando. Recoge la ropa y vuelve a ponerla en mi regazo. *Toma. Por favor. Vístete. Por favor, no llores.*

Aparto las manos de la cara, le enseño mis ojos secos. No estoy llorando. Cosas como esta no te hacen llorar. Te cabrean. Te obligan a actuar.

Fiona se pasa los dedos por el pelo, se frota los ojos. *No te entiendo, mamá. Tú nunca te rindes. No por algo así. No por la muerte de papá. Ni siquiera cuando murió la abuela.*

Eso no es cierto, digo.

¿Qué no es cierto? ¿Lo de papá o lo de la abuela?

Lo que teníamos tu padre y yo era algo privado. Le lloré a mi manera.

¿Y la abuela? Yo solo tenía nueve años, pero recuerdo cuando volviste a casa de Filadelfia. Justo antes de la cena. Yo estaba haciendo los deberes en la mesa de la cocina.

Fíjate, creo que recuerdo eso.

Sí. Entraste, te cambiaste de ropa, te sentaste y tomaste una cena muy copiosa. Pollo asado con puré de patatas. Lo había preparado Amanda, que vino con Peter a comer con nosotros. Papá estaba fuera, en uno de sus viajes de trabajo. Mark estaba en un entrenamiento de fútbol. Nos sentamos y hablamos de naderías. Tus últimas operaciones. Los díscolos alumnos de Amanda. Mis notas de matemáticas. Y tu madre acababa de morir.

Algo sobre lo que no se podía hacer nada.

Pero era tu madre. ¡Tu madre! ¿No es de esperar que una se ponga triste, aunque solo sea un poco?

Por supuesto. A menos que una sea un monstruo.

Pero tú no lo hiciste.

No lo sabes, digo. Eso tú no lo sabes.

El tono de mi voz es alto. Una mujer vestida de azul lavanda, con una placa cosida a la camisa, pasa junto a la puerta abierta de mi cuarto, echa un vistazo, ve a Fiona, duda un momento y luego pasa de largo.

Yo estaba allí, mamá. A menos que me digas que lo sacaste todo en las dos horas del vuelo entre Filadelfia y O'Hare.

Pero ese no fue el día en que perdí a mi madre.

Empiezo a vestirme. Esto requiere concentración. Estos son los pantalones. Primero una pierna, luego la otra. Esto es la camisa. Tres agujeros, el más grande para la cabeza. Bajarla por el cuello. Aquí.

El día anterior, entonces.

No. Perdí a mi madre años antes.

Encuentro mis zapatos. Sin cordones. Me levanto, todavía agarrándome a la cama. Pruebo el suelo, lo encuentro firme, y me pongo recta. Totalmente vestida. ¿Dónde está mi maleta? ¿La enfermera para darme el alta?

Toma, arréglate el pelo. Me da un peine. ¿Te refieres…?

Para cuando murió, hacía ya tiempo que mi madre se había ido. Su mente se había podrido. Se pasó los últimos ocho años de su vida entre extraños.

Rodeo la cama, buscando sin encontrar.

Oh. Sí, ya veo. Ahora sé de lo que estás hablando. Ahora lo sé.

No, no creo que lo sepas. No creo que puedas. A menos que hayas pasado por ello.

Fiona me ofrece media sonrisa. *¿Y cómo pasaste tú por ello, mamá?*

Como si unas termitas fueran comiéndose mis sentimientos. Mordisqueando los bordes primero, luego entrando más a fondo hasta destrozarlos. Arrebatándome mi oportunidad de despedirme. Piensas: «Mañana, o la semana que viene». Crees que todavía te queda tiempo.

Pero mientras tanto las termitas siguen a lo suyo, y, antes de que te des cuenta, ya no te es posible sentir la pérdida con sinceridad o espontaneidad. La mayoría de la gente comienza a actuar en ese punto. Yo no soy capaz de eso. En consecuencia, no hay luto. En consecuencia, no hay lágrimas.

No puedo imaginármelo.

Créeme, sucede.

Puede que a ti. Pero no a mí.

Piensas que no. Pero no sabes.

Sí que lo sé. Lo sé. Todavía siento. No tienes ni idea.

Sí, bueno. Aparentemente, no. ¿Cómo es esa expresión? «Los problemas de los demás son fáciles de llevar.» Lo siento. Lo siento por ti y por tu dolor. Pero ya estoy cansada de esta charla morbosa. Quiero irme a casa. Venga.

De nuevo, me pongo a buscar mi maleta. La había dejado aquí. Junto a la cama.

No, mamá.

¿Qué quieres decir con «no»? Estoy lista. Anoche hice la maleta.

Mamá, haces la maleta todas las noches. Y todas las mañanas las cuidadoras la deshacen.

¿Por qué iban a hacer eso?

Porque ahora vives aquí. Porque esta es tu casa. ¿Ves? Mira tus cosas. ¡Mira tus fotos! Aquí hay una en la que salimos todos, el día de la graduación de Mark.

Sí, echo de menos a los niños. Un día se fueron.

Mamá, nos fuimos a la universidad.

151

Era todo más interesante cuando estaban con nosotros. Intenté no darle importancia, pero la tenía.

Bueno, tienes mucha gente aquí para hacerte compañía. He visto a un montón en el comedor, desayunando. Riendo y charlando. Ya es hora de que vayas por allí tú también. Come algo. Te sentirás mejor.

Sí, pero es hora de irse a casa. Ya desayunaré allí.

No, todavía no. No querrás ofender a tus anfitriones, ¿no?

¡Qué pregunta más increíblemente ridícula! No se obliga a los invitados a quedarse contra su voluntad. ¿Qué clase de anfitrión haría eso? Venga, vámonos. Lo entenderán. Les escribiré una tarjeta de agradecimiento más tarde. A veces, simplemente hay que prescindir de los detallitos.

Mamá, lo siento.

¿Qué es lo que sientes? Estoy lista.

Mamá, no puedo. No puedes. Tú vives ahora aquí.

No.

Mamá, me estás rompiendo el corazón.

Paso de la maleta y me dirijo a la puerta.

Si no me llevas, tomaré un taxi.

Mamá, tengo que irme ya. Y tú tienes que quedarte.

Llora abiertamente, se acerca a la puerta de la habitación, se despide con la mano y hace un gesto a la mujer que había pasado antes frente a la puerta. *Necesito algo de ayuda aquí.*

De repente hay otros en la habitación. No conozco a ninguno. Rostros que no son familiares. Tiran de mí, evitando que siga a Fiona por la puerta, diciéndome que me tranquilice. ¿Por qué tendría que tranquilizarme? ¿Por qué tengo que tomarme esta pastilla? Cierro la boca con fuerza. Lucho por soltar mis brazos. Me sujetan uno por la espalda, el otro lo extienden. Un pinchazo, un picotazo en la cara interior del codo.

Lucho, pero siento que la fuerza se evapora de mi cuerpo. Cierro los ojos. La habitación da vueltas. Me empujan sobre una superficie flotante cubierta de algo cálido y suave.

Estará un rato grogui.

¡Me alegro! Tío, qué fuerza tiene. ¿Qué ha provocado esto?

No sé. Su hija la ha visitado. Normalmente, es algo bueno. No como cuando se pasa su hijo.

¿Por qué lo toleramos?

Amigos en las altas esferas. Era médica, un pez gordo.

Intento seguir sus palabras, pero se evaporan. El murmullo de criaturas que no pertenecen a mi especie. Levanto mi brazo derecho, lo dejo caer de golpe. Lo hago otra vez. Y otra vez. Da seguridad. Hipnotiza. Lo sigo haciendo hasta que mi brazo resulta demasiado pesado para levantarlo. Luego, bendito sueño.

Abro los ojos. James. Un James muy enfadado. Qué inusual. Normalmente expresa el descontento negándose a tomar la rara cena que he preparado o llegando tarde a una de las fiestas de cumpleaños de nuestros hijos. Una vez tiró al jardín mi viejo par de zapatillas de tenis favoritas, las que usaba para mis operaciones más largas y delicadas. Las encontré más tarde, cubiertas de barro e infestadas de bichos.

¿Qué pasa? ¿Qué ha sucedido?, pregunto.

Pero no me presta atención. No es conmigo con quien está enfadado.

¿Quién la dejó entrar?, pregunta. Se dirige a la otra mujer que hay en la habitación, una que lleva una bata verde y una placa con el nombre, «Ana».

No teníamos forma de saberlo, dice.

Dejé instrucciones explícitas de que nadie podía ver a mi madre salvo las personas de la lista que entregué a Laura.

Laura no comprueba a todo el mundo que entra en la sala.

¿Quién se encarga de eso?

No hay un encargado. El que esté de servicio. Es muy seguro. Tienen que firmar. Tienen que enseñar el documento de identidad. Y no pueden salir hasta que no les dejamos. Es una sala cerrada, como sabrá.

¿Quién estaba de guardia ese día?

No lo sé. Tendrá que preguntar a Laura.

Lo haré. Vaya si lo haré.

¿Señor McLennan? Una mujer alta con el pelo gris y ondulado ha entrado en la habitación. Lleva una americana color caoba a juego con la moqueta, y una falda negra hasta las rodillas. Zapatos prácticos. Igual que como vestía yo cuando no llevaba la bata.

Laura, dice James.

Entiendo que esté molesto por lo que le parece un fallo de seguridad.

Sí, dice él. *Mucho.*

Era una agente de policía realizando una investigación. Nos enseñó su identificación. Firmó al entrar y al salir. Todo se hizo de forma correcta.

¿Le leyó a mi madre sus derechos?

Eso no puedo decírselo. Lo siento.

La cara de James se pone roja. Estamos a punto de presenciar algo poco común: James perdiendo los nervios. Casi siempre se controla. Incluso en los juzgados, prefiere hablar en voz baja. Le da un punto teatral al asunto. La gente tiene que acercarse, esforzarse para oír. Nunca he visto a un jurado tan cautivado como cuando James susurra con pasión todos los motivos por los que deberían absolver a su cliente.

Pero antes de que todo estalle, James se fija en que estoy despierta. *Mamá,* dice, y se arrodilla para darme un extraño medio abrazo. Viste muy raro, para ser James. No con su ropa informal, vaqueros y camiseta. Tampoco con el atuendo de trabajo. No lleva traje. Pantalones de algodón de color canela y una camisa blanca. Zapatillas de deporte negras. Pero está tan joven, vibrante y guapo como siempre.

¿Por qué me llamas así? James, soy yo. Jennifer. ¡Qué contenta estoy de verte!

El rostro de James se suaviza. Se sienta al borde de la cama, aferra mi mano. *¿Qué tal lo llevas últimamente?*

Bien. Muy bien. Te he echado de menos. Qué cansado pareces. Te hacen trabajar demasiado. ¿Qué tal en Nueva York?

Nueva York estuvo bien, dice. *Movimos el esqueleto. Salimos por la ciudad. Quemamos la noche.* Me da unas palmaditas en la mano.

Ahora me estás tratando como si fuera tonta, digo. Yo también tengo mala leche. Deja de hablarme como si fuera imbécil. ¿Qué pasó? Era el caso Lewis, ¿verdad? ¿Una declaración complicada? ¿No salió bien?

Lo siento, mamá. Tienes toda la razón. Te estaba tratando como si fueras tonta. Y seguramente eso ya lo hagan bastante aquí. Lanza una mirada a la mujer de cabello gris. *Vendré a hablar contigo más tarde*, dice.

Hay un tono siniestro en su voz. También hay algo que no va bien en su cara. Algún truco de luz. Se está desvaneciendo, y los rasgos están recolocándose, transmutándose en alguien que no es James.

¿James? ¿Por qué me llamas eso?

Mamá, sé que Fiona te sigue la corriente, y me parece bien, pero es… Bueno, no es mi estilo. Soy Mark. Tú eres mi madre. James es mi padre. James está muerto.

Señor McLennan, interrumpe la mujer de cabello gris. Sigue de pie junto a mi cama.

Le he dicho que iré a su despacho. Cuando termine aquí.

¡James!, digo. Mi rabia se está disipando. Convirtiéndose en otra cosa, algo turbador como el miedo.

Si me permite una recomendación, señor McLennan…

No. Puedo manejar esto solo, gracias.

¡James!

Shhh, mamá, no pasa nada.

De acuerdo, dice la mujer de cabello gris. No parece contenta. *Si se altera demasiado, pulse este botón rojo.*

Sale y cierra la puerta.

James, ¿de qué iba todo eso?

James no, mamá. Mark. Tu hijo.

Mark es un adolescente. Acaba de sacarse el carné de conducir. La semana pasada usó el coche sin permiso, y ahora está castigado un mes.

Sí, eso pasó. Pero hace muchos años. No-James sonríe. *Y no fue un mes. Papá lo redujo, como siempre hacía. Creo que me quedé sin salir tres días. Estabas furiosa.*

Siempre supo cómo salirse con la suya. Igual que tú.

No–James suspira. *Sí, igual que yo. De tal palo, tal astilla.*

¿James?

No importa, dice. Se acerca y agarra mi mano, la aprieta contra su mejilla.

Estas manos, dice. *¿Sabes? Papá solía decir: «Todas nuestras vidas están en las manos de tu madre. Cuidad de ellas». Nunca comprendí lo que quería decir. Todavía no lo tengo muy claro del todo. Pero tenía algo que ver con que tú eras el centro. Y lo eras.*

Aleja mi mano de su mejilla y la atrapa entre las suyas.

Estaba muy orgulloso de ti, ¿sabes? Fuera lo que fuese lo que pasó. Cuando yo era pequeño y volvías tarde a casa del hospital, él me llevaba a tu despacho. Me enseñaba todos tus diplomas y premios. Estas son las credenciales de una mujer de verdad, decía. Me achantaba por completo. No me extraña que no me haya casado.

No tienes ni un pelo de tonto.

No. Seré cualquier cosa, pero eso no.

Está desvaneciéndose muy rápido entre las sombras. Ya no puedo ver su cara. Pero su mano es cálida y sólida. La agarro y la sujeto.

Hazme un favor, dice.

¿Qué?

Háblame. Cuéntame cómo es tu vida ahora mismo.

James, ¿qué clase de juego es este?

Sí, llámalo juego. Solo háblame de tu vida. Un día en tu vida. ¿Qué hiciste ayer, hoy, qué harás mañana? Incluso las cosas aburridas.

Qué juego más tonto.

Sígueme la corriente. Ya sabes cómo es. Piensas que conoces a alguien, das algo por sentado, te desconectas. Así que solo háblame.

¿Y qué te voy a contar? Lo sabes todo.

Finge que no. Finge que soy un extraño. Empecemos por lo básico. ¿Cuántos años tienes?

Cuarenta y cinco. ¿Cuarenta y seis? A mi edad, ya no llevas tanto la cuenta.

Casada, por supuesto.

Contigo.

Cierto. ¿Y qué tal los niños estos días?

Bien, ya te he contado lo de Mark.

El adorable, inteligente y encantador Mark. Sí.

Mi hija es otra cosa completamente distinta. Era una niña sociable y extrovertida. Pero ahora se ha cerrado en sí misma. Dicen que sucede con las chicas. Y que al final las recuperas. Pero ahora mismo estamos en medio de los años oscuros.

Es una cosa de madre e hija.

Eso sospecho.

Puedo prometerte que saldrá bien.

¿Eres adivino?

Algo así.

Bueno, eso sería algo deseable.

Lo dices lamentándote. Aunque tienes una vida muy rica y completa.

Los cuarenta son una década dura para las mujeres. Sería la primera en admitirlo. Pérdida de pelo, pérdida de densidad ósea, pérdida de la fertilidad. El último estertor de una criatura que se muere. Estoy deseando llegar al otro lado. Renacer.

Eso suena como algo que diría Amanda.

Suena así, ¿verdad? Bueno, somos amigas íntimas. Se te pegan cosas.

Formabais una pareja formidable. Cuando yo era pequeño, pensaba que todas las mujeres eran como Amanda y como tú. ¡Que Dios pille confesado a cualquiera que no me tratara como vosotras pensabais que me merecía! Ángeles justicieros.

Es única en su especie.

Lo era, cierto. Guarda silencio. ¿La detective te preguntó por ella?

¿Qué detective?

Una mujer que vino por aquí a principios de semana. ¿Te preguntó por los enemigos de Amanda? ¿Si había alguien que le deseara mal?

Oh, mucha gente, supongo. ¿Cómo no? Es una mujer difícil. Como acabas de decir, un ángel justiciero. Esa era su habilidad. Encontrar el cadáver antes de que comience a pudrirse. Ser más rapaz que los buitres.

Qué forma tan bonita de hablar de tu mejor amiga.

157

Ella sería la primera en reconocerlo. Detecta las debilidades y se lanza a matar.

Mientras que tú, cuando advertías debilidades, elegías curarlas.

Bueno, no diría que escogí la cirugía por eso. No exactamente.

¿Os peleasteis alguna vez tú y ella?

En un par de ocasiones. Estuvimos a punto de cargarnos nuestra amistad. Declaramos una tregua casi inmediatamente. La alternativa era demasiado horrible de contemplar.

¿Cómo habría sido ese horror, de haber ocurrido una ruptura?

Para mí, la soledad. Para ella, no puedo imaginarlo.

Suena como una alianza más que una amistad. Como los tratados entre jefes de Estado, cada uno con poderosos ejércitos.

Sí, era un poco así. Qué pena que ella no tenga hijos. Podríamos haber concertado matrimonios entre nuestras dos casas.

Haber creado una dinastía.

Exactamente.

Tengo más preguntas, pero pareces cansada.

Tal vez. He tenido un largo día de operaciones. Una de ellas particularmente complicada. No difícil técnicamente. Pero era un niño con meningococcemia. Hemos tenido que extirparle las dos manos a la altura de la muñeca.

Nunca comprendí cómo podías hacer lo que hacías.

El padre estaba destrozado. No paraba de preguntar «¿Y el gatito? Él adora a su gatito». Resulta que no estaba preocupado por que el niño comiera, escribiera o tocara el piano, sino por que perdiera la suave sensación del tacto de la piel del animal en cierta parte del cuerpo. Intentar convencerlo de que otras áreas de la epidermis eran igual de sensibles al roce del pelaje no le hizo nada de bien. Tuvimos que medicarlo casi tanto como a su hijo.

A veces, así es como se sufre. Con pequeñas cosas. A veces son los únicos caminos que se te abren.

No lo sabía.

¿Y eso?

Mis pérdidas han sido mínimas. Controlables. Lo bastante pequeñas como para no necesitar fracturarse más para ser procesadas. Excepto cuando perdí a mis padres, por supuesto. Mi querido padre. Mi exasperante madre. Ahí aprendí a compartimentar, a apagar los horrores particulares de ese modo.

Eres afortunada, entonces.

Me he olvidado de cómo te llamas.

Mark.

Me resultas familiar.

Mucha gente me dice eso. Tengo una de esas caras que resultan conocidas.

Creo que estoy cansada.

Entonces, me voy.

Sí. Cierra la puerta cuando salgas, por favor.

El atractivo extraño asiente, se agacha para besarme en la mejilla y se marcha. No es más que un extraño. Entonces, ¿por qué lo echo tanto de menos?

¡Espera! ¡Vuelve!, le digo. Le ordeno.

Pero nadie vuelve.

Cuando tengo un día claro, cuando los muros de mi mundo se expanden y me dejan ver un poco por delante y un poco por detrás de mí, me dedico a trazar planes. No se me da muy bien. Cuando veo las películas de policías que tanto gustan a James, me impresionan las artimañas que se inventan los guionistas. Mis argumentos son sencillos: *Camina hasta la puerta. Espera a que nadie mire. Abre la puerta. Sal. Vete a casa. Atranca la puerta principal y no dejes entrar a nadie.*

Hoy miro la foto que he tomado. Está claramente marcada: *Amanda, 5 de mayo, 2003.* ¿Es mi letra?

En la foto, Amanda viste, con sencillez pero también con seriedad, una americana negra y pantalones. Su cabello espeso y blanco está recogido en un moño de aspecto formal. Acaba de salir de una reunión, algo oficial. La expresión de su rostro es una mezcla de triunfo y perplejidad. El recuerdo me hace cosquillas, luego regresa lentamente.

Había oído una historia sobre ella, contada por un colega del hospital cuyo hijo iba al colegio en el distrito de Amanda. Una de tantas historias que circularon a lo largo de los años por el barrio.

Pero esta era distinta, más extrema. Trataba de un profesor de historia de octavo. Un pícaro con mucha labia. Rechoncho y más bajo que algunos de sus alumnos, aun así era atractivo. Una espesa mata de pelo negro revuelto y ojos oscuros a juego. Rasgos refinados y una voz grave y excitante con la que contaba deliciosas historias sobre autoridades subvertidas, injusticias resueltas, atropellos vengados. Incluso Fiona, tan escéptica como era a los trece, estaba embelesada cuando acudía a sus clases.

Los padres lo vigilaban atentamente, sobre todo lo que hacía con las chicas, pero jamás hubo el más mínimo atisbo de falta. Siempre dejaba la puerta abierta cuando estaba con una alumna, nunca se puso en contacto por teléfono ni correo electrónico con ninguna fuera de la escuela. Jamás tocó a una estudiante, ni siquiera una mano casual posada en el brazo.

¿Por qué le caía tan mal a Amanda? Quizá simplemente porque seguía el modo fácil de enseñar, optando por la popularidad frente a los métodos pedagógicos de ella, más estrictos y menos apreciados. Y entonces, tras recibir un soplo anónimo, la Policía registró su aula y encontró pornografía en su ordenador. Siguió un escándalo terrible, pero el hecho de que se tratara de un ordenador de un colegio, que por lo general permanecía sin vigilancia en una sala abierta, hizo que la Policía dudara si presentar cargos. Aun así, él renunció a su puesto. Supongo que no podía soportar que sus alumnos lo miraran de otra forma que no fuera como a un héroe. Pero al poco de marcharse, comenzaron los rumores. Que le habían tendido una trampa, que todo estaba preparado. Que alguien poderoso lo quería lejos. Nadie pronunció el nombre de Amanda.

Le pregunté por ello. Recuerdo aquel día, el día de la fotografía. Se paró para saludar, estaba esperando en mi vestíbulo a que la dejaran entrar. La hice esperar.

¿Tuviste algo que ver en la destitución del señor Steven?, pregunté.

Para mi sorpresa, parecía incómoda. Algo extraordinario, la verdad. Hubo un silencio antes de que respondiera.

¿Crees que yo haría algo así?, me preguntó finalmente.

Eso no es una respuesta.

Hubo otro silencio.

No creo que te dé una respuesta, dijo. A fin de cuentas, quien haya introducido pornografía en ese ordenador se enfrentaría a cargos federales. Creo que me acogeré a la quinta enmienda.

Comenzó a sonreír, pero de repente se detuvo. ¿Qué estás haciendo?, preguntó.

Voy a usar la cámara.

¿Por qué?

Para capturar la expresión de tu rostro.

Otra vez, ¿por qué?

Es poco común. No te la había visto antes. Ahí. Ya está.

No estoy segura de que esto me guste.

No estoy segura de que me importe, dije. Y ahora, si me disculpas, tengo papeleo que terminar.

Y cerré la puerta en sus narices, algo que no me había atrevido a hacer antes. Que yo recuerde, lo dejamos estar. Nunca volvimos a mencionarlo, como solíamos hacer. Pero la conversación me pareció lo bastante importante como para imprimir la foto y ponerla en mi álbum. Amanda, acusada. Tendría que haber añadido: Jennifer, vencedora por los pelos. Por una vez.

Dubuffet. Gorky. Rauschenberg. Nuestros gustos eclécticos en arte divertían a quienes nos rodeaban. Pero James y yo siempre estuvimos absolutamente de acuerdo. Veíamos un grabado o una litografía y sabíamos sin mirarnos siquiera que tenía que ser nuestra.

Fue una obsesión que creció con nuestros recursos, convirtiéndose en una adicción. Y a veces teníamos el dolor del síndrome de abstinencia. Como ese Chagall que vimos en una galería de París: *L'événement*. Amor y muerte, amor y religión. Nuestros temas preferidos. Hablamos de él durante años, yo incluso soñaba con él, me convertí en la novia en el vientre de la gallina, fui seducida por las canciones tocadas por el violinista que levita, me vi arrastrada a un mundo glorioso de azules oscuros y cálidos rojos. Tan por encima de nuestras posibilidades, aunque nosotros, como niños malcriados, lo anhelábamos.

Por supuesto, Peter y Amanda intentaron concebir. En mi opinión, no había ningún óvulo lo bastante fuerte como para instalarse en su útero impenetrable. Porque ella era dura de la cabeza a los pies. *Una pájara dura de pelar*, le oí decir a un vecino en una fiesta. *Una auténtica bruja*, fue la respuesta. Pero no siempre. No. Estaba, por ejemplo, cómo trataba a Fiona. Se tomó muy en serio su papel de madrina. Aunque todo empezó como una broma.

No bautizamos a Fiona. No teníamos intención de hacer algo así, siendo como éramos ateos. Pero el día después de traer a Fiona a casa, Amanda y Peter se pasaron con una botella de champán, y anuncié que quería que Amanda fuera la madrina de Fiona.

¿Su hada madrina?, bromeó Peter.

Mojé mis dedos en mi copa de champán y esparcí unas burbujas en la frentecita arrugada y roja de Fiona. Se despertó y soltó un sollozo lastimero.

Amanda estaba desconcertada ante esos acontecimientos.

¿Y si resulta que mi regalo del bautizo termina siendo una maldición? Se puso a imitar: *En tu decimosexto cumpleaños, te pincharás el dedo…*

Todos nos reímos. *No, dale una bendición de verdad*, urgió James.

Bueno, entonces, dijo Amanda, y carraspeó. Se puso solemne, para sorpresa de todos los presentes. Seria se la podía ver con frecuencia; solemne, nunca.

Fiona Sarah White McLennan. Heredarás los numerosos puntos fuertes de tus dos madres, dijo. *Tanto de tu madre biológica* —alzó su copa hacia mí— *como de tu madrina.* Aquí brindó por ella misma y dio un sorbo. *Y tendrás el amor y el apoyo de las dos, pase lo que pase. La muerte será lo único que podrá separarnos de ti. No lo olvides nunca.*

Por si acaso, Amanda lanzó otro chorrito de champán sobre Fiona.

Y ahora viene uno de esos momentos. Un cambio de percepción, una ola de mareo, y la conciencia de algo. Me viene. Lo que estaba pasando Fiona. Amanda ya no estaba. Yo, apagándome. Cada día una pequeña muerte. Fiona, con tres días de vida, y le dicen que nunca podrá separarse, que tiene que recordarlo siempre. Una maldición, la verdad.

Hay una mujer pelirroja sentada frente a mí. Me conoce, dice. Su cara me resulta familiar. Pero no hay nombre. Me lo dice pero se desvanece.

¿Cómo estás?, pregunta.

Bueno, no le cuento esto a mucha gente, digo, pero mi memoria está destrozada.

¿En serio? Es terrible.

Sí, lo es, digo.

Pues tengo curiosidad, dice la mujer. *¿Qué recuerdas de mí?*

La miro. Siento que debería conocerla. Pero hay algo que va mal.

Soy Magdalena, dice. *Me he cambiado el color del pelo. Me apetecía. Pero sigo siendo yo.* Se da un tirón del pelo. *¿Me recuerdas ahora?*

Lo intento. Observo con atención su rostro. Tiene ojos marrones. Una mujer joven. O tirando a joven. Ya se le ha pasado la edad de tener hijos, pero todavía no es como yo. Un rostro triste. Meneo la cabeza.

Bien, dice.

Eso me sorprende. Agradablemente. La mayoría de la gente se molesta o se enfada. Ofendidos.

Necesito una oreja, dice la mujer. *Quiero contar algo, y luego quiero que se desvanezca. Una especie de confesión. Pero no me apetece que permanezca en la mente de otra persona, aunque me prometan guardar el secreto. Y no quiero una confesión tradicional, con su penitencia, porque ya terminé con esas cosas. Nadie ha sufrido más por esto que yo. Y ni siquiera tengo que pedirte que no lo cuentes. Ahí está lo hermoso de todo.*

No tengo objeciones. Es un día pesado y somnoliento. Los niños están en el colegio. No tengo ninguna operación programada. Asiento para que siga.

Respira hondo. *Yo vendía drogas. A chicos. Llevaba a mis nietos al parque de la escuela secundaria. Vendía un montón de cosas. Hachís, por supuesto. Pero también éxtasis*, speed, *incluso* LSD.

Se detiene y me mira. *No te sorprende*, dice. *Es un buen comienzo.*

Continúa: *Luego, un día, una de mis nietas encontró mi alijo. Se tragó unos tripis. Solo tenía tres años. ¡Tres! No sabía qué hacer. No podía llevarla al hospital. Así que no lo hice. Me senté con ella en un cuarto oscuro y agarré su mano mientras ella chillaba. Chilló y chilló. Durante horas.*

La pelirroja se tapa los ojos con las manos. Tengo paciencia. Escucharé hasta el final.

La pequeña estaba más tranquila cuando llegó mi hija a recogerla, pero no del todo. Mi hija ya sospechaba algo. Sabía que yo había tomado drogas. Sabía que todavía tenía amigos metidos. De modo que aquello fue el final. No me delató. Estuvo a punto de hacerlo, pero no lo hizo. Dijo que yo necesitaba ayuda, que tenía que dejarlo del todo, y si lo hacía no me denunciaría. Pero también dejaría de hablarme para siempre. Así lo hice. Entré a rehabilitación. Pero, a pesar de ello, perdí a mi familia de todos modos.

No digo nada. En la clínica, hay adolescentes enganchados a patadas. Y a veces nos traen a niños. Por lo general niños que han rebuscado en el fondo de los cajones de sus padres. Tras los calcetines o las bragas. En ocasiones, alguno al que le habían dado la droga a propósito. Yo los atendía a todos, dejando que el personal de administración se encargara de los asuntos legales y morales, que no me concernían.

Pero ¿por qué me cuentas esto?, pregunto.

Necesitaba alguien con quien desfogarme. Alguien que no se sorprendiera y no se estremeciera ante mi tufo. Tú tienes una especie de moralidad práctica y flexible. Perdonas las transgresiones.

No, digo. Yo no lo llamaría perdón.

¿No? ¿Qué es el perdón sino la capacidad para aceptar lo que alguien ha hecho sin echárselo en cara?

Pero para perdonar, algo tiene que tocarte en persona. Esto no me ha afectado a mí. Por eso es por lo que dejé de creer en Dios. ¿Quién puede adorar a alguien tan narcisista, que se toma todo lo que uno hace como una afrenta personal?

En realidad no piensas así. Sé que no. Señala la estatua de santa Rita. *Tienes fe. Lo he visto.*

¿Cómo te llamas?

Magdalena. ¿Te acuerdas de lo que te he contado?

Finjo que pienso, aunque ya sé la respuesta. No, digo finalmente. Espero las exclamaciones, los intentos de que recuerde, el subtexto implícito de culpa. Pero no llegan. En su lugar, alivio. No, algo más. Liberación.

Gracias, dice, y se marcha.

Hay un hombre en mi habitación. Hiperactivo. Como drogado. Ojos dilatados, nervioso, moviéndose demasiado deprisa. Revolviendo mis cosas, tomándolas y volviéndolas a dejar. Mi peine. La foto del hombre y la mujer con el niño y la niña. Hace una mueca ante esto último y la deja en su sitio.

Lleva unos pantalones negros, una camisa azul y blanca bien planchada, corbata. No parece cómodo del todo.

Aparentemente, estábamos en mitad de una conversación, pero he perdido el hilo.

Así que le dije, ha llegado la hora de una tregua. Basta de pelearnos. A fin de cuentas, antes estábamos muy unidos. Y ella aceptó.

165

Pero con reservas, se notaba. Siempre tan precavida. Siempre jugando sobre seguro.

¿De qué estás hablando?, pregunto. Veo, con preocupación, que está pasando el dedo por el borde de mi Renoir, y sus dedos se acercan peligrosamente al sombrero rojo de la joven.

Bah, no importa. Solo son tonterías. Intentando mantener la conversación. Bueno. Te toca. Cuéntame algo. Ahora está abriendo y cerrando el último cajón de mi escritorio, deslizándolo adentro y afuera, adentro y afuera.

¿Como qué? Sus movimientos me están mareando. Ahora está de nuevo moviéndose, revoloteando de un objeto a otro, examinándolo todo con gran interés.

Parece especialmente fascinado por mis cuadros. Pasa del Renoir al Calder, de la izquierda a la derecha de la habitación, y luego hasta el centro, donde resplandece mi Virgen de las Tres Manos desde su sitio, encima del marco de la puerta.

Hay alguna conexión aquí, algo que me suena entre este hombre y esa obra en particular. Historia.

Cuéntame lo que has hecho hoy. Se sienta por un breve espacio de tiempo en la mesa junto a mi cama, luego se levanta rápidamente y sigue paseando por la habitación.

Puedo contarte más fácilmente lo que sucedió hace cincuenta años, digo. Me levanto con dificultad de la cama, apoyándome en las barras para ayudarme. Envolviéndome en mi camisón por cierta modestia, me siento en la silla que ha dejado vacía.

Pues cuéntame. Algo que no sepa.

¿Me dices otra vez quién eres?

Mark. Tu hijo. Tu hijo preferido.

¿Mi preferido?

Solo era una broma. Tampoco hay mucha competencia por ese título.

Me recuerdas a alguien que conozco.

Me alegro de oírlo.

Un chico que vive en la residencia de estudiantes en Northwestern. Moreno como tú. Inquieto como tú.

El hombre se detiene. He llamado su atención. *Cuéntame más sobre él*, dice.

No hay mucho que contar, la verdad. Un poco mujeriego. Bastante plasta. Siempre está llamando a mi puerta, intentando camelarme para que deje los libros y salga a divertirme con él.

Algo de lo que estoy convencido que no harías. ¿Esto fue cuando estudiabas Medicina?

No. Antes. Cuando todavía quería ser historiadora medievalista. Sonreí ante mis palabras, tan improbables.

¿Qué te hizo cambiar de opinión? El hombre se ha parado, apoyado contra el marco de la puerta, tamborileando con sus dedos en el pecho.

Mi tesis. El conflicto en la comunidad médica medieval entre la aplicación de los remedios folclóricos tradicionales o de los preceptos descubiertos en el *Canon de medicina* de Avicena.

¡Guau! Me alegro de haber preguntado.

Tenía una doble licenciatura en Historia y Biología. Mi tesis era un modo de combinar ambas pasiones. Pero me enamoré del *Canon*. Pasaba más y más tiempo en la Facultad de Medicina, entrevistando a profesores y alumnos, observando. En especial, me cautivaban las disecciones. Deseaba con locura aferrar un bisturí. Uno de los estudiantes se fijó. Me permitió seguir sus prácticas, me bajaba al laboratorio tras las clases, me enseñó los procedimientos que estaba estudiando, puso el escalpelo en mi mano y guio mis primeras incisiones.

¿El doctor Tsien?

Sí. Carl.

¿Así fue como os conocisteis? No lo sabía.

Mi primer mentor.

Siempre he querido saber, ¿hubo algo entre vosotros? Algo romántico, quiero decir.

No, nunca. Solo reconocía ser otro compañero de adicción. Fue la primera persona a la que conté que iba a dejar mi programa de doctorado para matricularme en Medicina. Quien más me apoyó cuando elegí cirugía ortopédica. El estamento médico no era precisamente favorable a la idea de una mujer en esa especialidad.

¿Y qué pasó con ese tipo, el fiestero de tu residencia? El hombre sonríe irónicamente.

Oh, sí. Ese. Otro giro inesperado. Mi vida estaba llena de sorpresas en aquella época. Con esto quiero decir que me sorprendí. Muchos cambios radicales. Muchos trastornos de planes bien elaborados.

Papá y tú nunca hablabais mucho de vuestros primeros años. Tenía la impresión de que los dos los pasasteis en una especie de nube. Él en la Facultad de Derecho, tú comenzando Medicina. Y, de acuerdo con lo que se dice, completamente enamorados. El doctor Tsien hablaba a veces de ello, siempre me pareció que con algo de envidia.

Sí. Así fue.

No parece que te apetezca hablar de ello. Tampoco a papá.

Preferiría no hacerlo.

¿Por...?

Porque algunas cosas no hay que analizarlas muy a fondo. Algunos misterios solo se plantean, no se resuelven. Nos encontramos. Y nunca lo lamentamos como hacen otros con sus amores de juventud.

El joven está recogiendo su maletín de cuero suave, se inclina sobre mí, roza mi mejilla con sus labios.

Adiós, mamá. Te veré la semana que viene. Probablemente el martes, si me deja el trabajo.

Sí, definitivamente es un rostro familiar, que resuena a distintos niveles. Más adelante, tras la cena, finalmente encuentro un nombre que unir a la cara. ¡James!, digo, asustando al veterano de Vietnam, que derrama el agua sobre el flan de pan.

Apenas algo más tarde me doy cuenta de que mi icono ha desaparecido. Por ahora, me reservo mi opinión.

Me están diciendo algo, y se señalan la cabeza. Señalan mi cabeza. Me tiran del pelo. Aparto sus manos de mí.

La peluquera. La peluquera ha venido. Te toca.

¿Qué es una peluquera?, pregunto.

Tú ven y verás, ¡estarás más guapa y te sentirás mucho mejor!

Dejo que me pongan en pie, me guíen paso a paso por el recibidor, pasando junto a sillones dispuestos estratégicamente en grupitos, como si estuvieran charlando entre ellos. Mesas repletas de flores frescas. ¿Qué clase de sitio es este?

Entramos en una gran sala con suelo de baldosas relucientes. En una de las paredes, altos armarios que contienen cubos de plástico llenos de hilos, papel de colores, rotuladores. En la pared de enfrente, un largo mostrador con un fregadero en medio. Han apartado a un lado mesas y sillas, y en el suelo han extendido una lona de plástico transparente, en medio de la cual hay una silla de plástico. En pie, a su lado, una mujer vestida de blanco.

¿Quieres lavarte el pelo antes del corte?, pregunta, y luego se contesta a sí misma. *Sí, creo que será buena idea.*

Me dan la vuelta y me empujan con suavidad pero con firmeza hacia el lavadero, donde me agachan. Frotan y aclaran ignominiosamente mi pelo y mi cuello, y luego los frotan y aclaran de nuevo. Me conducen de vuelta a la silla y me sientan, y la mujer empieza a pasar un peine por mi cabello.

¿Y qué haremos hoy? La voz de otra mujer interviene. *Corto, creo. Muy cortito. Estamos teniendo algunos problemas para arreglarla.*

La mujer de blanco da su conformidad con alegría. *¡Muy bien! ¡Cortito, entonces!*

Intento protestar. La gente siempre me felicitó por mi pelo, su volumen, su color. James me llama «Roja» cuando se siente especialmente cariñoso.

No, digo, pero nadie responde. Siento la presión y el frío del acero en mi cuero cabelludo, oigo el clip, clip, clip de las tijeras. Esquilada como una oveja.

Otra gente se está arremolinando, mirando. *Parece un hombre*, dice una mujer en voz alta, y le chistan. Pienso en ello. Hombre. Mujer. Hombre. Mujer. Las palabras no tienen sentido. ¿Qué soy yo en realidad?

Miro mi cuerpo. Es delgado y enjuto. Andrógino. Pecho hundido, piernas de palillo, puedo ver los cóndilos femorales y las rótulas a través del material de mis pantalones. Mis maléolos sin calcetines, transparentes y delicados, listos para partirse si pusiera demasiado peso sobre ellos.

Estás guapísima, dice la mujer que hace el corte. *Como Juana de Arco.* Sostiene un espejo de mano. *Mira. Mucho mejor.*

No reconozco la cara. Demacrada, con los pómulos muy marcados y los ojos un poco grandes, de otro mundo. Las pupilas dilatadas. Como si estuviera acostumbrada a tener extrañas visiones. Y luego, una sonrisa de secreta satisfacción. Como dándoles la bienvenida.

Algo me molesta en los tobillos. Una cosa pequeña y peluda. *Perro.* Es *Perro.* ¿Cómo es ese chiste? ¿El del ateo disléxico que no podía dormir pensando en el perro?* Me he convertido en ese chiste.

Esta mañana me las he arreglado para no tragarme mis pastillas, así que estoy alerta. Viva. Antes de esconderlas bajo el colchón, las examino. Doscientos miligramos de Wellbutrin. Ciento cincuenta miligramos de Seroquel. Hidroclorotiazida, un diurético. Y una que no reconozco, alargada y color beis claro. Me aseguro de aplastarla entre mis dedos y dejar que el polvo caiga sobre la moqueta.

Doy tres vueltas a la gran sala, ignorando a propósito la línea marrón. Paso por encima, a su alrededor, pero no la sigo. ¡No pises la raya! Vueltas y vueltas... Cuento las puertas. Una. Dos. Tres. Cuatro. Son veinte en total, y cuatro están vacías.

A mi tercera vuelta me detengo ante las pesadas puertas de metal en un extremo del largo pasillo. Siento el aire caliente que se cuela por la rendija, veo la implacable luz del sol golpeando

---

* Chiste basado en el juego de palabras existente entre *dog*, «perro», y *God*, «Dios». *(N. del T.)*

la acera de cemento en la calle, a través de las pequeñas y gruesas ventanas. Recuerdo aquellos veranos de Chicago, pesados, agobiantes y bochornosos, que te tenían prisionera en casa y en la oficina igual que los crudos inviernos.

James y yo hablábamos de escaparnos cuando nos jubiláramos. Fantaseábamos acerca de un clima mediterráneo. Temperaturas suaves, algún sitio cerca del mar. El norte de California. San Francisco. O costa abajo, Santa Cruz, San Luis Obispo. Los jardines de Lotusland. O quizá incluso el mismísimo Mediterráneo. James y yo nos pasamos un mes en la isla de Mallorca cuando Fiona se fue a la universidad. Para prevenir la depresión del nido vacío que nunca llegó.

Después de eso, estuvimos hablando de comprar una finca del siglo XVIII con un gran jardín. Cultivar nuestros propios tomates, pepinos, judías. Vivir de la tierra. Paneles solares en el techo, nuestro propio pozo. Apartados de las miradas ajenas. Nuestra isla desierta particular. ¿A quién queríamos engañar? De todos modos, los dos íbamos a acabar al margen del sistema, cada uno a su modo.

Una mano toca mi hombro.

¡Eh, jovencita! La voz de un hombre. Tiene una sonrisa bastante agradable, pero un hemangioma morado en el cuadrante superior derecho estropea su cara. Inoperable.

Estoy terminando mi almuerzo cuando alguien toma la silla que hay a mi lado y se desploma en ella con fuerza. Una cara que reconozco, pero hoy tengo un estado mental algo obcecado. No preguntaré. No lo haré. Esta mujer parece entenderlo.

Detective Luton, dice. *Solo he venido para una visita corta.*

No voy a ponérselo fácil. Así que me quito la servilleta de las rodillas, la doblo y la deposito frente a mi plato vacío. Echo hacia atrás mi silla para levantarme.

No, espere. No estaré aquí mucho tiempo. Siéntese conmigo solo un momento. Un joven con bata se acerca, le ofrece la cafetera, y ella asiente. El hombre pone una taza frente a ella y sirve. La mujer se la lleva a los labios y se lo traga de golpe, como si fuera agua.

Iba de camino a un sitio. Mi peregrinaje anual. Y de repente me encontré conduciendo hasta aquí. Uno de esos impulsos. Antes me daban más. Solía ser más espontánea. Sonríe al decir esto. *Uno de los peligros de hacerse mayor.*

Asiento. No entiendo, pero mi impaciencia se va disipando. Es alguien que sufre. Un estado que puedo reconocer.

Bueno, ¿cómo se encuentra hoy?, pregunta la mujer.

Parece que hemos retrocedido un paso, digo. De una conversación importante a preguntas de cortesía pero sin mucho contenido.

En lugar de mostrarse molesta por mi rudeza, la mujer parece complacida.

Se encuentra usted en buena forma, por lo visto. Me alegro.

Bueno, ¿por qué está aquí?, pregunto.

Como le dije, estoy de peregrinación. Supongo que esto se considera parte de ella.

¿En qué sentido?

Me dirigía al cementerio.

¿Alguien que yo conozca?

No, para nada. Usted y yo no estamos unidas de ese modo. Nuestra relación es… profesional. Pide más café. *Bueno, en gran parte.*

¿Es usted mi médica?

No, no. Soy agente de policía. Investigadora.

Mira sus manos, que aprietan con fuerza su taza de café. Pasan los segundos. Ahora descubro que siento más curiosidad que molestia o impaciencia. Así que espero.

Finalmente habla, muy despacio.

Mi pareja de toda la vida tenía Alzheimer. Prematuro. Era mucho más joven que usted, solo tenía cuarenta y cinco años.

Me cuesta seguirla ahora. Pero noto la emoción y asiento.

La gente piensa que solo consiste en que se te olvida dónde pusiste las llaves, dice. *O cómo se llaman las cosas. Pero también están los cambios de personalidad. Los cambios de carácter. La hostilidad e* incluso la violencia. Hasta en la persona más amable del mundo. Pierdes a la persona que amas. Y te quedas con la cáscara.

Se detiene y hace una pausa. ¿Sabe de qué estoy hablando?

Asiento. Mi madre.

La mujer también asiente. Y se espera que sigas amándolos incluso cuando ya no están. Se supone que tienes que ser fiel. No es que lo esperen los demás. Es que lo esperas tú de ti misma. Y deseas que se acabe pronto.

Estira el brazo y aferra mi muñeca, levantando un poco mi brazo con suavidad en el aire. Es un espectáculo penoso, no hay tono muscular, tan delgado y seco como la pata de una gallina. Las dos lo contemplamos durante un instante y luego, con la misma delicadeza, lo vuelve a posar en mi regazo.

Me rompió el corazón, dice. Y, en cierto modo, usted lo está volviendo a romper. Otra pausa.

Luego, del mismo modo repentino en que llegó, se marcha.

Una noche oscura. Hay figuras que surgen y se separan de las sombras, saliendo de mi campo de visión. Una noche muy oscura y necesito levantarme, moverme, pero estoy sujeta, mis brazos y piernas atados con fuerza a la cama.

Me refugio en mi interior. Uso toda mi fuerza de voluntad para alejarme de aquí, a cualquier sitio. Una ruleta gira en mi cabeza y contengo el aliento, esperando a ver lo que ocurre. Los placeres y riesgos de un viaje en el tiempo.

Y así me encuentro entrando en mi casa, recibida por los gritos de un bebé con dolores. Reconozco inmediatamente cuándo y dónde estoy. Acabo de ser madre por segunda vez. Tengo cuarenta y un años. Ella solo tiene un mes. Se ha pasado la mitad de su vida llorando. Cada día desde las tres de la tarde hasta la medianoche. Cólicos. Los gritos inexplicables de un niño pequeño. Los chinos lo llaman los cien días de lloros, y a mí todavía me quedan ochenta y cinco.

Un caso particularmente fuerte, dice el pediatra. El ruido me asalta cada noche después de un largo día de operaciones.

Cuando vuelvo a casa, la niñera, Ana, me entrega a la niña y literalmente sale corriendo de la habitación. James y Mark se esconden tras puertas cerradas.

Voy marcando mi calendario, igual que hacía antes de que naciera mi primer hijo. Hemos probado todos los últimos fármacos y teorías de la medicina moderna. He eliminado los lácteos y el trigo de mi dieta, lleno su biberón de té de nébeda y jengibre, disuelvo pastillas para el cólico Hyland's en leche extraída de mi pecho. Pero nada ha funcionado. Nada disminuye su dolor, ni el nuestro.

Para salvar a mi familia, cada noche pongo al bebé en la sillita del coche y conduzco. Me paro a echar gasolina, a tomar un café, y cuando entro en la tienda o en la cafetería con mi bulto aullante, se terminan todas las conversaciones, y me dejan pasar la primera.

Hoy es una noche típica. Preparo un termo de café, pongo al bebé en el coche y salgo. Prefiero las autopistas, las largas y estrechas cintas de cemento que se extienden en todas direcciones excepto hacia el este, y que convierten Chicago en una gigantesca araña.

Enfilo la autopista Kennedy por la rampa Fullerton en dirección norte, paso por Diversey, paso por Irving Park, dejo atrás la bifurcación de Edens y voy por el norte hacia el aeropuerto de O'Hare. El bebé chilla todo el tiempo, aparentemente sin tomar aliento.

El ruido. El ruido. A veces aparcamos en O'Hare y paseamos entre la multitud, moviéndonos en nuestra propia burbuja, todo el mundo va con destino a lugares desconocidos, y aceleran un poco el paso por nuestra culpa.

Pero esta noche seguimos hacia el norte y dejamos atrás O'Hare, avanzamos hacia el noroeste por Arlington Heights y Rolling Meadows y más allá hasta que llegamos al campo. La planicie fea y soporífera del paisaje de Illinois a la que nunca he conseguido acostumbrarme del todo.

El bebé no ha parado de llorar. Solo son las nueve y media. Quedan dos horas y media. Ya hace tiempo que toda humedad salió por sus conductos lacrimales, y ahora está en los sollozos secos, con su pequeño motor revolucionado al máximo. No parará hasta que el reloj dé las doce. Cuando el mundo vuelva a ponerse del derecho.

Entonces, delante, ráfagas de luz, un montón de gente. Un accidente. Parece grave. Me detengo, pongo al bebé en un moisés que me ato al cuello y la cintura, y salgo a investigar.

La gente se aparta cuando me acerco. Los llantos de Fiona son tan dolorosos como una sirena. Por encima de sus aullidos y del ruido de la autopista, grito, ¡Soy médica! ¿Puedo ayudar? Hay un motorista en el suelo, con una fractura abierta en la pierna, asomando el hueso, la cara tan blanca como el hueso y los ojos cerrados del dolor.

Me agacho, el peso del bebé me hace perder un poco el equilibrio. Todos se apartan de nosotras, hasta los paramédicos retroceden. Examino al joven, que ahora está casi inconsciente. Una fractura abierta del femoral, necesitará antibiótico, irrigación y desbridamiento, y una férula intramedular.

Compruebo sus otros miembros: brazos y la otra pierna, todo está bien, pero él está cada vez más pálido. Su respiración se acelera, parece claramente alterado, va a entrar en estado de choque, así que me vuelvo a los paramédicos y digo: Llévenlo cuanto antes al centro de traumatismo más cercano, pero primero adminístrenle cien miligramos de sulfato de morfina intravenosa para ayudar a controlar el dolor.

Mientras tanto, el bebé sigue llorando y todos se van apartando cada vez más de nosotras, excepto el motorista tirado en el suelo que consigue hacer un gesto con la mano.

Uno de los técnicos de emergencias parece comprenderlo y me grita algo que no puedo entender porque en ese momento la pequeña está emitiendo un estallido de sufrimiento especialmente alto. El técnico abre de nuevo la boca, la cierra, usa las manos de altavoz y expulsa las palabras.

Ha sido usted de mucha ayuda, comienza. Avanza un paso hacia mí, duda, y retrocede dos pasos. *Pero ahora, ¿podría hacernos un favor?* ¡Por supuesto!, respondo. ¿Qué necesitan? Duda un momento. *¡Se lo agradecemos mucho!*, grita, y toma aire. *Pero ¿podría marcharse, por favor?*

Me giro para irme, pero no puedo moverme y, de repente, estoy de vuelta en la suavidad de mi cama, con las correas alrededor de mis brazos y piernas. A mi lado hay un pequeño cuerpo caliente, pero callado, peludo y perfumado. *Perro.* Agradezco el silencio. Pero me pregunto... ¿cuánto me queda? ¿Cuándo se completará el círculo y descenderé a ese estado de rabia inarticulada y sufrimiento, el estado en que comenzó su vida Fiona? No mucho. Ahora, no falta mucho. Abro la boca y comienzo.

Me gustan las cosas que se pueden tocar. Un candelero de madera tallada, de una veta hermosa, caoba, creo. Un rosario con el ojo turco colgando como un péndulo. Una taza de porcelana con un diseño de flores azul marino.

Y hay una bufanda. Una bufanda de lana de color crema. Pero larga. Lo suficiente como para llegar de la cabeza de la cama a los pies. Perfecta para envolverla alrededor de la cabeza y protegerme de los inviernos de Chicago.

Recuerdo los inviernos. Una vez se estropeó la calefacción durante una semana y el agua del retrete se congeló. Tuvimos que irnos de casa. James insistió en ir al hotel Ambassador East. Una elección frívola, pues los niños todavía eran pequeños y no aprovechamos el lujo. Todos dormíamos en una cama, el bebé gateando entre nosotros, su respiración haciéndonos cosquillas en la mejilla. ¡Tiempos dorados! James le dejó a Mark que se afeitara, untó su cara de dieciseisañero con espuma de afeitar mentolada, pasó con cuidado la cuchilla por sus mejillas velludas. Pinté las uñas de los pies del bebé de morado brillante. Todas las noches cenábamos en el Pump Room, el cocinero preparaba macarrones con queso para los niños, y James y yo comíamos *risotto* de langosta y chuletas de cordero, y por las mañanas huevos a la benedictina. Las ácidas yemas medio cocidas, la cremosa salsa holandesa, el espárrago que hizo que nuestra orina oliera durante días. Ana se presentaba al terminar el desayuno para que James y yo pudiéramos ir a trabajar. Me ponía capas de ropa y esa bufanda irlandesa de lana, y salía hacia el hospital.

Todo esto, evocado por una simple prenda invernal. Algo que no volveré a necesitar. Porque aquí no existe el invierno. No hay estaciones. No hace calor. No hace frío. Incluso han eliminado la oscuridad. Dicen, *Hágase la luz,* y se hace, perpetuamente. Un clima clemente para gente inclemente.

Hay un jovencito interesado en mí. El típico enamoramiento del profesor. Cómo nos reíamos cuando pasaba, las mujeres. Sin embargo, para los hombres no es motivo de risa. Se sienten tentados. Caen. Es un asunto serio. Pero para nosotras, solo una diversión.

Aunque este... El modo en que me observa. Y es guapo. ¿Eso importa? Sí. Se presenta en mi despacho tras las clases con varios pretextos. Una vez fingió no entender los conceptos básicos de la cirugía de transferencia de tendón. En otra ocasión, me preguntó por los injertos de piel, el procedimiento más elemental.

Un día me hizo una pregunta en clave y le contesté, sin darme cuenta de que estaba bromeando. *¿Qué responde cuando alguien le dice: «Doctora, me duele cuando hago esto»?* Sin pensarlo, respondí: Les digo que no lo hagan. Se rio y me lo quedé mirando por primera vez.

Te hace sentir joven. Te hace sentir mayor. Te sientes poderosa. Eres vulnerable.

No fue nada de eso. No sentí culpa. No sentí vergüenza. Y no por el comportamiento de James. Solamente quería llevarlo tan lejos como pudiera, exprimirlo a fondo. Era una nueva experiencia.

En la mayoría de los casos dejas puertas abiertas. Puentes sin quemar. No aceptas casos imposibles. Te aseguras de tener una estrategia de huida. En este caso, no había ninguna.

177

H*ola, vieja amiga.*

Un hombre con entradas. Asiático-americano, con un marcado acento del Bronx, está de pie junto a mi silla. Me sonríe con familiaridad. Es decir, me sonríe como si esperara resultarme familiar. No es así.

¿Te conozco?

Lo digo con frialdad. No más fingir. No más sonrisas a extraños.

Carl. Carl Tsien. Éramos colegas. En el centro médico Quicken Saint Matthews. Yo me dedicaba a medicina interna, tú eras ortopedista.

Eso suena convincente, digo.

Ah, estás siendo prudente. Sin comprometerte. Sonríe como si acabara de decir algo ingenioso.

Entonces, ¿dices que éramos colegas?, pregunto.

Sí.

¿Por qué «éramos»?

Lo estoy poniendo a prueba, no solo para saber, sino por la veracidad. Fiabilidad. El hombre duda por un momento, luego habla.

Te retiraste.

Bonito eufemismo.

Sí. Hay que reconocer, en su favor, que parece un poco disgustado. *Bueno, así es como lo llamaste en su momento. Entonces, ¿eres consciente de tu enfermedad?*

En días buenos como este, sí, soy completamente consciente de lo bajo que he caído.

¿Mi cara te resulta algo familiar?

No. Y no te imaginas lo aburrido que es que te pregunten eso todo el rato.

Si es así, no volverás a oírlo en mis labios, vieja amiga.

Me alegro de oírlo, extraño. Entonces, ¿por qué has venido?

De nuevo parece incómodo. Se revuelve un poco en su silla. *Como… emisario. De parte de Mark.* Ante mi mirada inquisitiva, añade, *Tu hijo.*

No tengo ningún hijo.

Sé que estás enfadada con él. Pero déjame que lo defienda.

No me entiendes. No tengo ningún recuerdo de un hijo. Y no tengo ganas de seguir el juego. Antes lo hacía, ya sabes. Asentir y fingir. Pero se acabó.

Guarda silencio.

Bueno, pues hablemos de un modo hipotético. Pongamos por caso que tuviste un hijo. Y pongamos que se ha metido en una mala situación. Cometido algunos errores. Y que ha abusado de ti... o lo ha intentado.

Abusar, ¿en qué sentido?

Pedirte dinero, repetidas veces. Pedir más. Molestar a tus amigos, también. Incluso robar, por ejemplo, tu icono. Obtuvo una suma considerable por él.

Pues yo diría, que se vaya al infierno.

Sí, pero imagina que se ha reformado. Que quiere reconciliarse.

Me gustaría saber por qué.

Bueno, eres su madre. ¿No es suficiente?

Dado que no lo conozco, no sé por qué tendría que ser importante para él de un modo u otro.

Solo es la idea. Y el hecho de que no puede llegar a ti. O estás furiosa con él, o no lo recuerdas. En cualquiera de ambos casos, ha perdido a su madre.

¿Cuántos años tiene?

Veintinueve. Treinta, quizá.

En otras palabras, lo bastante mayor como para sobrevivir sin una madre.

Ahora está hablando la persona que no sabe que tiene un hijo.

En otras palabras, una persona racional. Me he fijado en que la gente con hijos hace cosas irracionales. Lo que sea con tal de proteger a sus pequeños.

Igual que tú.

¿Y eso?

Quiero decir que tú también has protegido a tus pequeños alguna vez. Incluso llegando más allá de lo que haría una persona racional.

¿Y cómo sabes tú eso?

Jennifer, nos conocemos desde hace casi cuarenta años. Más de lo que duran la mayoría de los matrimonios. Hay pocas cosas que no sepa de ti. Lo que has hecho. O lo que eres capaz de hacer.

Suena aburrido. Como la mayoría de los matrimonios. Una vez que sabes todo lo que se puede saber sobre alguien, suele ser hora de pasar página.

Bueno, está el cariño.

Quizá.

Y esa cosa irracional que es incluso más fuerte. El amor. La gente hace cosas raras en nombre del amor.

¿De qué estamos hablando aquí exactamente? Parece que nos hemos desviado del tema.

Volvamos al tema, entonces. ¿Perdonarías a Mark, tu hijo hipotético? ¿En las circunstancias que te acabo de describir?

Me lo pienso un poco, intento que surja una emoción más allá del entretenimiento al ver que me piden que perdone y olvide algo que ya se me ha olvidado.

No, digo finalmente. Puedes volver a preguntármelo cuando sepa de quién estamos hablando.

Pero eso podría no ocurrir. Como tú misma has dicho, hoy es un buen día.

No, podría no ocurrir.

Por lo menos, ¿podrías no hacerle daño en ningún sentido?

Eso es suponer que tengo algún poder sobre él.

Lo tienes. Más de lo que puedas saber en este momento.

Como es poco probable que tampoco recuerde esta conversación, ¿de qué sirve?

A veces hay cosas que se quedan grabadas. ¿Me lo prometes?

Hipotéticamente, prometo no hacer daño a esta persona de la que no me acuerdo. *No hacer daño.* Si uno es un médico de verdad, tiene que respetar ese juramento también. Así que es una promesa fácil de cumplir.

Una visión. Mi madre de joven, luciendo un corte a lo Peter Pan. Ella, que siempre se dejaba largo su cabello oscuro, recogido en una coleta por el día, suelto, libre y hermoso por la noche, incluso durante su largo decaer.

Tiene las manos cerradas sobre algo valioso. No lleva su alianza de casada. Quizá ni siquiera es lo bastante mayor para estar ya casada, aunque conoció a mi padre y se casó con él a los dieciocho. Él tenía veintisiete, las familias de ambos pusieron pegas, pero no pudieron impedirlo.

Pero esta imagen es mucho más viva que cualquier otra cosa en mi vida presente. Los colores son vibrantes, el rico pelo castaño, su cutis claro y lechoso, la suavidad blanca de la piel de sus brazos y hombros. Me siento tan tranquila al mirarla... Esperanzada. Como si sostuviera mi futuro entre sus manos de muchacha y la sonrisa en su rostro fuera una garantía de que mi historia tendrá un final feliz a pesar de todo.

Jamás sentí culpa. Jamás sentí vergüenza. Hasta que me trajeron a este sitio. Maniatada como un pollo. Se me niega el derecho a hacer de vientre en privado. *Purgatorio*, oí que lo llamaba un residente. Pero no. Eso implica que el cielo está al alcance una vez que has pagado por tus pecados. Sospecho que esto es una estación en el camino sin retorno al infierno.

Tenía quince años, la cara cubierta de acné y estaba coladita por Randy Busch. Fui una madre joven con un niño siempre presente a mi lado —Mark se pegó con tenacidad a mis faldas hasta que cumplió los diez años—, y luego fui una mujer mayor embarazada a la que hacían pruebas para asegurarse de que no llevaba a un mutante en su seno. Durante el embarazo fui una anfitriona reacia. Saqué a Fiona a empujones a este mundo y me eché a dormir. Tenían que despertarme para darle el pecho. Simplemente soporté aquellos primeros seis meses, los cólicos, las noches sin dormir, aquellos meses tan críticos para los vínculos afectivos.

Regresé a las operaciones en menos de dos semanas. Una auténtica muestra de frialdad. Pero, no sé muy bien cómo, el vínculo creció. Fiona odiaba a nuestra niñera, Ana, tan querida por Mark, por todos nosotros. Mi pequeña solo lloraba por mí,

181

cuando me marchaba y cuando volvía. Así que, a regañadientes, la acepté.

Alguien vino esta mañana y trajo fotos. Unas fotografías preciosas a todo color. Me siento en la sala grande y las estudio.

Una mujer se aproxima con sigilo, luego chilla. Algunos se acercan. Otros retroceden. Mis fotos bonitas, preciosas. Una de ellas muestra la extirpación de un tumor en la fosa olecraneana. Otra, una reconexión de una mano. Siento la punzada del músculo de la memoria. Al contrario de lo que pensaría la gente, el tacto del bisturí no es frío, la sangre en los guantes de látex no resulta caliente. Los guantes te separan del calor del cuerpo humano.

Desde el momento en que abrí el brazo de un cadáver y vi los tendones, los nervios, los ligamentos y los huesos carpianos de la muñeca, me enamoré. El corazón, los pulmones o el esófago no eran para mí, dejemos que otros jueguen en esos terrenos. Yo quiero las manos, los dedos, las partes que nos conectan con las cosas de este mundo.

Las correas me aprietan muy fuerte las piernas. Puedo mover los brazos quizá una pulgada. Mi cabeza de un lado a otro. Hay una vía en mi brazo. Un sabor amargo a metal en mi boca.

Alguien está sentado al lado de mi cama. Está oscuro. A través de las persianas, un brillo tenue ilumina la parte inferior de su cara. Es una mujer. Tiene la boca de un vampiro, labios finos y grotescamente largos. Si la abriera podría tragarse el mundo. ¿Qué es esto? Me está agarrando la mano. No. Está levantándola. No. ¡Ayuda! Me morderá una vena, chupará lo que me queda de vida.

Pare. Por favor, pare. Vendrán si no para, dice la vampiresa.

Pone algo en mi mano, cierra mis dedos sobre ello.

Qué es esto. Una reliquia sagrada. ¿Te la dieron ellos? ¿Por qué me hacen este honor?

Es una bolsa de plástico que contiene un pequeño disco de metal, grabado. Puedo palpar las protuberancias. En una larga cadena. El contacto de la bolsa en la palma de mi mano resulta frío. Meneo la cabeza. Sigo meneándola. El movimiento me sienta bien.

¿Sabe cómo se llama?

Tiro de lo que me ata. No respondo.

Doctora White. Jennifer. ¿Sabe dónde está?

Lo sé, pero está en imágenes. Sin palabras. Estoy en un porche, sentada en el último escalón. Una mañana fresca de finales de octubre. Los árboles están dorados. Hay una fila de calabazas en el porche contemplando el mundo con expresiones de terror. Un papá calabaza, una mamá calabaza y un bebé calabaza. Todos boquiabiertos ante una terrible visión. Fue idea mía.

Tengo dieciséis años. Hay un hombre joven que va a venir. Estoy lista. Llevo un vestido corto de corte cuadrado, con un vivo colorido de formas geométricas rojas y azules. Mis botas llegan hasta justo debajo de las rodillas. Siento la dureza del escalón contra mis muslos desnudos. «Estas botas están hechas para caminar.» Estará aquí en cualquier momento. Tiemblo de la emoción.

¿Doctora White?

El hombre joven vendrá. Me ama.

Doctora White, esto es importante. Esa medalla. Dio positivo en sangre del grupo AB. El grupo sanguíneo de Amanda O'Toole.

Vamos a acusarla de homicidio en primer grado. Le harán una prueba de capacidad mental, será declarada inocente debido a la demencia, y eso será todo. Pero no estoy contenta. Porque no lo entiendo. Y me gusta entender las cosas.

Amanda.

Eso es. Amanda. ¿Por qué murió?

Amanda. Ella sabía.

Sabía, ¿el qué?

Nunca se teñía el pelo. Nunca se puso una pizca de maquillaje. Pero era vanidosa, a pesar de todo.

Vanidosa, ¿con qué?

Una seductora. No por el sexo. Secretos. Los conocía todos. Nunca descubrí cómo. Una mujer peligrosa.

Sí, ya lo veo. Vaya si lo veo. ¿Quiere un poco de agua? Tenga, déjeme que le sirva un poco. Y aquí tiene una pajita para beber. Eso es. No se estire, ya se la sujeto yo.

Estoy...

¿Sí?

Asustada.

Sí.

¿Qué va a pasar ahora?

Le harán unas pruebas. Declararán su incapacidad mental para ser juzgada. El juez sobreseerá el caso a condición de que la envíen a un centro de internamiento estatal. Donde lo más probable es que termine sus días.

¿Cuáles son las alternativas?

Su rostro se va volviendo más claro. No es una vampiresa ni mucho menos. Un rostro común, perruno. Un rostro del que te puedes fiar.

¿Me desatas?

Creo que sí. Creo que está bastante tranquila. Venga. Siento que se afloja la presión en mis brazos y luego en las piernas. Me incorporo y me siento en la cama, bebo algo más de agua. Noto que la sangre vuelve a correr en mi interior.

Sí. Mi enfermedad está empeorando.

Y todavía empeorará más.

La mujer guarda silencio por un momento. Luego, *Quiero saber por qué murió Amanda,* dice.

Creo que yo podría. Matar. Eso está en mí.

Sí. Está en mucha gente. Tengo un sueño recurrente en el que mato a mi hermana. Me supera la vergüenza. Y el miedo. No al castigo, sino a que la gente sepa lo que realmente soy. Creo que por eso me hice policía. Como si todo el boato del bien me mantuviera a salvo de esa pesadilla.

Guardo silencio e intento aclarar la pesadez de mi garganta. Resulta complicado hablar.

El cuchillo siempre quedó bien en mi mano. La primera incisión, penetrar en el cuerpo, ese patio bajo la carne. Pero esas

pautas. Saber lo que es aceptable. Permanecer dentro de los pará-
metros.

La mujer se levanta, se estira, vuelve a sentarse.

Jennifer, quiero que me ayude.

¿Cómo?

Usted sabe algo. Quiero que lo intente. Me quita la bolsa de
plástico y la sostiene delante de mí. *¿Reconoce esto? Una medalla
de san Cristóbal. Con sus iniciales grabadas en el anverso. ¿Se le ocurre algún motivo por el cual haya sangre de Amanda en esta medalla?*

No.

¿Usted llevaba la medalla?

A veces. Como un recuerdo. Un talismán.

¿Y tiene alguna idea de quién mató a Amanda?

Tengo ideas.

La mujer se inclina hacia delante.

¿Está usted protegiendo a alguien? Jennifer, míreme.

No. No. Es mejor así.

La mujer abre la boca para hablar, luego me mira con
dureza. Lo que ve la convence de algo. Posa su mano sobre la
mía antes de marcharse.

Estoy sentada en la habitación grande. Aunque hay grupitos
de otros residentes a mi alrededor, estoy sola. Quiero que me
dejen sola. Tengo mucho en lo que pensar. Mucho que planear.

Se oye el zumbido de la puerta del mundo exterior y entra
una mujer. Alta, pelo castaño cortado con elegancia a la altura de
la mandíbula, lleva un maletín de cuero amarillo. Viene directamente hacia mí y extiende su mano para que la estreche.
Jennifer, dice.

¿Te conozco?, pregunto.

Soy tu abogada, responde.

¿Es por lo de nuestro testamento?, pregunto. James y yo acabamos de reescribirlo. Está en la caja fuerte.

No, dice. *Esto no tiene que ver con tu testamento. ¿Podemos sen-
tarnos allí? Bien. Deja que te ayude. Mucho mejor.*

Perro se acerca al trote y se acurruca a mis pies.

¡Qué mono! Mira cómo te quiere. Se acomoda en su silla, coloca el maletín en sus rodillas y lo abre. *Esta visita no va a ser alegre, me temo. Se debe a que eres lo que la Policía denomina una «sospechosa potencial» en una investigación. Tengo malas noticias. La fiscalía ha decidido presentar cargos. En cierto sentido, no es más que una formalidad. Te harán un examen y declararán tu incapacidad mental.*

No entiendo nada de esto, pero su cara está seria, así que yo también pongo gesto serio.

Las malas noticias son que no podrás quedarte aquí después de eso. Te enviarán a un hospital público. Estoy intentando que te manden al centro de salud mental Eglin, aquí, en la ciudad. Pero la fiscalía solicita que sea al complejo Retesch, al sur del estado, que es notablemente más restrictivo.

Hace una pausa, me mira. *No creo que estés asimilando mucho de esto.*

Suspira, y continúa. *Esperaba que hoy estuvieras en buena forma. Para entender. Legalmente, tu hijo tiene la tutela jurídica. Pero prefiero que también firmen mis clientes. Toma. Un bolígrafo.*

Pone algo en mi mano, lo guía hasta un trozo de papel y toca su superficie.

Estás solicitando la absolución por motivos de incapacidad mental. La fiscalía no va a impugnarlo. Como te dije, el único punto de fricción es adónde te enviarán. Lo siento.

Su cara es elocuente, expresiva. Maquillaje aplicado con mano experta. Siempre me pregunté cómo hacer eso. Nunca me preocupé por ello: se corre, mancha mi mascarilla quirúrgica y mis gafas durante las operaciones.

La mujer me dice ahora algo más que no puedo seguir. Suspira, da unas palmaditas a *Perro* distraídamente. *Lo siento*, repite.

Parece que está esperando, quizá una respuesta mía. No cabe duda de que considera que sus palabras son malas noticias. Pero no tengo intención de dejar que me afecten.

Permanecemos varios minutos sentadas así. Después, lentamente, ella vuelve a meter sus papeles en el maletín y lo cierra. *Ha sido un placer trabajar para ti*, dice, y luego se marcha. Intento recordar lo que me ha dicho. Soy una «sospechosa potencial». Claro que lo soy. Lo soy.

Soy lista. Me deshago de *Perro*. Lo consigo dándole una patada delante de una de las enfermeras. Luego lo levanto y hago como si fuera a tirarlo contra la pared. A continuación, gritos. Me quitan a *Perro*, por la fuerza. Lo sacan del pabellón por la noche, le prohíben entrar en mi habitación. Lo echo de menos. Pero echaría por tierra mis planes.

¿Mamá?
Me giro para ver a mi hermoso hijo, considerablemente mayor pero todavía reconocible. Alguien me visitó esta mañana, una extraña para mí, se marchó abruptamente cuando no la reconocí. Cuando no seguí el juego. Una mujer impertinente y poco razonable.

¿Qué tal te han ido los exámenes?, pregunto.

¿Mis qué? Ah, sí, muy bien. Me salieron bien.

No soy tu profesora. No tienes que temer que te vaya a catear.

Estoy un poco… nervioso… cuando te visito. Nunca sé cómo me vas a recibir.

Eres mi hijo.

Mark.

Sí.

¿Recuerdas mi última visita?

Nunca has venido a verme aquí. Nadie ha venido.

Mamá, eso no es cierto. Fiona viene varias veces por semana. Yo vengo al menos una vez. Pero en mi última visita me dijiste que no querías volver a verme más.

Nunca diría algo así. Nunca. No importa lo que hayas hecho. ¿Qué has hecho?

No te preocupes por eso ahora. Estoy contento de que lo hayas olvidado. No fuiste lo que se dice… comprensiva. Pero ahora está todo bien.

Cuéntame.

No. Cambiemos de tema. Me alegro de ver que hoy estás en buena forma. Quería preguntarte si recuerdas una cosa.

¿Recuerdo, el qué?

Algo que pasó cuando yo tenía unos diecisiete años. Seguro que era mayor de dieciséis, porque conducía. Te pedí prestado el coche para llevar a mi novia al cine. ¿Te acuerdas de Deborah? Nunca te gustó. La verdad es que nunca te gustó ninguna de las chicas con las que salí, pero a Deborah, mi novia durante el instituto, la odiabas a muerte. En fin, que tenías un montón de cajas llenas de cosas. Deborah empezó a hurgar en ellas. Simple curiosidad, o quizá se tratara de una curiosidad del tipo malsano, porque se notaba que estaba feliz cuando lo encontró: una bolsita de plástico con florecitas llena de algo que, según Deborah, era maquillaje del caro.

¿Maquillaje? ¿Entre mis cosas? Me parece raro, digo.

Bueno, no me sé los nombres de todas las cosas, pero reconocí el rímel, el lápiz de labios, los polvos… Varios cepillos. Deborah dijo que todo estaba usado. Me enseñó una barra de lápiz de labios morado, a la mitad. Casi me salgo de la carretera. Nunca te había visto con maquillaje. Ni una pizca. Pero ahí estaba ese pintalabios morado.

El morado es para gente sin gusto. Yo tendría, ¿cuántos?, ¿cincuenta años en aquel entonces? Esto suena cada vez más increíble, digo.

Sí, eso pensé yo. Me desconcertó totalmente. Era como descubrir a papá moviendo las caderas con uno de tus vestidos puesto. Comprendí que tenías secretos. Que poseías esa otra cara que ninguno de nosotros conocía. Una cara en la que te ponías rímel y pintalabios morado y necesitabas agradar a los demás así. Un deseo que jamás te habríamos atribuido.

Oh, sí.

Ahora te acuerdas.

Sí, digo, y permanezco en silencio. Solo hubo una ocasión en que intenté gustar de ese modo en particular.

¿Y bien?

¿Cuántos años tenías?

Como te he dicho, probablemente diecisiete.

188

Sí. Más o menos en aquella época cambié de despacho. Construyeron el nuevo centro en Racine e hice limpieza en mis archivadores y en mi mesa, lo metí todo en cajas y en el coche. Probablemente allí habría todo tipo de cosas extrañas de vidas anteriores.

¿Eso es todo lo que vas a decir?

Sí, eso creo. Solo historia. Prehistoria, por lo que a ti respecta. No hay nada que decir sobre aquello. Ahora he recordado algo. Mi turno. También voy a remontarme más o menos a esa época. Cuando tenías diecisiete. La misma novia. Deborah, la hija del chatarrero.

Sí, así era como la llamabas. Porque su padre tenía una distribuidora de utensilios de cocina para gourmets. Y sé exactamente lo que vas a decir.

No, no lo creo.

Nos pillaste. En flagrante delito.

Bueno, ¡lo raro habría sido no hacerlo! En mitad de la sala, ropas por todas partes, el ruido. Pero eso no era lo importante. Lo que me interesaba era que cuando oíste mis pisadas, te giraste, casi como si me estuvieras esperando. Tenías un gesto de intensa satisfacción en el rostro que rápidamente se convirtió en decepción, en lugar de vergüenza, algo que hubiera sido más previsible.

¿Adónde quieres llegar?

Estabas esperando a otro testigo. Supongo que a tu padre.

¿Y por qué iba a querer yo eso?

No lo sé. Algo pasó entre vosotros en aquella época. Algo después de que hicieras las prácticas con él cuando cumpliste los dieciséis, justo antes de tu último año de instituto. Hasta entonces habíais estado tan unidos... Y luego, de repente, problemas. Aquel verano, una noche volvisteis a casa de trabajar juntos sin hablaros. Y duró años.

Preferiría no hablar de ello.

¿Incluso ahora?

Incluso ahora.

Si tenía algo que ver con una mujer, no tienes que preocuparte por contármelo. Yo me enteré de todo. No cambió nada entre tu padre y yo.

Bueno, igual no fuiste la única afectada.

¿Qué se supone que significa eso? ¿A quién podría importar sino a mí?

Había otros dos miembros en nuestra familia. Dos personas más que estaban siendo traicionadas.

No, ahora en serio. ¿Por qué te iba a importar? Seguía siendo tu padre. No había ninguna traición en eso.

No, en eso no.

Deja de ser tan misterioso.

Oh, vamos, mamá. Hasta tú tenías que reconocer que la hija del chatarrero estaba bastante buena. ¿Pensabas que papá no se fijaría en ella? Y cuando se fijase, ¿qué intentaría hacer?

Así que intentó ligar con tu novia... Lo intentaba con todas.

Olvídalo.

¿O el problema es que lo consiguió?

He dicho que lo olvides. No tendría que haber empezado esta conversación contigo. La verdad es que siento que no vayas a recordarla. Porque quiero que se te quede.

¡Qué enfadado estás! Parecía que habías venido en un estado de ánimo conciliatorio. Y ahora te pones a quemar puentes.

Se reconstruirán. Y se volverán a quemar. El ciclo sin fin.

Ten cuidado.

¿Por qué? ¿Porque esta vez podrías recordar?

Sí. En cierto nivel, creo que te acuerdas de estas cosas.

Se levanta y se sacude algo de los pantalones. Su cara cambia, adquiere un gesto astuto. Su voz es ahora más tranquila y mesurada.

Creo que te acuerdas de muchas cosas. Y Fiona también. Como lo que pasó con Amanda.

No respondo.

Lo sabes, ahora mismo, ¿verdad? ¿Que está muerta?

Asiento.

Baja la voz y se acerca aún más. Casi rozándome.

¿Y sabes algo más que eso? ¿Qué recuerdas?

Sal de aquí, digo.

Cuéntame, dice. Está tan cerca que puedo sentir el calor de su cuerpo.

He dicho que salgas de aquí.

No. No hasta que me lo cuentes.

Busco el botón rojo encima de mi cama. Ve lo que ando buscando y su mano sale disparada y me agarra de la muñeca.

No, dice. *Vas a afrontar esto.*

Lucho por soltarme, pero me aferra con fuerza. Doy un giro repentino a mi mano, la libero y aprieto el botón. Suelta un gritito de enfado y vuelve a agarrarme la muñeca, la sujeta junto a su cadera. Duele.

Sabes que eres culpable, ¿verdad? Sabes que no hay salida. Una confesión no sería nada bueno en este punto. No haría ningún bien a nadie.

Oímos carreras al otro lado de la puerta. Suelta mi muñeca y se aparta.

Fuera, digo.

Adiós, entonces, dice. Y se va.

Mi puerta se encuentra cerrada, pero no estoy sola. Aunque está oscuro, puedo ver una forma moviéndose por la habitación. Bailando, incluso. A medida que mis ojos se acostumbran a la luz, puedo ver que se trata de una jovencita, delgada, con pelo castaño rojizo de punta, que se contorsiona y se contonea, esquivando a duras penas los muebles. Tiene los brazos levantados por encima de la cabeza, y sus dedos se mueven. Resulta evidente que está de buen humor. Frenética, diría yo. Pero no en un estado sano. Alguien agitado más allá de su capacidad para controlarse.

¿Hola?, pregunto.

Deja de retorcerse y de repente está junto a mi cama. Toma una de mis manos, pero permanece de pie a pesar de la silla que tiene a su lado.

¡Mamá! Oh, mamá, ¡estás despierta! Se detiene y mira mi rostro. *Mamá, soy Fiona. Tu… bah, no importa. Vine para saludarte.* Sus palabras salen entrecortadas, incluso ahora a duras penas puede controlar sus miembros, de lo alterada que está menea los brazos y gesticula mientras habla. *Siento no haber venido esta*

semana, eran los exámenes parciales. Pero ahora tengo algo de tiempo libre. Y pienso tomarme un pequeño descanso. Solo una semana, luego empiezan otra vez las clases. Pero esta tarde me voy. ¡Cinco días en el paraíso! No te preocupes, estaremos en contacto. Sé que ya no hablas por teléfono, pero le preguntaré a Laura un par de veces al día. Y el doctor Tsien ha aceptado vigilarte los días que yo esté fuera.

Intenta mantener una cara seria mientras me cuenta esto, pero los bordes de sus labios siguen estirándose. Aun así, yo le daría un diagnóstico de estado de excitación febril, más que sano.

Creo que lo mejor para usted será que la mande a un especialista, digo. Me preocupa. Pero su enfermedad no pertenece a mi campo de especialización.

La joven suelta un gritito de risa. Rozando la histeria.

Oh, mamá, dice. Siempre tan clínica.

Entonces toma aire, pasa las manos por los costados de su cuerpo, se alisa el vestido. Se sienta a mi lado.

Lo siento, dice. Es una mezcla de nerviosismo y alivio. Algo de tiempo fuera para disfrutar del fruto de mi trabajo, que como sabes es algo que hago en raras ocasiones. Pero ayer me surgió la oportunidad: ¿por qué no? Así que reservé un viaje a las Bahamas. Papá y tú nos llevasteis un par de veces a Nueva Providencia, ¿te acuerdas? Esta vez no voy allí. Ya he vuelto bastante al pasado. Y el futuro es tan desalentador… Tú… Mark a punto de hundirse… No quiero pensar en esas cosas. Así que cinco días solo de presente. Lo cual es algo que deberías comprender.

Me está costando seguir sus palabras. Su rostro se está desvaneciendo.

Sí, vuelve a dormir. Es tarde. No quería despertarte, solo quería despedirme. No serán más que unos días. Volveré el próximo miércoles y me pasaré el jueves. Aquí tienen una dirección para ponerse en contacto conmigo.

Se levanta para irse, todavía electrizada de energía.

Adiós, mamá. Volveremos a vernos antes de que te des cuenta de que me he ido. Suelta una risita irónica al decirlo, luego un portazo y mi habitación está vacía.

Necesito ir al hospital. Me ha sonado el busca. ¿Dónde está mi ropa? Mis zapatos. Solo tengo tiempo de echarme algo de agua en la cara, compraré un café para llevar en la cafetería Tip Top de Fullerton. Venga. Mi cartera y las llaves del coche.

¿Jennifer? ¿Por qué estás levantada? Son las tres de la madrugada. Por Dios, ¡cómo vas vestida! ¿Adónde vas?

No tengo tiempo para charlar. Hay una urgencia.

Una mujer joven con una bata verde claro me habla con tono dulce. *No hay prisa. Lo tenemos todo bajo control. Ya se han ocupado de la emergencia.* No me convence. En su placa identificativa pone simplemente ERICA. Sin más letras, sin credenciales. Un poco descuidada, frotándose los ojos del sueño. ¿Me he quedado dormida en el trabajo? Parece poco probable. Aun así, parte de la urgencia comienza a disiparse. Empiezo a preguntarme por qué estoy aquí, con una falda roja sobre mi camisón y una bufanda de lana enroscada alrededor de la cabeza y el cuello.

Oí un ruido, digo.

¿En serio? Lo único que yo he oído ha sido el barullo que armabas.

No, ha sido fuera. Un portazo de un coche.

No hay nadie abajo, querida. Solo el nivel uno.

Doctora White.

¿Perdón?

Es doctora White.

Lo siento. No era mi intención ofenderla. Usted es una mujer muy querida, es solo por eso.

Sería Mark, pienso. Sigue pasándose. A pedirme dinero. No sé por qué habrá venido ahora, en mitad de la noche. Solo para marcharse sin decir nada. Intenté despertar a James, pero está profundamente dormido. Cuando me acerqué a las ventanas, lo único que vi fue una figura alejándose calle abajo, a paso rápido.

Doctora White, ha tenido usted un sueño.

No, oí cómo se cerraba la puerta. Los pasos. La figura.

Lo sé. Ahora es momento de volver a la cama.

No puedo. Ya estoy levantada.

Doctora White, no podemos ir a ningún sitio.

Necesito caminar. Si no puedo caminar, gritaré. Lo lamentará. *Vale, vale. No hace falta llegar a eso. Compórtese. No me meta en líos.*

No, solo necesito pasear. ¿Ve? Solo pasear.

Y comienzo a realizar mis rondas nocturnas, a caminar hasta que los tobillos ya no pueden sostenerme por más tiempo.

Estoy sentada en la sala grande, hay lágrimas corriendo por mi rostro. *Perro* intenta lamérmelas, pero lo aparto de un empujón. Esto es lo que recuerdo: mi hijo Mark sobre la mesa, con el pecho abierto. Muriéndose. Todos han salido del quirófano, han apagado las luces. Casi no puedo ver, pero sé que es él. Una colocación de un *bypass* en la arteria coronaria que se complicó. Una operación sencilla, pero que no estoy cualificada para realizar. Esto no era un sueño. No estaba dormida. No hay ninguna duda de que he hecho algo terrible, terriblemente malo. El pasillo está lleno de gente, no reconozco a nadie. Todos juzgándome. Todos en posesión de un conocimiento que permanece fuera de mi alcance.

Mis pastillas siguen intactas en la mesilla de noche. No voy a tomármelas. Hoy no. Quiero ver con claridad. Tengo un plan. Me desperté con él completamente formado en mi mente. Se va haciendo más fuerte a medida que el día avanza.

En el desayuno nos recuerdan que las Girl Scouts van a venir hoy y rellenaremos cuadraditos de popelina con lavanda para hacer bolsitas. *¡Qué bien van a oler vuestras ropas!*, dice la mujer de pelo gris con entusiasmo. Hoy me acuerdo. Recuerdo a las Girl Scouts, sus caras frescas y sus sonrisas forzadas. Su manera de hablar. Están en la edad más cruel. Nunca llaman a Fiona. No la invitan a sus fiestas. No saben cuánto las odio por esto. Cuánto deseo vengarme.

Un poco más tarde, llegan los pintores. No es solo un retoque. Hay que rehacer todas las paredes de la habitación grande, pintadas del inevitable verde. La puerta se abre y se cierra mientras traen el equipo, cubos de pintura, lonas. Levantan una barrera de cinta, de la que cuelgan carteles que dicen PINTURA FRESCA.

Esto no evita accidentes. Un recién llegado a la planta mete sus manos en un cubo de pintura y comienza a bebérsela como si fuera agua. Los cuidadores corren hacia él, soltando gritos de consternación. Llaman al médico, agarran al hombre de los brazos y se lo llevan hacia el mostrador de la entrada. Veo mi oportunidad.

Voy a mi habitación. Me pongo mis zapatos más cómodos. ¿Es verano o invierno? ¿Frío o calor? No lo sé, así que me esfuerzo por meterme una camisa de más por si acaso. Si es invierno será duro, pero lo conseguiré. Me iré a casa. Mamá y papá están preocupados. Siempre se preocupan.

No me dejaban sacarme el carné de conducir. Tuve que aprender en secreto en la universidad. Aunque todavía vivía en casa, mi novio me enseñó en el aparcamiento de Saint Pat's, y me llevó a hacer el examen. Cuando mi madre hurgó en mi bolso buscando anticonceptivos, encontró el carné. Una gran traición, a sus ojos, un pecado mortal contra ellos, esa rebelión inesperada. «Honrarás a tu padre y a tu madre.» Lo hice. Lo hago. Debo volver a ellos. Regreso corriendo a la escena, alrededor de la cual están todos los pintores, confusos. Ninguno habla inglés. Están esperando algo, a alguien. Me dirijo hacia la salida, oculta entre los trabajadores. Hay golpes en la puerta. Una enfermera llega corriendo, teclea con firmeza el código y la puerta se abre de par en par, dejando entrar a un hombre vestido de blanco como los demás, pero más limpio, no salpicado de pintura.

Freno la puerta con mi pie antes de que se cierre. Echo un vistazo atrás. El hombre de la ropa limpia está hablando con una mujer alta de pelo gris, gesticulando con las manos. La gente mayor se arremolina a su alrededor, los cuidadores intentan convencerlos para que se aparten. Abro un poco más la puerta, siento una ráfaga de aire caliente. No tendré que preocuparme por congelarme, al menos. Un paso más, y ya estoy fuera. Dejo que la puerta se cierre a mis espaldas con un clic.

TRES

El sol es cegador. ¿Cuánto tiempo hace que no recibías un bombardeo así de luz sin filtrar? Un calor apabullante, el aire cargado y maloliente debido a las emanaciones del asfalto reblandecido bajo tus pies, que cede a tu paso, emitiendo un sonido siniestro y de succión con cada movimiento. Es como caminar sobre una luna alquitranada.

Avanzas con cuidado sobre la superficie negra y pegajosa. El sudor corre por tu cuello, tu sujetador ya está empapado. Te detienes para quitarte el jersey, pero entonces te enfrentas al problema de qué hacer con él. Lo cuelgas con cuidado de la antena de un pequeño coche azul aparcado cerca y sigues andando. Hay una cierta necesidad apremiante de moverse, una sensación de que hay conspiraciones en marcha, de que un rayo caerá varias veces sobre ti si permaneces quieta en un punto.

Te encuentras en un aparcamiento lleno de coches de todas las marcas, modelos y colores. ¿Cuál será el tuyo? ¿Has estado antes aquí? ¿Dónde está James? Él tiene las llaves. ¿Y tu bolso? Debes de haberlo olvidado en el hospital. ¡Tu teléfono! Deberías llevarlo cosido a la piel, teniendo en cuenta lo importante que es para el desempeño de tus funciones.

Una vez, Fiona arrojó tu busca al retrete y tiró de la cadena. Mark, bastante menos hábil, simplemente lo enterró en el patio trasero, y oíste el pitido durante la cena. No castigaste a ninguno de los dos, comprendías que no estaban más que cumpliendo con sus destinos darwinianos. ¿Quién heredará la tierra? No un vástago de tus entrañas.

Estás casi en la calle. Letreros por todas partes. SE AVISA A LA GRÚA. Una puerta, un guarda colocando un cartel que llega a la altura de la cintura. APARCAMIENTO COMPLETO. Te saluda con un gesto de la cabeza.

Las aceras están llenas de gente, por lo general jóvenes, ataviados con la menor cantidad de ropa posible. Chicas con vestidos cortos de verano de tirantes finos que sostienen tejidos insustanciales sobre pechos pequeños. Chicos con pantalones cortos demasiado grandes que les llegan por debajo de la rodilla y se les caen por sus delgadas cinturas. Terrazas de cafeterías, mesas con sombrillas que invaden la acera, obligando a los transeúntes a bajarse a la calzada. Coches que pitan. Tiestos de los que asoman flores demasiado brillantes y perfectas para ser reales. Sin embargo, ves a una mujer arrancar una y ponérsela en el pelo. Camareros que llevan bandejas por encima de la cabeza. Coloridos cócteles, rojos, rosas y azules en grandes vasos con forma de «V». Gente que bebe de pequeñas tazas blancas. Ensaladas enormes.

Todo tal y como debería ser. Todo en su sitio. ¿Dónde está tu sitio? ¿Adónde perteneces?

Te das cuenta de que estás obstaculizando el flujo de personas. La gente se aparta con educación para evitarte, pero los incomodas. Un hombre golpea tu codo al pasar y se detiene brevemente para pedir disculpas. Asientes y dices, No pasa nada, y te pones de nuevo en movimiento.

El verano en la ciudad. Qué emocionante era cuando tu madre y tu padre empezaron a dejarte venir aquí sola, lejos del barrio de Germantown, de los patios de cemento y los escaparates industriales, los cristaleros y las imprentas. Lejos de la casa mugrosa con los trenes pasando por el patio trasero. Tu madre y su encanto gitano. Irlandesa morena, llena de magia.

De adolescente te hiciste de piedra para soportarla. Juraste no recurrir nunca a artimañas para atraer a la gente. No fue un voto difícil de cumplir, pues no disponías de tales artimañas. Tu encanto era inexistente. Tu belleza exigua.

El poder de atracción que poseías pertenecía a una variedad más fría. *Tocando las terminaciones nerviosas / con carámbanos* *térmicos.** ¿Quién te dijo eso? No importa. Como terminó resultando, hubo quienes supieron apreciarlo. Los suficientes, sí.

Llevas kilómetros caminando. Horas y horas. Hacia el sur, a juzgar por el sol, que se está poniendo a tu derecha. Esta calle interminable de festejos interminables. No puedes ver más allá de ella, una feria eterna del placer. Y no hay ningún sitio para sentarse.

Te das cuenta de que tienes hambre. Hace tiempo que pasó la hora de la cena, tu madre estará preocupada. De repente estás cansada de tanta celebración, y te apetecería sentarte en tu tranquila cocina, el guisado reseco y las patatas blandas, las zanahorias cocidas. Te das cuenta de que estás más allá del hambre, más bien estás muerta de hambre. Pero ¿a qué esperas? ¡Estás rodeada de generosidad!

Con cierto temor, te aproximas al restaurante más cercano. Italiano, de nombre impronunciable escrito en unas caprichosas letras de neón sobre un florido emparrado. Fuera, quizá una docena de mesas cubiertas con manteles blancos llenas de clientes.

El barullo es tremendo. No puedes ver el interior del restaurante, está oscuro y la entrada repleta a rebosar de gente riendo y charlando, al menos una docena de hombres y mujeres con copas llenas de vino tinto y blanco apoyados en la valla de la zona exterior, brindando. Intentas acercarte para asomarte al interior.

¿Solo para una, señora? Es un hombre en vaqueros y camisa blanca. ¿Te está hablando a ti? Miras a tu alrededor, pero no hay nadie más.

Mi marido está aparcando el coche, dices. Esto debe de ser cierto. Nunca comes sola en un restaurante.

---

* Versos del poema modernista «Moreover, the Moon», de Mina Loy. *(N. del T.)*

Tendrá que esperar unos cincuenta minutos por lo menos. ¿Quiere que la apunte en la lista? A menos que desee sentarse en la barra.

Da la sensación de que está esperando una respuesta, de modo que asientes. Parece lo más conveniente. Te hace una seña y lo sigues por el sendero que va abriendo entre la multitud. Te conduce hasta un taburete alto, pone un menú delante de ti y otro frente al taburete vacío a tu derecha.

Yo traeré a su marido cuando llegue, dice. Asientes una vez más. Parece que con los gestos has conseguido bastante. Te sientes aliviada, pues las palabras te resultan evasivas, poco fiables. Diríase que hayan pasado meses desde la última vez que hablaste con alguien. Has sido un espectro tambaleándose por las calles de los juerguistas, sin ser visto ni oído.

Abres el menú, pero no entiendes nada. *Penne all'Arrabbiata, Linguine alle Vongole, Farfalle con Salmone*. Pero las palabras son evocadoras, se te hace la boca agua. ¿Cuánto tiempo llevas sin comer? Días y días.

La gente está sentada codo con codo, algunos con platos de comida delante, otros con vasos de diferentes formas y tamaños llenos de líquidos de colores. Algunos miran una televisión colgada de la pared, rodeada por estantes y estantes de botellas que llegan hasta el techo.

En la pantalla, chicas hermosas con vestidos de fiesta muestran aparatos: frigoríficos, hornos microondas. Es una visión bonita, incluso fascinante: las chicas con sus vestidos brillantes reluciendo en la pantalla, la luz reflejándose en las botellas.

Hay mucho ruido pero no resulta desagradable. Sientes como si estuvieras en la tripa de un organismo vivo. La camaradería de las bacterias productivas, de esas que mantienen la vida.

El camarero se acerca. Es un hombre corpulento con unas gruesas gafas negras. Joven, pero tendrá que controlar su salud cardiovascular, pues su tez rojiza no se debe al sol ni a un exceso de ejercicio. Lleva un delantal blanco sucio anudado alrededor de su amplia cintura.

¿En qué podría ayudarla, guapísima?, pregunta con un acento burlón que asumes que se supone que es italiano. Señalas uno de los platos del menú, el que tiene el nombre más corto.

Ah, la Pasta Pomodoro. ¡Una especialidad de la casa! ¿Y para beber? Tienes sed, pero no te sale la palabra adecuada. Algo en estado líquido. Señalas la botella que lleva en la mano.

Eso, dices, aliviada de que tu voz salga solo un poco oxidada. *¿Jack Daniel's?* Se olvida de su acento y suelta una carcajada que suena natural. *¡Este día está lleno de sorpresas! ¿Solo?* Asientes. Vuelve a reírse. *Muy bien, marchando un whisky solo. Querrá acompañarlo con una cerveza, supongo.*

Intentas juzgar por su expresión cuál es la respuesta correcta. Vuelves a asentir. *¿Cuál quiere?*, pregunta. *De barril tenemos Coors, Miller Lite y Sierra Nevada.*

Sí, dices. Algo cambia en su rostro. Te lanza una mirada que te preocupa. Has visto ese gesto antes. Nunca pudiste engañar a nadie. Siempre te pillaban. Eso es lo que te retiene en el buen camino. No el cargo de conciencia. No es eso. Sino el ser consciente de que no se te da bien mentir, de que todas las malas acciones serán castigadas.

Se encoge de hombros y se da la vuelta, se afana con una máquina de complicados tiradores y luego pone un vaso alto y helado lleno de algo amarillo y espumoso delante de ti. ¿Qué es esto? ¿Dónde estoy? De repente, tienes una revelación. Eres Jennifer White. Vives en el 544 de Walnut Lane, en Germantown, en Filadelfia, con tu querida madre y tu querido padre. Tienes dieciocho años y acabas de empezar las clases en la Universidad de Pensilvania. Primero de Biología. Tu vida se extiende ante ti, un camino despejado, sin impedimentos de los que hablar. Tienes una cerveza fría delante. ¡La primera que te tomas en un restaurante! Nunca antes te habías pedido una cerveza tú sola. Tienes todos los motivos para estar alegre. De repente, lo estás.

Te fijas en que hay otro vaso junto a tu codo. Este es más pequeño, y no está frío. Lleno de un líquido de un rico color ámbar. Lo agarras y te lo tragas. Quema al pasar, pero no resulta desagradable. Das otro trago, y se acaba.

¿*Otro?*, pregunta el hombre. Te sorprendes. No te habías dado cuenta de que seguía ahí, observándote. Asientes. Vuelves a probar tu voz.

¡Por supuesto!, dices.

Suelta una risita y de nuevo captas esa mirada. Pone otro vaso pequeño sobre la barra, sirve y lo empuja en dirección a ti. Lo dejas ahí, diriges tu atención al vaso alto y frío y das un sorbo. Esto entra más fácil. Cerveza, sí.

Tu padre siempre te pone un poquito en una taza de té cuando se abre una lata. Esta te sacia la sed de un modo que el otro líquido no hace. Bebes un trago largo. Empiezas a sentirte bien, no te habías dado cuenta de lo al límite que estabas. Ese límite se está disipando. Un calor lento y agradable. Una pesadez en los miembros. Los colores son más brillantes, el ruido se contiene. Has viajado a un espacio privado dentro del organismo, un reducto privado de confort. Te encanta estar ahí. Volverás cada noche. Traerás a tu madre y a tu padre y los dejarás practicar su magia con esta gente encantadora, tus camaradas.

El camarero pone una servilleta y unos cubiertos delante de ti. Agarras el cuchillo. Hay algo en él. Algo que resulta familiar aunque extraño. Tienes una sensación de premonición. Aprietas el borde afilado del cuchillo sobre la barra de madera, presionas y lo acercas hacia ti. Aparece en la madera una raya blanca, recta y calibrada.

Si pudieras apretar más fuerte, abrir en dos este material oscuro, ¿qué saldría? ¿Qué se revelaría? ¡Ay! ¡La emoción de explorar! Alcanzas tu cerveza y bebes más. Bien. No te habías fijado en lo tensos que estaban tus hombros, en la rigidez de tu cuello.

¿Espera a alguien?

La voz proviene de una chica a tu izquierda. Tendrá tu edad, calculas. Igual un poco mayor. Veinte. Veintidós, quizá. Muy guapa. Lleva un corte de pelo más largo por un lado de la cara que por el otro, con las puntas desiguales. Resulta atractivo. Tiene una sonrisa bonita. Sus ojos están rodeados de azul, pintados de rímel para destacar su tamaño y su brillo.

¿Espero? Reflexionas sobre esto. Quieres responder, pero todavía no confías en que las palabras se ajusten a tus intenciones. Lo intentas.

No, dices. Estoy sola.

Te anima que no parezca desconcertada. Vuelves a intentarlo. Estaba hambrienta, dices. Este sitio tenía buena pinta.

Oh, es un sitio genial. A nosotros nos encanta. Señala a un hombre joven a su lado, que ve la televisión. *Y Ron se encarga de tenernos a todos contentos.* La chica sonríe al hombre de detrás de la barra, que se inclina hacia ti y te habla con tono confidencial.

Si esta jovencita la molesta, hágamelo saber. Me encargaré de ella, dice. La chica guapa se ríe.

Un plato de tallarines cubiertos de una espesa salsa roja aparece delante de ti. Huele que alimenta. Tienes un apetito voraz. Aferras el tenedor y empiezas a comer.

Déjeme adivinar. Es usted profesora. Es el joven a la izquierda de la muchacha. Ha abandonado la televisión, a las chicas guapas, y ahora parece que se dirige a ti.

¿Disculpe? Te limpias la boca. La comida está tan buena como parece. Los tallarines al dente, la salsa sabrosa y perfumada con especias. Muchísimo mejor de lo que tú serías capaz de preparar. James es en realidad el cocinero, las caras de los niños se desencajan cuando entran en la cocina y te encuentran a ti trajinando.

La chica lo interrumpe. *Oh, no es más que un pasatiempo al que jugamos en los bares. Adivinar qué es la gente, a qué se dedica. Él cree que usted es profesora de universidad. Lo veo posible. Pero yo necesito pensar antes. ¡Hay mucho en juego! El que gane tiene que pagar a todos una ronda de bebidas.* Se lleva la mano a la frente, actúa como si estuviera pensando mucho. *Está claro que tiene pinta de profesional,* dice. *No era usted una simple ama de casa.*

El joven la golpea juguetonamente en el brazo.

Vale, vale, no debería haber dicho eso. Es solo que parece que ha estado más tiempo fuera, en el mundo.

El joven vuelve a golpearla.

Oh, ¿he dicho alguna tontería más?

No, dices. Las palabras salen con suavidad. Estás diciendo lo que quieres decir. Alivio. La conexión entre tu cerebro y tu lengua se ha abierto. Y, sí, ciertamente no soy ama de casa, le dices.

Te das cuenta de que tu voz suena desdeñosa. James siempre te previene sobre esto. Enroscas otro trozo de pasta alrededor de tu tenedor. Das otro bocado. Hace mucho tiempo que no tenías tanta hambre. Solo había cinco mujeres en mi especialidad, explicas.

¿Qué tipo de carrera era? No, déjeme adivinarlo. El muchacho está entusiasmado. *Se me da bien esto. Ya verá. Yo digo que era... literatura inglesa. Poesía medieval.*

La chica pone los ojos en blanco. *¿Cómo puedes ser tan sexista? Como es mujer, tiene que estudiar lengua, tiene que ser poesía.*

Bueno, ¿y tú qué dices, Einstein?

El hombre de detrás de la barra se inmiscuye en la conversación. *Pues teniendo en cuenta el modo en que se ha metido la copa entre pecho y espalda, yo diría que es algo un poco más duro. Ingeniería. Usted construía puentes, ¿verdad?*

No, no. Te estás riendo. Hace tanto tiempo que no te divertías así. Estas caras jóvenes y nuevas, su soltura, no te tratan con temor. Te das cuenta, de repente, de que últimamente has estado asustando a la gente. Eso que ves en sus ojos es miedo. Pero ¿qué tienen que temer de ti?

¿Tú qué opinas, Annette? La chica joven finge estar pensando mucho. *Voy a arriesgarme y diré que abogada*, dice. *Apuesto a que defendía a los pobres e indefensos del mundo frente a acusaciones injustas.*

No, no, dices. Abogada, jamás. Las palabras nunca fueron mi fuerte. Eso es para mi marido.

¿Ve? ¡He estado cerca!

Bueno, yo no lo llamaría precisamente un amigo de los desamparados, dices. La idea te hace sonreír.

Entonces, ¿cómo lo llamaría?, pregunta la chica.

El último recurso de los ricos y poderosos. Y es muy bueno en lo suyo. Siempre consigue que se libren de sus problemas. Se gana a pulso todos y cada uno de los muchos centavos que les cobra.

Algo se apaga en el rostro de la chica. *¿Y usted?*, pregunta.

Te das cuenta de que has cometido un error. Te has olvidado de la hipersensibilidad de los jóvenes. Fiona y Mark eran inmunes a ello desde una edad temprana. Las bromas cínicas sobre el tema en la mesa, durante la cena... Mark, en su adolescencia, insistía en empezar cada comida contando un chiste de abogados especialmente ofensivo. Tenía la esperanza de llegar a James, pero ese no era el camino. Él soltaba los suyos en la mesa.

¿Cómo distingues el cadáver de una mofeta del de un abogado en la cuneta? Luego, tras una pausa, soltaba triunfante la gracia: *A los buitres no les entran arcadas con la mofeta.*

La chica sigue esperando tu respuesta.

Soy médica, le dices. Cirujana ortopédica.

Eso tiene que ver con los huesos, ¿verdad?, pregunta el joven.

Sí. Algo más que los huesos. Todo lo relacionado con heridas, enfermedades degenerativas, defectos de nacimiento... Mi especialidad son las manos.

Annette también sabe de manos.

La chica se ríe. *Quiere decir que leo las palmas. Hice un curso de vidente en la academia Learning Annex. La mayoría nos apuntamos como cínicos posmodernos. Pero aprendí algunas cosas.*

Quiromancia, dices. Te sorprendería saber cuánta gente cree en ello. Hay una gran cantidad de investigaciones publicadas en revistas de medicina sobre las rayas de la palma y las distintas espirales en las yemas de los dedos.

¿En serio? La chica se echa hacia delante. Se gira un poco y es su turno de golpear al joven. *¿Ves? ¡Te lo dije!* De nuevo se dirige a ti. *¿Como qué?*

Durante mucho tiempo, los científicos se han interesado en explorar si los marcadores fenotípicos sirven para diagnosticar enfermedades genéticas.

¿Podría decir lo mismo en cristiano?

Por supuesto. Los médicos siempre se han interesado en saber si se pueden usar las líneas de la mano, la longitud de los dedos e incluso las huellas dactilares para diagnosticar enfermedades.

¿Qué tipo de enfermedades?

Sobre todo genéticas. Por ejemplo, parece que hay una fuerte correlación entre tener un solo pliegue palmar con huellas anómalas y el síndrome de Cri du Chat.

¿Cri du Chat? ¿Maullido de gato?, pregunta el joven.

Sí, porque los bebés nacidos con este defecto maúllan como gatos. Por lo general, padecen retraso mental severo. Además está el síndrome de Jacobsen, que también se diagnostica por las manos. Muy similar al de Down.

¿Y no se puede hacer algún diagnóstico alegre con la palma de la mano? A Annette le gusta decir a la gente que tendrán vidas largas y que algún día se harán ricos.

Por desgracia, gran parte de las desviaciones de lo normal en las características de la mano indican problemas, con frecuencia de los graves. Pero un investigador afirma haber encontrado una gran conexión entre distintas ratios de longitud del dedo y una excepcional habilidad musical. Haces una pausa. Por supuesto, solo estadísticamente hablando. Mirad. Extiendes tu mano derecha. ¿Veis cómo mi dedo índice es igual de largo que el corazón? Eso es anómalo estadísticamente. Aunque no tengo ningún defecto genético, que yo sepa.

Déjeme ver su mano, dice la chica, un poco bruscamente. Dudas, y luego dejas que la agarre. Se inclina sobre tu palma, frunciendo el ceño.

¿Cómo tengo la línea de la vida?, preguntas.

Oh, ya nadie cree en eso. Y me alegro. De acuerdo con su línea de la vida, ha tenido usted una vida muy corta. Técnicamente, tendría que estar muerta. Por otra parte, es más intelectual que materialista. Tiene poder para manipular, pero prefiere no utilizarlo. Y su vida no ha sido especialmente afortunada.

Estás usando el pasado, dices. ¿Lo haces porque estoy técnicamente muerta?

¿Perdón?

No has dicho «su vida no *será* especialmente afortunada», sino «su vida no *ha sido*».

La chica se sonroja. *Lo siento. No quería dar a entender que su vida esté acabada. Usted no se comporta como alguien mayor.*

Estás sorprendida. ¿Por qué tendría que hacerlo?, preguntas.

Tiene razón, estoy estereotipando. Es culpa de la cerveza.

Pero ¿cuántos años piensas que tengo?, preguntas.

Oh, eso se me da fatal. No me pregunte.

Yo diría que tú y yo tenemos la misma edad. O que soy un pelín más joven.

La chica sonríe. *Me lo merezco. ¿Sabe? Hice ese test de Internet, el que se supone que te dice tu edad real, y saqué dieciséis. Todos mis amigos salieron mayores –treinta, treinta y dos–. Aquí, Jim tiene alma de viejo. Su edad real es treinta y cinco, de acuerdo con el test. En años reales, solo tiene veinticuatro, por supuesto.*

Yo tengo dieciocho, dices.

¡Me alegro! ¡Eterna juventud!

Eterna, no, dices. Aunque a veces sí que me lo parece.

Yo, si realmente tuviera treinta y cinco, me cortaría las venas, dice el joven.

La chica pone los ojos en blanco. *Ya está otra vez,* dice.

¿Y por qué lo harías?, preguntas.

Quiero decir, si tuviera treinta y cinco y estuviera en la misma situación de ahora. Un trabajo estúpido. Sin sacar nada adelante, sin haber escrito todavía mi novela. Ese tipo de cosas.

¿Estás trabajando en una novela?, preguntas. Parece que este es el tipo de información que un montón de gente intercambia en bares o en la consulta del médico.

No, ahí está la cosa. Aquí estoy, todavía en la veintena, así que tengo una excusa. Pero cuando tienes treinta y cinco ya no te quedan. Excusas, quiero decir.

Te sorprenderías, dices. Mark tendrá un montón de excusas cuando llegue a esa edad. Espera y verás.

¿Quién es Mark?

Estás confusa. ¿Quién es?

Solo alguien a quien conozco, dices. Creo que debe de ser mi sobrino.

¿Cree? La chica suelta una carcajada y luego mira tu cara y deja de reír.

Una imagen surge delante de ti. Una cara afligida. Hombros menudos y temblorosos. Alguien profundamente angustiado. Su rostro es familiar.

Fiona, dices lentamente. Fiona es otra persona que conozco, alguien a quien admiro mucho, que parece haberse metido en problemas. Mark, por el contrario... Te paras a pensar. Mark siempre ha estado metido en problemas.

La chica parece confusa. *¿Fiona?*

Fiona es alguien que siempre sabe exactamente lo que quiere y cómo conseguirlo, dices muy despacito. Pero a veces eso no es lo mejor. No.

La verdad es que no me gusta demasiado ese tipo de gente, dice la chica.

No. Fiona te caería bien.

La chica asiente por cortesía. Ha perdido el interés en hablar sobre gente que no conoce. Susurra algo al joven a su lado, que sonríe como respuesta. El muchacho ha vuelto a centrar su atención en la televisión. Ahora están emitiendo las noticias, todas malas. Catástrofes naturales y humanas. Pérdidas millonarias, aumento de las inundaciones, desastres naturales, asesinatos cometidos y sin resolver.

Has terminado la comida en tu plato, y los dos vasos, el alto y el pequeño, están vacíos. El hombre corpulento está en el otro extremo de la barra, hablando con otro hombre trajeado.

¿Sabéis dónde está el baño?, preguntas. La chica señala. *Allí, junto a la puerta por donde entró.*

Te bajas del taburete, tambaleándote un poco. Te abres paso entre la sala repleta, usando los respaldos de las sillas y a veces la espalda de la gente como guías. Estás inestable y sientes una intensa presión en tu vejiga.

La puerta en la que pone LAVABO está cerrada, así que esperas, descansando el peso en un pie y luego en otro como una niña pequeña. Oyes que tiran de la cadena, el agua se cuela por el retrete, y el clic de la puerta al abrirse finalmente. Aparece una mujer.

Entras a trompicones y casi no llegas al retrete para aliviarte. Aun así, hay una mancha húmeda en la pernera de tu pantalón. Buscas una toallita de papel y la enjuagas, haciéndola más prominente que antes. Al menos no es tan malo como la sangre. Piensas en todas las veces que te has encerrado en baños públicos como este, frotando pantalones para limpiar manchas de sangre de tampones desbordados. Para ser médica, es curioso lo poco que comprendes tu propio cuerpo. Guardabas tampones en todas partes: en tu bolso, en la guantera del coche, en el cajón de tu escritorio, y aun así siempre te quedabas corta. Tu cuerpo siempre traicionándote.

Empeoró a medida que te hacías mayor. Había días, cuando tenías cuarenta y pico y cincuenta y pocos, en los que dudabas si programar operaciones debido a episodios breves pero intensos de hemorragia que podían suceder en cualquier momento. Tu cuerpo te vencía de un modo que nunca había sucedido antes. Te ponías tampones dobles y compresas por debajo. Ibas a las operaciones con pañales de adulto, andando un poco como un pato. Pero cuando empezaba la sangre, no había forma de pararla. Aprendiste a vivir con la humillación. Sangre en el quirófano. Tenías ropa de repuesto en la oficina, en el coche. Dos años duró aquello. Pensabas que ibas a lamentar la pérdida de fertilidad, pero el trauma de la perimenopausia hizo que la recibieras con los brazos abiertos.

Te miras en el espejo mientras te lavas las manos. Lo que ves te sorprende. El pelo cortito, blanco y rizado. Tu cara cubierta de marcas rojas, manchas de vejez en tu frente, y la piel lacia en la mandíbula. Demasiado sol.

Nunca hiciste caso al dermatólogo, sentías que sus advertencias eran cosas de viejas. Ahora *eres* una vieja. Se debería hablar de tu vida en pasado. De pronto, te sientes muy cansada. Es hora de irse a casa. Sales del lavabo y te detienes, desorientada.

¿Dónde estás? Un restaurante a reventar. Olores abrumadores a pesadas salsas de ajo. El ruido te da dolor de cabeza. Cuerpos se aprietan contra ti, te devuelven a empujones hacia la puerta abierta del baño. Como si proviniera de muy lejos, captas de un vistazo una puerta con un letrero que dice SALIDA. Comienzas a abrirte paso hacia ella.

Hay voces gritando a tus espaldas. *¡Eh! ¡Señora!* Un hombre con menús en la mano te saluda y te abre la puerta. *¡Detenedla!* El hombre entona un risueño *¡Buenas noches!* ¿Noches?, preguntas, y entonces estás fuera, una brisa cálida te acaricia el rostro.

¿Cuándo se convirtió el día en noche? ¿El calor en delicia? Las farolas están encendidas, todas las tiendas y restaurantes, iluminados y acogedores, y luces relucientes brillan entre las hojas de los árboles, que están en plena flor. Gente por todas partes, agarrados de la mano, del brazo, el calor de cuerpos humanos en armonía. Es una fiesta. Es el país de las hadas. Te sumerges en las profundidades de la noche festiva.

No puedes decir que has vivido hasta que has visto peces luchando por alcanzar la luna. Por docenas, saltan de las aguas, sus cuerpos plateados lanzan destellos durante la subida. El perfecto arco reluciente al llegar a lo más alto. La trayectoria de bajada es lírica: se sumergen con perfección de vuelta en las profundidades gris-azuladas.

El ambiente es suave y tropical, pero el agua del lago está helada. Se te entumecen los pies y los tobillos. Sin embargo, a algunas personas eso no las disuade. Ves cabezas asomando justo al nivel del agua, brazos levantados cortando las aguas, una larga fila de cabezas unidas a hombros y brazos. Explosiones de agua de los pies, esos pequeños motores.

En el parque hay casi tanta luz como si fuera de día; las farolas automáticas no se han encendido. Del zoo surgen aullidos festivos. Todos los bancos están ocupados, las aceras a rebosar. Y perros por todas partes, corriendo, revolcándose, persiguiendo pelotas y *frisbees*, retozando en las olas poco profundas. Los peces siguen saltando y cayendo al agua.

¿Señora? Un joven corre hacia ti. Lleva algo en la mano.

¡Se ha olvidado los zapatos! Le falta el aliento. Se detiene y te muestra un par de zapatillas de deporte blancas de aspecto

nuevo. Tiene la pinta de alguien que espera gratitud, así que intentas insuflar efusividad a tu voz.

¡Vaya! Gracias, dices. Sigue con los zapatos en la mano, así que los tomas, pero en cuanto el hombre se da la vuela, los tiras al césped. ¿Quién necesita calzado en una noche como esta? Un estorbo. Solo sirven para separar tu carne de esta esfera agradable, la Tierra.

A tu derecha ves a una pareja que deja vacío un banco. Te sientas, no porque estés cansada, sino porque quieres contemplar el desfile.

¡Y menudo desfile! Músicos: tambores, cornetas y trombones. Tienes que esforzarte para escucharlos, porque los grillos hacen mucho ruido. Luego vienen los artistas, saltimbanquis, acróbatas, hombres en monociclos y mujeres en zancos, todos vestidos con los disfraces más estrafalarios.

Algunos van desnudos. No puedes evitar reírte ante los penes totalmente extendidos de los hombres, excitados por el aire nocturno y la proximidad de tanta belleza. Tú misma casi estás excitada.

Piensas en tu chico. Llega tarde. Siempre llega tarde. Siempre te toca esperar. Tu padre dice que una mujer que espera lo contiene todo y nada le falta.* Piensas que era una cita, pero nunca fuiste capaz de descubrir de qué. Está lleno de sorpresas, tu padre. Solo estudió la primaria, pero te corregía las redacciones de lengua de la universidad.

Pero tu chico guapo. Viste de verde, a juego con sus ojos. No es tonto, pero tampoco es lo bastante inteligente como para ocultar su vanidad. Encontraste maquillaje en su taquilla, aunque en ningún momento se te pasó por la cabeza que fuera un timador. No es que no sea capaz. Pero poseía demasiado genio para ser ingenuo.

Pero ¿tú? Si te hiciéramos pasar por el detector de mentiras, pitaría con cada pregunta. ¿Lo querías? Sí. No. Te habrían declarado

---

* Referencia a un verso del poema *Una mujer me espera*, de Walt Whitman. (*N. del T.*)

mentirosa con ambas respuestas. A veces. Quizá. Solo con una máquina ajustada para detectar la ambivalencia aprobarías.

Después de los artistas, los animales. ¡Menudos animales! Ninguno de los que creó Dios. Criaturas fantásticas con cabezas de león y grandes rostros de niño encajados en ellas. Un rebaño de gatos, a paso de ganso bajo la luz de la luna.

Te acuerdas de los libros maravillosos y terribles de tu infancia. Había uno en el que a un chico le concedían el poder de leer los corazones y almas de las criaturas al tocar la forma de sus manos. Así, las manos de reyes y cortesanos solían parecer los apéndices de bestias con pezuña, y las manos de honrados trabajadores eran suaves como las de la más alta realeza.

La idea de no poder distinguir la naturaleza de las criaturas que te rodeaban, humanos o cualquier otra, sin ese don resultaba aterradora. En la cama, aferrabas tu mano para decidir qué eras. ¿Humana o bestia?

Enfrente de tu banco hay un muro bajo de piedra que separa el césped del parque de la arena de una pequeña playa. Hay algo escrito en él. Una inscripción sagrada. Gruesos trazos de pintura negra remarcada en rojo. Puntuados por una cara que sonríe. Está enviando un mensaje. Pero ¿qué es?

El desfile se termina. La gente se marcha hacia otras fiestas. Los perros se han esfumado, los niños han montado a hombros de sus padres y se los han llevado a la cama. El silencio desciende. Cierras los ojos para deleitarte con él.

Te despiertas de un respingo. Hay una mano en tu brazo, bajando por él. Te sorprendes al ver que todavía es de noche, pero una noche tan luminosa que se podría leer en ella. La mano pertenece a un extraño, un hombre joven, nada limpio, que lleva un sombrero de pescador y una chaqueta del ejército. Al ver que te has despertado, retira la mano.

Solo me preguntaba si me podías prestar algo de dinero, dice.

Normalmente dirías que no sin más. Tu dinero y tu tiempo se lo das a la clínica. Pero esta noche las cosas son distintas. Esa

214

sensación de bienestar. La belleza que te rodea. Te preguntas lo que sentirías si aferrases su mano.

Buscas tu bolso. Pero no hay nada. Compruebas tus bolsillos por si solo has traído la cartera o hubieras metido el carné y una tarjeta de crédito en alguna parte. Nada. El hombre te observa mientras realizas tus contorsiones.

Seguramente no deberías estar durmiendo aquí, dice. Seguramente haya llegado alguien antes que yo, alguien menos amable.

Saca un paquete de cigarrillos del bolsillo del pecho de su chaqueta y te ofrece uno. Cuando lo rechazas, se enciende un pitillo y se recuesta en el banco.

Cuando te vi aquí, pensé, ¿pero qué hace una señora como esa en Lincoln Park en mitad de la noche?, dice. Era una visión realmente extraña. Oye, ¿dónde están tus zapatos?

Bajas la vista. Tus pies están descalzos y sucios. Hay sangre seca en un costado del tobillo. Te agachas y arrancas un trocito de cristal. El dobladillo de tus pantalones está lleno de barro.

Alguien ha estado remojándose los pies, dice el hombre. No te culpo. Es una noche apropiada para ello.

Te fijas en que ya no se está tan tranquilo. Aunque el ruido de los grillos ha remitido, y el runrún del tráfico lejano ha menguado, hay otros sonidos. Te das cuenta de que no estáis solos. El campo que os rodea está salpicado de siluetas oscuras, gente arrastrando carritos, desdoblando mantas. Un hombre y una mujer se pelean con una masa de material que se convierte en una pequeña tienda. Se está formando un campamento.

El hombre sigue hablando mientras fuma.

Eres nueva. Deberías preferir los refugios. Muchas mujeres los prefieren. Allí se está más limpio. Pero a mí no me gustan demasiado las reglas. A la cama a las nueve. Nada de bebida. Nada de fumar. Nada de levantarse antes de las seis.

Debes de ser una persona nocturna, dices. Yo siempre lo fui, también. Una vagabunda.

Vagabundo. Vagar. Ver mundo. Te gusta el sonido de las palabras al pronunciarlas.

Tú lo has dicho. A mí, déjame el parque por la noche. Oye, ¿dónde están tus cosas? Puedo ayudarte a instalarte.

No lo sé, dices. En casa, supongo.

¿Tienes una casa?

Pues claro. En Sheffield.

¡Es una calle bastante buena! ¿En dónde, en Sheffield?

En el 2153 de Sheffield. Justo en la esquina de la iglesia de Saint Vincent.

Conozco esa zona. Así que tienes una casa allí. Entonces, ¿qué haces aquí, en medio de la noche, sin zapatos?

Supongo que quería tomar el aire fresco, dices. Pero ahora que te lo preguntan, no estás segura. La cara del hombre ha llenado tu mente, sacando el resto de cosas. Su nariz, su boca. La roña en las grandes arrugas alrededor de sus ojos. Una pequeña herida en un pómulo. Los mechones de pelo que asoman por debajo de su gorra. No es una cara desagradable. Una cara capaz, pero capaz ¿de qué?

¿Y tu familia?

Están todos muertos, dices. Mi madre. Mi padre. Todos murieron.

Vaya, eso es duro. Muy duro. Los míos también están todos muertos. Tengo una hermana en alguna parte, pero ya no me habla.

Da una larga calada a su cigarrillo, se lo acaba, tira la colilla al suelo y la estruja con la bota.

Oye, ¿crees que podríamos ir a tu casa? Me gustaría dormir en una cama por una vez. Una cama sin reglas.

Tenemos habitación de invitados, dices.

Bueno, eso es perfecto. Me encantaría ser tu invitado. Me encantaría. Se levanta, se sacude el polvo de los pantalones y espera.

Te levantas también. Te duelen los pies. Te escuece el tobillo. ¿Puedes caminar? Puedes. Pero, de repente, te sientes muy cansada.

¿Sabes cómo llegar?, preguntas.

Claro. Es mi antigua zona. Y la de Antoine, también. Espera que llame a Antoine. Seguro que también sabe apreciar una habitación de invitados.

Solo tengo una habitación de invitados. Pero la cama es doble.

Bueno, no me importaría compartir una cama con el viejo Andy.

Espera que lo busco. Tú quédate aquí. Sale corriendo, girando la cabeza a cada paso para mirarte, como para asegurarse de que no te escapas.

Haces lo que te dice. Agradeces que alguien haya tomado el mando. Nunca dejas que James lo haga. Debes de estar haciéndote mayor. Vieja. El deseo de ceder la responsabilidad. Dejar que sean los demás quienes actúen, decidan, dirijan. ¿Será eso en lo que consiste envejecer?

De repente, el hombre está de vuelta. Con él, otro hombre, un poco más fornido. Más limpio que el primero, pero con una cara menos abierta.

Finalmente preguntas al más alto, ¿Eres tú mi marido?

¿Perdón?

¿Cuánto tiempo llevamos casados?

El más bajito se ríe. *Si es verdad que esta tía tiene una casa en Sheffield, te ha tocado el gordo.*

Sí, pero ¿y si al final resulta que tiene familia?

Ya la has oído. Murieron.

Sí, pero está como una puta regadera. No sabemos qué es la verdad.

¿James?, dices.

El hombre bajito responde, *¿Sí?*

No, dices. Tú no. James.

El otro hombre duda. *¿Sí?*

James, estoy lista para ir a casa.

De acuerdo, cariño. El hombre mira al bajito y se encoge de hombros. *¿Qué podemos perder?,* pregunta. *Está bien,* te dice, *vámonos. Sheffield y Fullerton, allá vamos.*

Tras lo que parecen ser horas, finalmente llegáis a tu casa, y abrís la puerta del jardín. Los hombres se hacen a un lado, esperando a que tú tomes la iniciativa. Hay un cartel plantado en el jardín. VENDIDA. Todo está oscuro. No hay cortinas en las ventanas.

Te acercas a la puerta y giras el pomo. Cerrado. Llamas al timbre. Vuelves a llamar. Aporreas la puerta. ¡James!, gritas. Un brazo te agarra desde atrás. *Silencio. ¿Quieres despertar a los vecinos?* Lo habías olvidado. ¡Claro! Los vecinos. Estiras la mano por encima de la puerta y palpas el borde del marco. Nada.

¿No tendrá una llave?

Parece que no. El hombre más alto se retira escaleras abajo y prueba con una de las ventanas de la planta baja. No cede. Lo intenta con la otra. Mientras tanto, tú te has retirado al jardín. Levantas piedras. Sabes que la llave de repuesto está aquí. Tú misma la dejaste.

Sientes el frío del suelo en tus pies descalzos. Pisas algo que cruje. Un caracol. Luego otro. Siempre los odiaste. Maleantes. Ladrones. Arrebatan cosas hermosas. A Fiona, sin embargo, le encantaban. Los pintaba de colores brillantes con el abrillantador de uñas de Amanda, y los soltaba. Joyas vivientes entre tus petunias y balsaminas.

Pisas sobre una piedra afilada y sueltas un grito.

¡Silencio!, te chista uno de los hombres.

¿Qué es eso?, dice el otro. Unas ráfagas de un sonido que hace *guap, guap, guap* proveniente del principio de la calle. Un resplandor de luces rojas y azules.

¡Mierda!, dice el bajito, y sale disparado como un rayo, y el otro tras él. Te marchas en la dirección contraria, hacia el callejón. Pasas tres casas, una, dos y tres. Cruzas la puerta y entras en el jardín trasero. Llegas a la piedra blanca grande bajo la tubería de desagüe. La llave está debajo, justo donde debería estar.

Peter siempre le echaba la bronca a Amanda. *¡Llaves por todas partes!*, decía. *Reparte llaves por el barrio. A cualquier mujer y cualquier niño.* Amanda simplemente se encogía de hombros. *Es mejor que quedarse cerrada fuera de casa a bajo cero*, respondía. *Mejor que romperse una pierna o que te dé un ataque y que nadie pueda entrar a ver qué te pasa.*

Entras. La casa está en silencio, esperando. Huele a cerrado, a moho, un cierto recuerdo a gas. Pulsas el interruptor de la luz, pero no sucede nada. Aun así, es la cocina de Amanda. No hay flores, ni fruta, pero sí sus fotos, sus muebles. Ella no está. No sabes cómo, pero lo sabes.

Recorres el recibidor. Conoces esta casa como si fuera tuya. Desde que estabas embarazada de Mark. Amanda fue la primera persona del barrio en presentarse a tu puerta. No traía galletas, ni un guiso, sino una maceta con un cactus. Feo, con una florecita amarilla en forma de estrella en la punta de uno de sus brazos espinosos.

Sé quién eres por tu reputación, aunque tú no me conoces, dijo. *Trataste a un alumno mío que tuvo un desgraciado accidente con un petardo. Le arreglaste tres dedos, y todavía puede usar dos. Todos dicen que eres un genio. Yo admiro a los genios.*

Un genio, no, dijiste. Solo soy buena en lo mío.

Aceptaste el cactus. Y lo tiraste a la basura en cuanto se marchó Amanda. Odias las plantas, y sobre todo los cactus. Hubieras preferido unas pastas. Pero unos días después, cuando viste a Amanda en la calle, te paraste a saludarla.

Lo recuerdas con tanta claridad como si estuvieras allí ahora mismo.

¿Para cuándo lo esperas?, te preguntó.

El 15 de mayo. Solo nueve semanas más, dijiste.

Debes de estar ya preparada. ¿Cómo te sientes? Nerviosa, supongo.

No. Mi marido sí que lo está. Es él quien quiere niños.

Esperaste a ver qué efecto producían tus palabras en esa mujer. Era alta, con un porte imponente. Espalda recta, cabello dorado curvado en un reluciente casco que llegaba justo hasta sus hombros. Supiste que era su color natural. Había unas débiles vetas de blanco —no gris— en sus sienes. Su ropa a medida estaba planchada cuidadosamente. Eras consciente de tus pantalones holgados de algodón, tu camiseta de talla XL hinchada sobre tu tripa redonda, tus zapatillas de deporte desgastadas.

Amanda se rio. *¿Cuántos años tienes, treinta y cinco?*

Treinta y cinco. Ya era el momento.

Sonrió con un poco de sorna. *Nosotros seguimos intentándolo.*

Ni siquiera pretendiste ocultar tu sorpresa.

No me rindo fácilmente. Alargó el brazo y te dio unas palmaditas en el vientre, un gesto que tanta gente se tomaba la libertad de hacer. Descubriste que no te importó. No era atrevido, sino algo distinto: ocultaba un anhelo, y algo de impresión. Esto te hizo hablar con más tacto del que usarías de otro modo.

A veces llega el momento de pasar página, le dijiste.

Todavía no, dijo. *Aún no hemos abandonado.*

¿Y por qué no adoptar?, preguntaste, y luego deseaste poder tragarte tus palabras. Por supuesto que lo habría considerado. Qué simple. Y al final te sonrojaste. Pero ella no pareció preocuparse ni tenerlo en cuenta.

No. Necesito tener más control que eso, dijo.

Es una forma extraña de pensar en ello, comentaste. Te estabas empezando a interesar por esa mujer.

De cualquier modo, lo que quiero es control, dijo Amanda.

Pero si consigues que te den a un recién nacido, ¿no sería eso bastante control?, preguntaste. Tenías auténtica curiosidad por ver qué decía. Cambiaste el pie de apoyo. El bebé se estaba moviendo, estirando los miembros de modo que tu tripa se dilataba en formas extrañas y angulosas.

A fin de cuentas, añadiste, tendrías al niño nada más nacer. En algunos casos te dejan estar en el paritorio, para que seas la primera persona que ve el bebé.

Sigue sin ser suficiente, dijo Amanda.

Suficiente ¿qué?, preguntaste.

Control. Eso valdría para la parte de la educación. Pero ¿qué pasa con la naturaleza? Sería un desconocido.

Pero eres profesora, protestaste. Seguro que has visto cómo niños de una misma familia, educados del mismo modo, alimentados igual y con las mismas experiencias, pueden salir diferentes.

Sí, dijo Amanda. *Pero necesitas saber que tú eres la fuente de lo que salga. De lo contrario, dejas abierta la puerta a otras emociones, a que se cuelen otras actitudes hacia tu hijo.*

Emociones, ¿como cuáles?

Desdén. Desprecio. O simplemente desagrado.

A ver si lo entiendo. Puedes querer a un bebé que muestra, por ejemplo, rasgos o comportamientos poco atractivos si sabes que él o ella proviene de tu constitución genética. Pero si no lo sabes...

... *entonces, ¿quién sabe lo que podrías sentir hacia él?*, Amanda completó tu frase.

Como un cuerpo que rechaza un riñón donado, dijiste lentamente.

Exacto. Y como no lo sabes hasta que no lo trasplantas, ¿para qué correr el riesgo?

Porque la gente necesita riñones. Y tú has dicho que necesitas un niño.

Lo necesito, afirmó. Y el modo en que lo dijo te convenció de su determinación.

Pero no tiene sentido, protestaste. Has pasado por alto la mitad de los cromosomas. ¿Qué pasa con el componente genético del padre? Eso también queda fuera de tu control.

Puedo cargar con los genes de Peter, con cualquier peculiaridad que provenga de ellos, dijo. Aquello te hizo pensar. En aquel momento no te creías capaz de considerar a James como algo con lo que tenías que cargar. Por supuesto, más adelante cambiaste de opinión.

La mujer hizo una pausa antes de decir: *Ahora es mi turno de hacer algunas preguntas. ¿Por qué te resistes a tener hijos? ¿Es por tu carrera?*

No. Supongo que, en el fondo, también se trata de una cuestión de control, dijiste. Me gusta tomar mis propias decisiones. Siempre me ha gustado. Pero con un hijo no tienes opción. Cuando tiene hambre, hay que darle de comer. Cuando se mancha, tienes que limpiarlo y cambiarlo.

Pero, como médica, ¿no estás siempre atendiendo las necesidades de los pacientes? Cuando sucede algo durante una operación, tampoco tienes opción. Tienes que arreglarlo. Cuando surge una emergencia, has de responder.

Eso es distinto, dijiste.

¿Cómo?

Hablaste lentamente, intentando elaborarlo.

Requiere que des lo mejor de ti, dijiste. Algo único. No todo el mundo puede realizar un trasplante de un nervio intercostal en el nervio musculocutáneo para recuperar el funcionamiento del bíceps. O una liberación del túnel carpiano abierto, ya puestos. Incluso otros especialistas la cagan con eso. Sin embargo, un niño puede querer a cualquiera. Los niños aman a la gente más horrible y depravada. Se aferran a cuerpos calientes. Caras familiares. Fuentes de comida. No me interesa que me valoren por unos requisitos tan básicos.

Cambiarás de opinión cuando tengas el bebé. He visto cómo sucede una y otra vez.

Eso dice la gente. Mi impresión es que se lo pasaré a James y dejaré que se ocupe de él.

Me interesas. No mucha gente piensa así, y muchísimo menos lo reconocen.

Normalmente digo lo que pienso.

Sí, ya lo veo. Y sospecho que no tienes mucha paciencia con la gente que no lo hace.

Tienes razón. No mucha.

Entonces, de repente tu memoria salta al parto, que se produjo con tres semanas de adelanto. Hubo algunas complicaciones con los pulmones de Mark. Salió peludo, cubierto de lanugo. Una criaturita roja que respiraba con dificultad. Fue tu paciente antes que tu hijo, lo cual ayudó a la transición.

Naturalmente, le diste el pecho, por los anticuerpos. Cumpliste con tu deber al respecto, a pesar de los inconvenientes y el dolor. No te gustaba que te dejaran seca varias veces al día, y la sola idea te molestaba más de lo que esperabas.

Lo destetaste a los tres meses y volviste a tu vida profesional en cuanto dejaste de perder leche a la mínima provocación. En aquel momento contrataste a Ana. Ella hacía todas las cosas que haría una buena madre. Tú no fuiste una buena madre. Aun así, Mark se enganchó a ti. Y, seis años más tarde, Fiona hizo lo mismo. Para entonces, Amanda había dejado de intentar concebir, e incluso admitía que no tenía sentido.

¿Cuándo fue la última vez que viste a Amanda? No te acuerdas. Aceptas que ya no está. Se van todos, todos y cada uno. James. Peter. Hasta los niños. Una diáspora. Pero en cierto sentido tú sacas fuerza de ello. Con cada pérdida te haces más fuerte, eres más tú misma. Como un rosal al que podan las ramas superfluas para que los brotes sean más grandes y sanos la próxima temporada. Despojada de este exceso, ¿de qué no serías capaz?

Tienes una visión: Amanda, aquí, en el suelo, su corazón violado, sus ojos todavía abiertos. Siempre te pareció que la costumbre de cerrar los ojos de los fallecidos era una tontería. Es por los vivos, claro está, a quienes les gustaría que los muertos se comportasen, que la muerte fuera lo más parecido al sueño. Pero no hay descanso para Amanda. Está tumbada, con los puños cerrados como si estuviera a punto de meterse en una pelea. Sus piernas torcidas. ¿Te lo estás inventando? Porque hay más gente en la habitación, sombras que se mueven. Dicen cosas. *¿Tienes que hacerlo? Sí, tengo. Entonces, rápido.*

Tu mente está llena de otras imágenes fantásticas, algunas en colores chillones, otras en blanco y negro. Es como ver una recopilación de tráilers de películas grabadas por un lunático. Una pila de manos segadas en las blancas arenas de un mar azul turquesa. La casa de tus padres en Filadelfia, envuelta en llamas. *La verdad es que he llegado muy lejos.* Aquí. Así que fue aquí. Puedes ver los restos de las marcas de tiza amarilla mezclados con el polvo. Lo que Amanda nunca habría soportado.

Tus pies sucios y descalzos dejan huellas. Zapatos. Necesitas unos zapatos. Amanda era más alta y gorda que tú, pero calzabais el mismo número. Un cuarenta y dos. Unos zapatones de payaso.

Subes las escaleras hasta su habitación y encuentras un vestido azul serio con un cinturón y un par de zapatos planos negros. Intentas lavarte la cara, pero han cortado el agua, de modo que escupes en una toalla y frotas las partes más sucias. Luego te tumbas en la cama de Amanda.

Pero, antes de dormirte, Peter se pasa. Se queda junto a la ventana, tapando la luz de la luna. *¿Qué has hecho?*, pregunta.

¿Por qué lo has hecho? Ha estado cavando en el jardín. Sus rodillas están negras de tierra húmeda. Tiene en la palma de la mano uno de los caracoles de colores más brillantes de Fiona. «Con el sudor de tu rostro comerás el pan hasta que vuelvas a la tierra, porque de ella fuiste tomado.» Estás sudando. Ya basta, dices. Pero se ha ido, reemplazado por Amanda. Se sienta al borde de la cama. Te agarra de la mano. La suya está entera, intacta. Sientes alivio. Era todo un sueño, entonces. Todo un sueño. Y por fin consigues dormirte.

Te despierta el estallido de un trueno, el sonido del retumbar contra la ventana y en el tejado. Por los cristales se ve todo gris y mojado, pero aun así se está calentito. Ves que ya estás vestida, incluso calzada. Seguramente estarías de guardia localizada.

Estos días de interna, aprendiendo a abandonar de un salto el sueño más profundo, lista para seccionar. No hay transición de la inconsciencia a la hiperconsciencia. Sientes que tienes un hueco en el estómago, pero cuando bajas las escaleras el frigorífico está oscuro y vacío, y desprende un olor avinagrado. En la despensa hay algunos cereales, rancios. Excrementos de rata en las baldas, agujeros de mordiscos en los paquetes de pasta y galletas.

Echas un vistazo al reloj que sigue funcionando sobre el fregadero. Las nueve menos cuarto. La clínica abría a las ocho en punto. Llegas tarde. Te metes unos cereales a la boca, corres a la puerta. No tienes las llaves del coche, tendrás que tomar un taxi. Recorres a paso acelerado la calle hasta Fullerton, por donde pasan taxis día y noche.

Ya estás empapada con la cálida lluvia. Los dos primeros taxis están ocupados, pero luego tienes suerte: el tercero se para. A la clínica New Hope, dices. *¿Dirección?*, te pregunta el hombre, pero no te acuerdas. Teclea el nombre en una maquinita que hay sobre el salpicadero. *Chicago Avenue*, dice. *Vale*.

Es moreno, guapo. Tiene una bandera palestina cubriendo el asiento del conductor. Le suena el móvil, escupe una sarta de

224

fonemas guturales, cuelga. Te sacudes el agua lo mejor que puedes e intentas relajarte. Chicago, la dama gris. No te importa.

A veces quieres que el mundo exterior se ajuste a tu realidad interior, le dijiste una vez a James, intentando explicar por qué te encantan las tormentas. Otra explosión en lo alto y un relámpago a la derecha. *Fascinante*, dice el conductor del taxi, y, mirándote por el espejo retrovisor, sonríe.

El taxi se detiene frente a un edificio pequeño y gris. *Siete con setenta y cinco*, dice el hombre. Buscas tu bolso. Empiezas por el asiento, te palpas los bolsillos, frenética. El hombre parece más interesado que preocupado. *¿Trabaja usted aquí?*, pregunta. *¿O es una paciente?* Eres médica, le explicas, y el hombre asiente como si se lo estuviera esperando. *Igual puede pedir a alguien que le preste el dinero*, sugiere. *La esperaré.*

Corres bajo la lluvia hasta la puerta. La sala de espera está llena de gente, hay muchas más personas que sillas. Jean está en el mostrador, atendiendo a una mujer con un bebé que llora. Al verte, parece sorprendida. *¡Doctora White!*, dice. *¡Qué sorpresa más agradable!* ¿No tengo nada programado?, preguntas. Luego, sin esperar respuesta, dices, No importa. Está claro que hago falta. Estaré lista en diez minutos.

Te diriges a la zona de personal y te sorprende ver tantas caras extrañas. Un hombre de estatura media y piel oscura te detiene. *Lo siento*, dice. *Esta zona es solo para el personal autorizado.* En su placa pone DR. AZIZ. No pasa nada, le dices. Soy la doctora Jennifer White. Por lo visto ha habido algún desbarajuste en los turnos, pero parece que necesitáis una mano.

¿Doctora White?, pregunta el hombre, pero tú ya estás en el grifo, lavándote. Vas al armario, tomas una bata blanca y te la abotonas encima del vestido. ¿Qué tenéis para mí?, preguntas. El otro médico duda, y luego se encoge de hombros. *Consulta tres, un sarpullido. Podría ser herpes, podría ser roble venenoso*, dice. *El historial está en la puerta.*

Llamas a la puerta por educación, y luego entras. La mujer tendrá unos treinta años, afroamericana, complexión fuerte y sana. Pero se agarra el costado izquierdo y tiene un gesto de dolor. Déjeme ver, dices, y se deja hacer de mala gana. Retiras la bata azul del hospital y ves una erupción irritada con bultos rojos y ampollas que han brotado en la piel formando una banda que se extiende por su vientre hacia la espalda.

¿Le duele?, preguntas.

Sí. Empezó como un cosquilleo. Pero ahora duele. Mucho.

Miras. Algunos están llenos de pus, pero otros todavía se encuentran en fases tempranas de formación. Le indicas que se dé la vuelta. No hay nada al otro lado, solo esta amplia franja en el costado derecho del cuerpo, la cadera, muslo y nalga.

¿Qué es?

Herpes zóster. Comúnmente llamado culebrilla, dices. Voy a recetarle un antiviral. Aciclovir. Reducirá la duración del sarpullido y el dolor. Espero que lo hayamos pillado a tiempo. Aplique apósitos fríos sobre la erupción tres veces al día. Y lo más importante: no se rasque o corre el riesgo de que se infecte.

¿Cómo me he pillado esto? Dice que es un herpes. ¿Me lo habrá pegado mi novio?

No, para nada. La culebrilla la causa el mismo virus de la varicela. Ya sabe, lo que se contagian los niños.

Buscas tu talonario de recetas. No lo llevas en el bolsillo. Te excusas y sales al pasillo.

Disculpe.

¿Sí, doctora?

No encuentro mi talonario de recetas. ¿Podría traerme uno? Te das la vuelta y casi te chocas con otra mujer que viste bata blanca. No lleva identificación. Parece agotada. Estudia tu rostro con curiosidad. *¿Es usted la doctora White?*, pregunta.

Asientes, Sí.

La he reconocido por su foto. No sabía que seguía colaborando en la clínica. Pensaba que se había retirado. El doctor Tsien siempre dice lo mucho que la echan de menos en el hospital. Frunce el ceño, abre la boca, pero la vuelve a cerrar.

No entiendes todo esto. Vengo todos los miércoles, dices.

Pero si hoy es jueves.

Te paras a pensar. Debo de haber tenido algún problema esta semana, dices.

Todo el mundo está muy agradecido por su colaboración. Que una médica de su calibre trabaje aquí de voluntaria siempre significó mucho para nosotros. Por no mencionar las otras contribuciones que hace, por supuesto. La mujer todavía tiene un gesto perplejo en el rostro, como si intentara recordar algo.

Te das la vuelta para irte. Te enfrentas a una masa apabullante de puertas. ¿Dónde estabas? Eliges una puerta al azar y entras. Hay un hombre mayor en ropa interior sentado. Parece sorprendido. *¿Pasa algo, doctora?* Usted dirá, le dices. ¿Qué le ha traído aquí?

El hombre parece incómodo. *Como le dije al otro médico, tengo problemas al ir al baño.*

¿Le duele? ¿O tiene ganas pero no consigue evacuar?

Lo segundo. Creo. Intento hacer pis y no sale nada. Duele.

¿Alguna disfunción eréctil?

¿Perdón?

¿Tiene problemas para mantener una erección?

No, claro que no. El hombre no te mira al decir esto.

Mentira, piensas.

¿Hace cuánto que padece esta disuria?

Esta ¿qué?

Estas ganas de orinar pero sin evacuar.

Hace un mes. Va y viene.

¿Sangre en la orina?

Duda, y luego dice simplemente, *No.*

¿Dolor o rigidez en el lomo, las caderas o la parte superior del muslo?

Puede ser.

Yo diría que es prostatitis, dices. Luego, tras ver su reacción, añades: Tranquilo, no es cáncer y no degenera en cáncer.

¿Se cura?, pregunta.

A veces, sí. A veces, no. Pero casi seguro que podemos aliviar los síntomas, le dices. Empezaremos por tomar una muestra de orina para descartar una prostatitis bacteriana.

Llaman a la puerta. Una mujer permanece en el umbral. *¿Doctora White?*, pregunta. *Hay un taxista que dice que le debe dinero. Ha dejado corriendo el taxímetro, así que ahora son sesenta y cinco dólares. ¿Qué hago?*

Yo no he tomado ningún taxi, dices.

Dice que ha traído a una médica, y la ha descrito a usted. Perfectamente. ¿Qué puedo hacer? Dice que no se va.

Estoy ocupada, tengo consultas llenas de pacientes a los que atender, ¿no puede hacerse cargo de esto?

El hombre es bastante insistente.

Muy bien. Te diriges al paciente. Ahora mismo vuelvo.

Sigues a la mujer fuera de la consulta y casi te chocas con un hombre de piel negra que iba a entrar.

¿Doctora?

¿Sí?

¿Por qué motivo estaba usted con mi paciente?

Para examinarlo, por supuesto. Tiene que tomarle una muestra de orina, y unos análisis de sangre.

Sí, ya lo sé. Es solo que me sorprende que le pareciera necesario entrometerse. Yo no pedí una segunda opinión.

Hay un joven de piel oscura con camiseta y vaqueros en el mostrador, rodeado de gente.

Esa es, dice. Se dirige directamente a ti. *Me dijo que iba a pedir el dinero. Ahora la factura es mayor. Y más lo sería si hubiera dejado el taxímetro corriendo. Pero lo he apagado. ¿Puede pagarme? Son sesenta y cinco dólares, por favor.*

No sé de qué está usted hablando, dices.

La recogí en Fullerton con Sheffield. Estaba lloviendo. Se había dejado el bolso en casa. Dijo que iba a pedir prestado el dinero.

El médico de piel oscura está ahora detrás de ti. *¿Hay algún problema?*, pregunta.

Esta mujer me debe sesenta y cinco dólares. No sé por qué miente. Si de verdad es médica, podría permitírselo. Si pierdo esta carrera, mi jefe me la descontará de mi sueldo.

El médico de piel oscura rebusca en sus bolsillos. *Tengo cincuenta dólares. ¿Es suficiente?*

El taxista se lo piensa. Suena un teléfono. El hombre saca su móvil, lo abre y habla en un idioma ininteligible.

De acuerdo. Está bien. Pero estoy muy disgustado. Tienen suerte de que no llame a la Policía.

Me alegro de que se haya arreglado todo, dices, y vuelves al área clínica.

Estás examinando a un niño de cinco años que se queja de dolor en la tripa cuando alguien llama a la puerta. Adelante, dices. Entra una mujer corpulenta con el pelo corto y moreno. Viste una americana. Lleva algo en la mano.

Doctora White.

¿Sí?

Estás anotando las instrucciones para el laboratorio, intentando concentrarte. La madre del niño te hace preguntas en un idioma que no entiendes, el niño lloriquea y tu estómago protesta de hambre.

Por favor, llame a la enfermera. Necesito un traductor.

Doctora White, tiene que acompañarme, por favor.

No he terminado.

Miras el reloj.

Tengo que permanecer aquí hasta las cuatro. Luego podré estar con usted.

Doctora White, soy la detective Luton de la Policía de Chicago.

¿Sí? No levantas la vista.

Ya nos conocemos.

Pues no lo recuerdo, dices. Terminas de escribir, entregas la hoja a la madre y abres la puerta para despedirla a ella y a su hijo. Luego te giras para enfrentarte directamente a la mujer. No, dices, no nos hemos visto nunca.

Comprendo que crea eso. Pero la verdad es que tenemos lo que se podría llamar una relación. Al menos, así lo considero yo. Sus ojos marrones son tan oscuros que las pupilas apenas se distinguen de los iris. Parece que está nerviosa, aunque habla con voz mesurada.

¿De qué va todo esto?

Varias cosas. La más inmediata es que está ejerciendo usted la medicina sin licencia, ya que la suya caducó. Luego hay otros asuntos pendientes.

¿Como cuáles? Te apoyas en la camilla de examinado, cruzas los brazos y los tobillos. Una postura que forzosamente intimida a tus residentes. Esta mujer no parece desconcertada lo más mínimo.

Está el hecho de que ayer por la tarde se ausentó de su residencia sin permiso. Sus hijos están histéricos. La Policía lleva más de treinta horas buscándola. Es curioso, no se nos ocurrió buscar aquí.

¿Por qué la Policía?, preguntas. Soy una adulta. Adónde voy o qué hago es cosa mía.

Me temo que no, dice la mujer.

Eso es ridículo. Acabo de ver a Amanda esta mañana, dices. Hemos desayunado juntas. En el restaurante Ann Sather, en Belmont. Todos los viernes, es nuestra rutina.

Amanda O'Toole lleva muerta más de siete meses, doctora White.

Imposible. Estaba sentada conmigo comiéndose unas crepes esta mañana, dices. Se quejó del café a la camarera, como de costumbre. Luego dejó una propina muy generosa. Un típico desayuno en un típico día de finales de una típica semana.

Tiene que acompañarme, doctora White.

Detrás de la mujer, se están reuniendo caras en el pasillo. Rostros de curiosidad y no especialmente amistosos. Sueltas el nudo de tus brazos, te pones recta. Está bien. Pero está interfiriendo en un trabajo importante. Hoy no se podrá atender a muchas de las personas que ha visto en la recepción por su culpa.

La mujer no responde a esto, se limita a señalar hacia la puerta. Dudas antes de salir de la consulta delante de ella. Sientes su mano en tu hombro, guiándote. La gente se aparta cuando sales de la clínica caminando en silencio.

Estás sentada en el asiento del copiloto de un pequeño coche marrón con una desgastada tapicería de cuadros color verde y crema. El cinturón está atascado, así que solo lo sujetas sobre tu regazo. La mujer te mira y sonríe. *Espero que no nos paren*, dice. *Eso sí que sería gracioso.* Mete la marcha atrás, retrocede, golpea el vehículo aparcado detrás, y luego mete primera y se aparta lentamente del bordillo.

Su hija estaba muy preocupada, dice al incorporarse al tráfico. Se acerca el final de la tarde, ha comenzado la hora punta, y Chicago Avenue está colapsada en ambos sentidos.

¿Fiona?, preguntas. ¿Por qué? Sabe dónde puede encontrarme. Vengo aquí todas las semanas.

No importa, dice la mujer. Tamborilea con los dedos sobre el volante. Está en el carril derecho, tras una minivan Honda roja. De repente, pone el intermitente, gira bruscamente y se mete en el carril izquierdo. Suenan pitidos.

¿Vamos al hospital?, preguntas. ¿He recibido un aviso?

La mujer menea la cabeza. *No*, dice. Agarra un pequeño teléfono que hay junto a la palanca de cambios. Pulsa un botón y se lleva el auricular a la oreja, espera y habla en voz alta al aparato. *¿Hola? ¿Fiona? Soy la detective Luton. He encontrado a su madre. En la clínica New Hope. Estaba atendiendo a pacientes. Necesito que se pase por la comisaría. Llámeme en cuanto reciba este mensaje.*

Y cuelga.

Fiona está en California, dices.

Ya no, replica la mujer. *Ahora está en Hyde Park.*

Por aquí no se va a casa, dices.

La mujer suspira. *No vamos a su casa. Solo a la comisaría. Ya ha estado antes allí.*

Las palabras no tienen sentido. Esta mujer es tu hermana, tu hermana tanto tiempo perdida. O tu madre. Un ser cambiante. Todo es posible.

La mujer sigue hablando. *Ya no puede volver a su anterior residencia.* Te lanza una mirada rápida y de refilón. *Ha desmejorado usted bastante desde la última vez que la vi.*

Hay tanta compasión en su voz que te devuelve de golpe a un mundo más sólido. Miras a tu alrededor. Estás en la autopista Kennedy, en dirección sur. Esta mujer conduce demasiado rápido, pero con maestría, y toma una larga salida que gira hacia la izquierda y se endereza antes de pasar directamente bajo un gran edificio de piedra que se extiende junto a la carretera. A la izquierda, a la derecha, luego una vista breve del lago antes de dar un giro brusco a la derecha, bajar a un garaje subterráneo y detenerse en una plaza de aparcamiento con un chillido de los frenos. De repente, un silencio absoluto. Olor a humedad.

Las dos permanecéis sentadas durante un momento en la tenue luz, sin hablar. Te gusta estar aquí. Te da seguridad. Te gusta esta mujer. ¿A quién te recuerda? Alguien de quien puedes depender. Finalmente, habla. *Esto es bastante irregular*, dice. *Pero nunca he sido de las que siguen las reglas. Usted tampoco, por lo que cuentan.*

Me conduce hasta el ascensor, pulsa el botón de SUBIR. *Había algo extraño en esto desde el principio*, dice. *Nada encajaba.*

Cuando llega el ascensor, te conduce a su interior y aprieta el número 2. Las puertas están abolladas y agujereadas, y huele a humo viciado. El compartimento entero tiembla y se sacude antes de comenzar lentamente la ascensión.

Cuando se abre, parpadeas ante la repentina luz brillante. Estás en un recibidor grande de color crema rebosante de actividad. Hay tuberías por el techo que bajan hasta el suelo. Carteles y folletos pegados a las paredes, ignorados por la gente que recorre el pasillo en ambas direcciones. La mujer con la que estás comienza a caminar, haciendo tintinear un llavero, y avanzáis durante un tiempo, chocando con hombres y mujeres, algunos con uniforme, otros vestidos como para ir a la oficina, muchos de un modo informal, incluso con aspecto descuidado. Te preguntas qué impresión producirás con tu bata blanca de médica, pero nadie te mira. Finalmente la mujer se detiene ante una puerta con el número 218, mete una llave en la cerradura, la abre y te hace un gesto para que entres.

Paredes frías y grises. Sin ventanas. Una mesa de acero gris, sin nada encima excepto un cilindro en el que hay unos cuantos lapiceros afilados y algunas fotografías. Los temas van desde descoloridos daguerrotipos en blanco y negro de hombres de aspecto sombrío y mujeres con ropas de hace un siglo a hombres y mujeres contemporáneos, muchos con niños y muchos de uniforme. No hay fotos de la mujer, excepto una justo en medio de la colección, de ella y otra mujer, delgada, con el pelo largo rubio ceniza, juntas, rozándose los hombros.

Siéntese, dice la mujer. Saca una silla de madera. Luego abre un armario esquinero, saca dos botellas de agua, te ofrece una. *Tenga, beba esto.*

Te la bebes de un trago. No eras consciente de la sed que tenías. La mujer se fija en que la botella está vacía, te la quita de la mano y te ofrece la otra. Estás agradecida. Te duelen las piernas y los pies, así que te quitas los zapatos y mueves los dedos de los pies. Un largo día de operaciones, de mantenerte despierta, de no dejar que flaquee tu concentración.

La mujer se sienta al otro lado de la mesa. *¿Recuerda algo de lo sucedido durante las últimas treinta y seis horas?*

He estado trabajando. Primero una operación, luego de guardia. Una semana muy ocupada. He pasado catorce horas al día de pie.

Doblas las rodillas y levantas los pies como para mostrar la evidencia. Ella no los mira. Está concentrada en lo que dice.

Creo que ha estado en la clínica New Hope desde esta mañana. Pero antes de eso, ha vivido toda una aventura.

Eso no tiene mucho sentido, dices. Pero entonces te das cuenta de que nada tiene mucho sentido. ¿Por qué estás sentada aquí con una extraña, vestida con ropa que no es tuya?

Te miras los pies y te fijas en que ni siquiera los zapatos son tuyos. Son demasiado anchos y del color equivocado: rojo. Tú solo llevas zapatillas de deporte y zapatos planos negros. Aun así, vuelves a calzártelos, te levantas a duras penas, luchando contra el confort de la madera firme que sostiene tus muslos y nalgas.

Es hora de irse. Ay ho, ay ho, a casa a descansar. Tienes una visión de un tren pasando a toda velocidad ante una parcelita de tierra árida, un tendedero extendido entre dos postes de madera, del que cuelgan los pantalones de un hombre, la ropa de andar por casa de una mujer y unos vestiditos de volantes que pertenecen a una jovencita.

Un hombre alto y moreno, con un rostro dulce y melancólico, arrodillado a tu lado mientras cavas un agujero en la tierra. Se lleva la mano al bolsillo, saca un puñado de monedas, abre la mano y las deja caer en el hoyo. Luego te ayuda a echar tierra encima y a palmearlo para no dejar huellas.

¡Tesoro enterrado!, dice, y se forman unas arrugas alrededor de sus ojos al sonreír. *Pero ¿sabes lo que necesitas?*, te pregunta. *Un mapa. Para acordarte, y así poder recuperar el tesoro cuando lo necesites.* No me olvidaré, dices, nunca me olvido de nada. Esta vez el hombre se ríe en voz alta. *Volveremos dentro de un año a ver si puedes encontrarlo*, dice. Pero nunca lo encontraste.

Es la hora, dices, y comienzas a incorporarte.

La mujer se inclina hacia delante, posa una mano en tu brazo y con tacto pero firmemente te devuelve a tu posición de sentada. *Se le ha ido la cabeza a otra parte por un minuto*, dice.

Estaba recordando a mi padre, dices.

¿Recuerdos bonitos?

Siempre.

Eso es algo de agradecer. Se sienta un momento, sin moverse, y luego menea la cabeza.

Anoche hubo un incidente en su antigua vivienda. Un vecino denunció un intento de allanamiento. ¿Era usted?

Levantas las manos, te encoges de hombros.

Si era usted, no estaba sola; el vecino vio a dos o más personas en su antigua casa. Para cuando enviamos un coche, todos se habían marchado.

Hay un estallido de música. Una especie de chachachá. La mujer se levanta y alcanza un pequeño objeto metálico de la mesa, se lo lleva a la oreja, escucha, pronuncia unas palabras. Te mira, y dice algo más. Luego deja el aparato.

Era Fiona, dice. *Viene de camino.*

¿Quién es Fiona?, preguntas. Las visiones van y vienen. Hubieras preferido que vinieran y se quedaran, que perduraran. Te gustan estas apariciones. El mundo sería un lugar baldío sin ellas. Pero la mujer no te está escuchando. De repente, se inclina hacia ti. Concentra toda su atención en ti. Con su mirada fija, consigue que se desvanezcan los últimos restos de tu visión.

Ha llegado la hora de la verdad, dice. ¿Por qué lo hizo?

¿Por qué hice, el qué?, preguntas.

Cortarle los dedos. Si pudiera entender eso, podría ordenar el resto. Si mató usted a Amanda, supongo que sería por algo. Pero no creo que sea usted capaz de matar y luego mutilar gratuitamente.

Mutilar. Qué palabra más fea, dices.

Toda esta historia es fea.

Algunas cosas son necesarias.

Dígame por qué. ¿Por qué era necesario? Dígamelo. Hágalo por mí. Una vez que la entregue, una vez que la envíen a una residencia estatal, se habrá acabado todo. Caso cerrado. Pero no lo está. Para mí, nunca estará cerrado a menos que descubra por qué.

Ella no tenía intención de llegar tan lejos.

¿Qué? ¿Qué es lo que no quería?

Es algo que venía de largo.

A veces las cosas se acumulan. Lo entiendo. De verdad.

Llaman a la puerta. La mujer se levanta, deja entrar a una joven con pelo corto.

¡Mamá! Se acerca corriendo y te abraza, sin soltarte. *Gracias a Dios que estás bien. Nos tenías tan preocupados a todos… La detective Luton es una bendición del cielo.*

Hemos estado repasando algunas cosas, dice la mujer mayor.

El rostro de la joven se tensa. *¿Sí? ¿Se acuerda de algo? ¿Qué le ha contado?*

Todavía nada. Pero siento que estamos cerca. Muy cerca.

Eso es genial, dice la joven, taciturna. Todavía no suelta tu mano. Si acaso, la aprieta aún más fuerte. *Mamá, shhh. No tienes que decir nada. Ya no importa. No pueden hacerte nada peor. No pueden llevarte a juicio porque te declararán incapacitada mentalmente. ¿Me entiendes?*

Un asunto turbio.

La mujer mayor interviene. *Sí, fue un asunto turbio. ¿Cómo se deshizo de las ropas ensangrentadas?*

Mamá, no tienes que decir nada.

Se las llevaron.

¿Quién se las llevó?

Te encoges de hombros. Señalas con el dedo.

Mamá… La joven se lleva las manos a la cara, se deja caer pesadamente en una silla.

Jennifer, ¿qué tiene que decir?

Ella. Esta de aquí. Se llevó la ropa ensangrentada, los guantes. Lo limpió todo.

Detective Luton, Megan, no sé por qué mi madre está diciendo esto.

Pero ya es demasiado tarde. La mujer mayor ha levantado la cabeza, y en su rostro se despierta el pensamiento.

Tres mujeres en una habitación. Una, la joven, muy alterada. Se ha quitado las manos de la cara y las estrecha con fuerza sobre el regazo. Las contorsiona. Retuerce las manos. Un movimiento escabroso, este agarrar y doblar las articulaciones metacarpofalángicas, como intentando extraer los ligamentos y tendones de debajo de la piel.

Otra mujer, más mayor, está concentrada pensando. Mira a la joven, pero no la ve. Está viendo imágenes que se desarrollan en su mente, imágenes que le cuentan una especie de historia.

Y la tercera mujer, la más mayor de todas, está soñando. No está presente del todo. Aunque sabe que lleva ropa, que está sentada en una silla dura, que hay materia apretada contra su piel, no puede sentir nada. Su cuerpo es ingrávido. El ambiente es espeso. Resulta difícil respirar. Y el tiempo se ha ralentizado. Se podría vivir una vida entera entre latido y latido. Se está ahogando en el aire. Pronto, empezarán a aparecer escenas ante sus ojos.

La mujer, la que no es ni mayor ni joven, abre su boca. Las palabras salen, permanecen suspendidas en la atmósfera coagulada.

Por fin algo encaja, dice. Un latido de silencio. Luego, otro. *Encaja a la perfección,* dice. Se levanta. Está ideando algo. *Aunque su madre fuera capaz de matar, es poco probable que hubiera sido capaz de cubrir tan a fondo sus huellas. No sin ayuda.*

Las manos de la mujer más joven permanecen ahora quietas, pero se aferran la una a la otra con tanta fuerza que toda la sangre de los nudillos ha desaparecido. Cierra los ojos. No habla.

El tono de la voz de la mujer de mediana edad se está elevando. Se está avivando mientras la joven y la anciana se apagan. *Es una de las cosas que ha salvado durante tanto tiempo a su madre de ser acusada. Era evidente que no disponía de la capacidad para cometer ese tipo de acto. Pero si hubiera contado con ayuda... la suya...*

Cuando finalmente habla la mujer joven, su voz es tan débil que apenas puedes oírla. *¿Qué va a hacer?*, pregunta.

No lo sé, dice la mujer de mediana edad. *Primero tengo que entender.*

¿Entender? ¿Qué hay que entender? La mujer joven habla ahora más rápido, agitada. Su tono de voz es más alto, suplicante. Se tira de las puntas de su pelo trasquilado. Casi sollozando. No la encuentras atractiva. ¿A qué te recuerda? Para. Para ahora mismo. *Fue ella quien lo hizo*, dice la mujer joven. *Yo lo descubrí. Y la ayudé a ocultarlo.*

No tan rápido, dice la mujer de mediana edad. *Necesito comprenderlo.* Toma algo de la mesa, pasa sus dedos sobre ello, y vuelve a posarlo antes de continuar. *¿Dio alguna muestra de estar enfadada con Amanda? ¿De estar pensando en hacer algo así?*

Pues claro que no. Casi interrumpe la mujer joven, de las ganas que tiene de contestar. Se lleva las manos al regazo, una sobre la otra, como una pila de fajos de astillas. Deseando que no se muevan.

Entonces, ¿cómo supo usted que tenía que ir allí? La mujer de mediana edad está alzando la voz. Parece incluso que va perdiendo el control a medida que la mujer joven lo recupera. Están totalmente concentradas la una en la otra. Una conteniendo las emociones, la otra intensificándolas.

Fui a casa de mi madre a ver qué tal estaba. Llevaba un tiempo preocupada por ella. Esa noche no podía dormir. Pensé en pasar la noche allí, en dar un descanso a Magdalena.

¿Por qué no nos contó esto antes?

Porque una cosa conduciría a la otra y me harían demasiadas preguntas.

¿Y entonces...?

Me detuve en la plaza de aparcamiento junto al garaje. Tras la casa. Y vi a mi madre saliendo por el callejón. Estaba salpicada de sangre. Lo único que pude sacarle fue una palabra: «Amanda». De modo que la llevé allí. Y la encontré.

¿Su madre le dijo por qué?

Dijo que le había hecho chantaje.

¿Chantaje?

Sí.

¿Sobre qué?

Sobre mí. Sobre las circunstancias de mi nacimiento. Que mi madre no sabía quién era mi padre. Que no estaba segura. Amanda iba a contarlo.

Contarlo, ¿a quién? Su padre ya está muerto. ¿A quién más le importaría?

A mí. ¡Qué irónico! Mi madre mató para protegerme. O porque tenía cierta impresión de que yo no sería capaz de soportar la verdad. O quizá fue Amanda quien llevó las cosas un poco demasiado lejos.

Entonces, usted lo limpió todo, dice la mujer mayor.

Entonces lo limpié todo, repite la joven. Ahora está incluso más tranquila. Casi aliviada.

¿Qué hizo con los dedos?

Los envolví y los lancé al río Chicago, desde el puente de Kinzie Street.

Veo que se encargó de ellos. ¿Y qué pasó con el bisturí?

¿Se refiere a las cuchillas del bisturí? Las tiré junto con los dedos. Intenté deshacerme del mango, también. Pero mi madre no me dejó. Se lo llevó a casa, junto con las cuchillas sin usar. Ya sabe lo que pasó después con ellas.

La mujer mayor ha estado dando vueltas por la habitación. Adelante y atrás, entre la pared y la mesa. Sí, dice. Ya sabemos lo que pasó. Ahora te mira de nuevo a ti. Las dos te están mirando. Vuelves a ser visible. No estás convencida de que eso te guste. Te sentías más segura flotando en éter.

Pero los dedos, dice la mujer mayor, de repente. *¿Qué pasó con los dedos?*

La mujer joven se encoge de hombros. Se gira dándote la espalda, como si no pudiera soportar lo que ve. Responde a la mujer mayor sin mirarla, tampoco.

No lo sé, dice. *No tengo ni la más mínima pista sobre eso. Así era como estaba Amanda cuando la encontré.*

La mujer mayor guarda silencio por un instante. Luego se acerca, se sienta a tu lado y aferra tu mano.

¿Ha sido capaz de seguir nuestra conversación, doctora White?

Hay imágenes en mi cabeza, dices. No son visiones amables. Son de las otras.

¿Fue así como sucedió?

Un retablo aterrador.

Sí, ciertamente. ¿Puede contarnos ahora por qué desmembró su mano?

Ella tenía algo que yo necesitaba. Y no quería dármelo.

La mujer de repente está alerta, estira la mano y te agarra del brazo. *¿Qué ha dicho?*, pregunta con una voz suave que no deja traslucir la fuerza con la que te está apretando. *¿Qué tenía?*

La medalla.

¿La medalla? La mujer mayor no se esperaba esto. *¿La medalla de san Cristóbal?*

La mujer joven se levanta de su silla, con un gesto tenso en el rostro.

Mamá.

La apartas con la mano.

Amanda tenía la medalla. No quería dármela, dices.

Pero no lo entiendo. ¿Por qué iba a tener ella su medalla?

Mamá...

Hay voces al otro lado de la puerta, en el cristal tintado de la mitad superior aparece una sombra. Llaman con fuerza —ra-ta-ta-ta—. La mujer se levanta de la silla y llega a la puerta justo cuando se abre. La detiene con el pie, sin dejar entrar a quienquiera que fuese. Intercambia unas palabras en voz baja, y luego cierra y echa el pestillo antes de volver a sentarse.

Estaba contándonos, dice. *Lo de la medalla.*

No sabes de qué te está hablando. La medalla, repites.

Sí, la medalla. La mujer suena frustrada. *Estaba usted a punto de contarme lo de la medalla. Amanda y la medalla. ¿Qué tiene eso que ver con los dedos?* Se levanta de nuevo, rodea la mesa y estira los brazos como si fuera a agarrarte por los hombros. A sacártelo a sacudidas. Pero ¿el qué? No le sirves de nada. Meneas la cabeza.

La mujer joven abre la boca para hablar, titubea, y luego interviene.

Amanda tenía la medalla aferrada en la mano. Debió de arrancarla del cuello de mi madre durante la pelea. Luego le sobrevino el rígor mortis.

La mujer mayor se aparta de ti, se enfrenta a la mujer joven. Su cara es un poema.

Así que le cortó la mano para abrírsela y recuperarla.

Fiona, dices.

Sí, mamá, estoy aquí.

Fiona, mi pequeña.

La voz de la mujer mayor es fría. *Qué buena actriz.* Hace una pausa y se dirige a la mujer joven. *Podríamos acusarla por complicidad, ¿sabe?*

La mujer joven ahora está temblando. Es su turno de levantarse y recorrer la pequeña sala.

Siga contándome lo de los dedos, por favor. Se lo ruego, Jennifer. Intente recordar.

Pero permaneces en silencio. Has dicho tu parte, no queda nada más. Estás sentada en una habitación extraña, con dos mujeres desconocidas. Te duelen los pies. Tienes el estómago vacío. Quieres irte a casa.

Es hora de que me vaya, dices. Mi padre estará preocupado.

La mujer joven empieza a hablar de nuevo. *No pude sacar la medalla de la mano de Amanda. La tenía apretada con fuerza. El rígor mortis ya había empezado. Me entró pánico. Estaba segura de que iba a aparecer alguien. Entonces mi madre se puso manos a la obra.*

Cortó los dedos.

Sí.

Mi madre volvió a casa, trajo su bisturí y las cuchillas. Se lavó las manos como si estuviera siguiendo los protocolos de quirófano. Encontró un mantel de plástico y un par de guantes de goma en la cocina. Colocó el mantel bajo la mano de Amanda. Luego insertó la primera cuchilla en el escalpelo y seccionó los dedos, uno a uno, cambiando de cuchilla cada vez que terminaba una amputación. Tuvo que cortar los cuatro dedos antes de poder soltar la medalla.

Y luego, ¿qué hicieron?

La llevé a casa, la bañé y la acosté. Volví y lo limpié todo. Fue sencillo, solo tuve que envolver todo en el mantel, y luego conduje hasta el puente de Kinzie Street. Después regresé a mi casa en Hyde Park y esperé a que se presentara la Policía. Pensaba que sería imposible que no lo descubrieran.

La mujer de mediana edad no se mueve por un instante.

¿Jennifer?

Esperas que te pregunte algo más. Pero parece que se ha quedado sin palabras.

Algunas cosas se quedan grabadas, dices.

Sí. Algunas cosas se quedan grabadas. Parece abatida. Derrotada.

Por mí, no importa, dices. Pero Fiona...

La mujer aparta su mano de ti para mirar a Fiona, que sigue dando vueltas. Diez, veinte, luego treinta segundos. Un doloroso medio minuto. Después toma su decisión.

No. No hace falta mencionar nada de esto. A nadie. Lo peor ya ha sucedido. No supone ninguna diferencia para Amanda. Y no cambiará en nada lo que le va a pasar a su madre.

Mamá. La mujer joven está llorando abiertamente. Se acerca y se arrodilla junto a tu silla, pone la cabeza en tu regazo.

Gracias, le dice a la mujer de mediana edad.

No lo hago por usted. No le tengo ninguna simpatía.

Nadie mira a nadie. Estiras la mano y tocas el brillante pelo teñido. Sumerges tus dedos en el cabello. Para tu sorpresa, sientes algo. Suavidad. Qué placer tan sedoso. Te deleitas en él. Has recuperado tu sentido del tacto. Acaricias la cabeza, sientes su calor. Es bueno. A veces, las cosas pequeñas bastan.

CUATRO

Ella no tiene hambre. Entonces, ¿por qué siguen poniéndole comida delante? Carne dura, compota de manzana. Un vasito de zumo de manzana, como si fuera un bebé. Ella odia el olor dulce y empalagoso, pero tiene sed, así que bebe. Quiere lavarse los dientes al terminar, pero ellos dicen, *Ahora no, lo haremos más tarde.* Después, mucho más tarde, el cepillado fuerte y chapucero, el roce de las cerdas en la lengua, el vaso de agua que llevan a sus labios para luego quitárselo demasiado rápido. *Enjuaga. Escupe.*

El pañal gigantesco. La vergüenza. Llevadme al baño.

No, no puedo, hoy no tenemos personal suficiente, están todos en turnos de dieciséis horas. Alguien te lo cambiará después. Janice. Le diré que venga cuando se le acabe el descanso.

Jennifer, no estás comiendo. Jennifer, tienes que comer.

Comparte su habitación con otras cinco personas. Cuatro mujeres y un hombre. El hombre se chupa los dedos del pie como un bebé. Las enfermeras se refieren a ellos en conjunto como el Quinteto de la Muerte.

No hay contemplaciones. No hay miramientos. No hay salvación.

Una vez al día se les saca de su habitación, se les permite dar vueltas por un patio de cemento. Hace fresco, debe de estar cambiando de estación. Es mejor que el calor asfixiante. Ella se cuida de mantenerse apartada de los demás, sobre todo del contorsionista, que tiene tendencia a chocarse con fuerza con la gente y luego incitarlos a protestar.

Ella recorre el patio de una punta a otra, con la cabeza agachada, sin ver, sin hablar. Así es más seguro. A veces su madre camina junto a ella, a veces es Imogene, su mejor amiga desde primaria, charlando sobre columpios y helados. Pero, por lo general, camina sola. Tiene visiones. Ángeles con el cabello de color fuego cantando ese himno interminable de alabanza.

Ya está haciéndolo otra vez. Una voz cerca.

¡Para! ¡Paradla! Otra voz, una voz de fumador acompañada de una tos.

Los ángeles siguen cantando. *Gloria in excelsis Deo.* Envían un salvador. Un hombre muy joven, pero capaz. Traerá tres regalos: el primero no debe aceptarlo. El segundo debe dárselo a la primera persona que hable con ella con amabilidad. El tercer regalo es para ella sola. *Palabra de Dios.*

Su madre, cuya belleza era conocida en cinco reinos, tuvo tres pretendientes pertenecientes a la realeza. En Viernes Santo, uno le trajo un conejo, símbolo de fertilidad y renovación. Para no ser menos, la víspera de Todos los Santos, el segundo pretendiente le entregó un gato negro, emblema de los aquelarres. En Nochebuena encontraron un asno atado a un árbol en el patio de su casa. ¡Un asno en Germantown! Que te sirva de lección, dijeron sus padres. Pero ella no aceptó a ninguno de los pretendientes porque estaba esperando. Y entonces llegó Él.

Las manos caen sobre ella, con dureza. *Está bien, Jennifer, o dejas ahora mismo de hacer ese ruido o tendremos que volver a meterte en aislamiento. Sí. ¿Por qué aúllas esta vez? ¿Puedes usar palabras? Hoy no, ¿eh? Vale, entonces guarda silencio. Eso es. Chist.*

Pero cuando todo termina, cuando se acerca el fin, ¿qué queda? ¿Con qué se queda uno? Sensación física. El placer que proporciona aliviar el vientre en condiciones higiénicas. Apoyar la cabeza en una almohada mullida. Cuando te sueltan las correas tras una larga y dura noche de tirones y forcejeos. Despertarse de pesadillas y descubrir que eran, en comparación, los sueños más dulces. Ahora que todo se termina, ahora que se acerca el fin, ella puede pensar. Puede permitirse el perderse por lugares a los que antes no iría.

Son las visiones las que hacen posible la espera. ¡Y qué visiones! A todo color, con todos los sentidos activados. Campos de flores radiantes y perfumadas, quirófanos relucientes y esterilizados listos para seccionar, rostros queridos que puede alcanzar y acariciar, y manos suaves que devuelven las caricias. Música celestial.

Jennifer, ha venido tu visita. Es hora de levantarse. Vamos a limpiarte. Ya conoces las reglas. Estate tranquila, no grites, no te quites la ropa, no agarres ni pegues. Eso es. Ya estamos. Ahora te voy a dejar aquí. Y mira, aquí está tu visita. Tienes una hora. Luego vengo.

Ella no conoce a esta persona. ¿Es hombre o mujer? Ya no es capaz de distinguir. Sea lo que sea, están hablando.

¿Mamá?

Ella no responde. Piensa que ha pasado algo, algo importante, pero no recuerda el qué.

¿Mamá? ¿Sabes quién soy?

No, la verdad es que no, dice. Pero tu voz es reconfortante. Creo que, en cierto sentido, eres una persona querida para mí.

Te lo agradezco. La persona toma su mano, con fuerza. Resulta tranquilizador. Es algo tangible en un mundo de sombras.

Ella todavía no tiene claro quién es esta persona joven, pero no puede quedarse aquí demasiado. Hay un conejo y un gato a los que dar de comer, y un asno al que montar.

¿Qué tal estás hoy? Lo siento, he llegado tarde. Mi trabajo últimamente es desquiciante.

Sí. Ella sabe lo desquiciante que puede llegar a ser el trabajo. Un paciente tras otro, huesos asomando fuera de la piel. Qué frágil es el cuerpo humano, con qué facilidad se puede penetrar y romper, y qué difícil resulta recomponerlo. Pero no hay que ser tan negligente en el trabajo. ¿Quién ha hecho esta chapuza? Ella no da crédito. No puede creer lo que ven sus ojos. ¿Quién podría hacer un trabajo tan descuidado?

No has limpiado el quirófano, dice.

Soy Fiona, mamá. Tu hija. He venido a saludarte. Mark quiere venir, pero también ha estado muy ocupado en su trabajo. Ahora tiene un caso gordo entre manos, ¿no es emocionante? Por fin confían en él y le dan algo importante. Me ha prometido que vendrá pronto.

Mark está muerto.

No, mamá. Mark, tu hijo. Está muy vivo. Le va bien. Mucho mejor. Estarías orgullosa de él.

Ella no puede olvidar el quirófano. Está en su cabeza. Es su visión de hoy. Una imagen que quema.

No te preparaste adecuadamente para tu operación, dice. Fue un despropósito de principio a fin. ¿Dónde hiciste tu formación?

Mi carrera y el máster en Stanford, mamá. Lo sabes. Y luego volví aquí para hacer el doctorado en Chicago.

Chapucero. Chapucero e impreciso. ¿Es que no te he enseñado nada? Las operaciones de la base del cráneo son delicadas. Incluso en las mejores circunstancias, hay que tener cuidado. Pero esto es antihigiénico, incluso me atrevería a decir que es una brutalidad.

Mamá.

Eso explica toda la sangre, por supuesto.

Mamá, por favor, baja la voz.

Entonces, alzando la voz, la persona hombre-mujer se dirige a la mujer que lleva un traje azul y que permanece sentada en una esquina de la habitación. *¿Podría dejarnos algo de intimidad? Tenemos que hablar de unas cosas y resulta difícil con una tercera persona en la sala.*

Va contra las reglas.

Lo sé, pero ¿solo por esta vez? Tenga. Cincuenta dólares. Vaya a fumarse un cigarro o a tomarse un café. Nadie se enterará. No va a pasar nada. Puede cerrarnos, no importa. Solo déjenos algo de intimidad.

De acuerdo, pero estaré esperando fuera.

La mujer sale de la habitación. Hay un tintineo, y luego un clic cuando la puerta se cierra desde fuera.

Mamá, estamos solas. Ahora podemos hablar.

Ella no tiene claro qué quiere esta persona. ¿Mujer? ¿Hombre? En este momento, la agarra con ambas manos por los brazos, la aprieta demasiado fuerte. Duele.

Mamá, ¿te acuerdas? ¿Te acuerdas? ¿Qué recuerdas?

Un trabajo chapucero. Crueldad. Jamás hay que ser cruel, por muy tentador que resulte. Y, para mucho, es una tentación.

¿Qué recuerdas?

Hay mucha patología entre los cirujanos. Si los pacientes lo supieran, tendrían incluso más miedo a ponerse bajo el bisturí del que ya tienen.

¿Te acuerdas de esa noche?

Sé algunas cosas.

¿Qué sabes?

Tengo esas visiones.

¿Sí? La persona se está poniendo tensa. Sus ojos verdes están fijos en los suyos.

Puede ser difícil, dice ella. Está esforzándose, intentando atravesar el ruido, tratando de ver más allá de la sangre. El trabajo torpe. El paciente inmóvil.

Pero ¿estás teniendo ahora una visión? ¿Mamá? ¿La tienes?

Quia peccavimus tibi.

¿Qué es eso? ¿Italiano?

Misere nostri.

Mamá.

Mi querida niña. Pues claro que tenía que ayudarla.

La persona está llorando. *Mamá, por favor. La mujer volverá pronto. Tienes que tener cuidado con lo que dices.*

Mi querida niña. Y aun así yo no la quería. La miré y dije, No, lleváosla. Llevadme de vuelta a mi trabajo, rápido. Devolvedme mi cuerpo, liberadme de este parásito. Y al final resultó ser la cosa más importante. La cosa por la que haría lo que fuese.

Para, mamá, me rompes el corazón. La criatura está ahora recorriendo la habitación arriba y abajo, golpeándose los costados con los brazos, aparentemente dispuesta a hacerse daño. *Lo habría confesado todo si tú lo hubieras recordado. Nunca te habría hecho esto. Todos los días pienso en entregarme. Cada hora. Nunca volveré a tener paz.*

Se detiene por un momento, toma aire, y luego sigue.

¿Recuerdas por qué? Quiero que sepas por qué. Te lo dije aquella noche, pero nunca volvimos a hablar de ello. No me atrevía a pedírtelo. No quería volver a traer algo que igual ya habías sacado de tu

249

memoria. ¿Quieres que te lo cuente otra vez? Fue por nosotros, por la familia. Amanda lo sabía. Se enfrentó a mí. Lo habría contado.

Sí, yo ya suponía que ella lo sabía. Que se lo habría imaginado. Es muy lista, mi chica.

Mamá, al principio simplemente fue que no podía conseguir que las cuentas cuadraran. Pero durante un tiempo no supe lo que había hecho papá exactamente. Más adelante, todo resultó evidente. Hasta dónde había llegado. Fue una sorpresa, te lo confieso. ¡Papá!

El dinero era nuestro. James lo ganó.

Querrás decir que lo robó, mamá.

Sí.

Y siguió robando. Hasta que Amanda lo paró.

Sí.

Y le dijisteis que lo habíais devuelto. Todo. Y que estabas saldando tu deuda con la sociedad trabajando de voluntaria en la clínica. Pero no era cierto. Os las arreglasteis para que ella no lo supiera.

Era nuestro secreto, entre James y yo.

Luego papá murió. Y tú empezaste a deteriorarte. Lo descubrí todo cuando repasé tus papeles. Al principio pensé que tú no lo sabías, que había sido todo cosa de papá. Pero después, por supuesto, comprendí que tenías que saberlo. Y desde que me cediste la tutela de tu dinero, Amanda estuvo preguntándome cosas. Sondeando. De algún modo, se enteró de que había dinero. Mucho dinero. De que la habíais engañado. De que yo estaba corrompida, igual que vosotros. No podía soportarlo.

James tenía razón al preocuparse por Fiona. Era demasiado para ella.

Así que Amanda siguió acosándote. No iba a parar. A pesar de tu estado. Aquella tarde, os peleasteis. Magdalena me lo contó. Estabas terriblemente irritada. Tuvo que llevarte a urgencias. Te pusieron una inyección para tranquilizarte. Magdalena me llamó. Estaba furiosa. Esa mujer ha ido demasiado lejos, dijo. No pude presentarme hasta tarde. Tenía un compromiso en la facultad del que no podía excusarme. De modo que llegué a eso de las diez de la noche. Aparqué frente a tu casa y anduve hasta la de Amanda. Todavía puedo ver la expresión de su rostro cuando abrió la puerta. Triunfante. Sin arrepentirse. Te había sonsacado lo que quería. Y se puso manos a la obra conmigo. Las cosas que dijo, cosas horribles... Sobre ti, sobre papá, y especialmente sobre mí.

Amanda me dijo: Ya paré esto antes, y no voy a permitir que tú lo perpetúes ahora. Con tu padre muerto y tu madre en su estado actual, puedes *desvelar* los crímenes pasados de tus padres y resarcirlos. Volver a nacer como una ciudadana moralmente ética.

La persona está muy metida en la historia y se sobresalta cuando le hablan.

«Vigila a Fiona», me dijo James cuando todavía era muy pequeña. Ni siquiera tenía diez años. ¿Sabes qué era lo que más le preocupaba?

¿Qué, mamá?

Todos los cuidados que prestaba a su hermano. Lo entregaba todo y ella se quedaba indefensa. «Está en peligro», me dijo James. «Vigílala atentamente.»

Amanda iba a denunciarme, mamá. Habría sido nuestro final, el de nuestra familia, lo poco que quedaba de ella. Y me dijo unas cosas... sobre papá, sobre ti. Cosas horribles. Amanda en su peor versión, una demostración completa de su moralidad altanera. Me iba a reformar a su imagen y semejanza, dijo. Una imagen recta. Yo estaba tan deshecha, tan enfadada... Le di un empujón y entré en su casa. No tenía nada planeado. Pero, sin saber muy bien cómo, acabé sacudiéndola por los hombros. Tuve que ponerme de puntillas, de lo alta que era. Se rio de mí. De mi incapacidad, de mi... debilidad. Así que le di un fuerte empujón. Se cayó hacia atrás y se dio un golpe con la cabeza en esa mesita de roble del recibidor de su casa. ¡Cuánta sangre! El mundo dejó de girar. Me arrodillé, intenté buscar un latido: nada. Estaba desesperada. Manchada de sangre y temblando con escalofríos ante el horror de todo aquello. No podía pensar con claridad. Eché a correr, me monté en mi coche y conduje hasta casa, demasiado rápido. Es sorprendente que no me pararan. Ya había pasado Armitage cuando me di cuenta de que no tenía mi medalla de san Cristóbal. Tu medalla. Estaba allí, en la mano de Amanda cuando volví, pero ya se había producido el rígor mortis. Debía de llevar bastante tiempo allí sentada cuando nos encontraste. Yo estaba fuera de mí.

Todos mis seres queridos ya no están. Excepto la única, la chica.

No me percaté de que estabas allí hasta que te acercaste a mí, te arrodillaste. Me abrazaste por un instante. Luego me agarraste del brazo, me levantaste y me apartaste del cadáver.

Una chapuza. Un trabajo cruel.

Estaba fuera de mí.

Pero aquel cuadro terrible. Allí en el suelo. Toda la sangre. Pero lo peor de todo, el gesto en su rostro. Horror, sí, pero algo más. Satisfacción.

Ya conoces el resto, y después, cómo me apresuré para eliminar cualquier prueba.

Una visión desagradable. No dejo de tenerla. Pero ¿es real? La persona se cubre la cara.

Las dos personas a las que más quieres en el mundo. Y no es la muerte lo que importa, sino el gesto en la cara de tu ser querido. La alegría oscura. Insoportable.

No lo dudaste ni un instante. Te pusiste manos a la obra. Sin recriminaciones, sin preguntas. Me protegiste. Me salvaste. La persona guarda silencio por un momento. *Supongo que se puede decir que conseguimos tener un momento de gracia en medio del horror.* La persona acerca su mano.

¿Mamá? ¿Qué pasa?

No. No llegaré tan lejos. Todavía no he llegado a tanto.

La persona está empezando a llorar de nuevo. *¿Mamá? ¿Qué estás diciendo?*

Entonces ella piensa. En ocasiones, todavía puede pensar. Conoce a esta persona. Sabe de lo que es capaz esta persona. Ahora ella sabe. De modo que así es como se acaba. De modo que esto es lo que se siente al llegar más allá del dolor. Se *puede* llegar más allá.

Mamá, por favor.

De modo que así es como se acaba.

Mamá. Yo no pensaba que las cosas serían así.

Cada día es más lento que el anterior. Cada día desaparecen más palabras. Solo las visiones permanecen. El patio. El vestido blanco de comunión. Jugar al *kickball* en las calles. James quemando una tostada. Los niños. Ese al que tuvo que aprender a querer. Esa a la que pensaba que no podría querer bajo ninguna circunstancia.

Y esa segunda es todo lo que importa ahora.

La mujer grande vestida de azul ha vuelto, haciendo tintinear sus llaves. *Se acabó el tiempo de visita.*

Sí, de todos modos tengo que irme. La persona está secándose los ojos. Se levanta. *Mamá, mañana no voy a poder venir. Ya sabes que es día de clase. Pero el jueves, seguro. Te veré entonces.*

Lo que importa al final son las visiones. Ya no hay nadie para mostrarle los álbumes, para preguntarle si se acuerda. Pero eso no importa. Ella ya no necesita las fotos. Ahora vienen directamente a ella: su madre, su padre. Le traen noticias, le cuentan bromas. James, conteniéndose al principio, pero luego dejándose arrastrar. Y Amanda. Amanda está ahí, también, entera y fuerte. Está enfadada. ¿Quién no lo estaría? Pero cuando su enfado se consuma, quedará algo.

Enfermera, está haciéndolo otra vez.

Hay un sitio bueno aquí. Es posible encontrarlo. Con unos amigos tan queridos. Incluso con los silenciosos. Luego están los que han vuelto de la tumba. Enviados por Dios.

Enfermera, ¿puede hacer que se calle?

Aceptar lo que has hecho. Aceptar las visiones. Esperar a que todo se acabe en su compañía. Al final, con eso basta.

AGRADECIMIENTOS

Mi más sincero agradecimiento a los amigos que comentaron los primeros manuscritos de esta obra, en especial a Marilyn Lewis, Jill Simonsen, Mary Petrosky, Carol Czyzewski, Christie Cochrell, Diane Cassidy, Marilyn Waite, Judy Weiler, Connie Guidotti y Florence Schorow. Me hizo muchísima ilusión tener la oportunidad de trabajar con la legendaria editora de Grove/Atlantic, Elisabeth Schmitz, cuyas reflexiones y espíritu generoso hicieron de este libro una obra mucho mejor de lo que podría haber sido. Gracias también a Morgan Entrekin por sus ánimos y apoyo, y a Jessica Monahan, que dio cohesión a todo el conjunto durante el proceso editorial. Mi agradecimiento especial para mi viejo y querido amigo el doctor Mitch Rotman por sus inestimables consejos en temas médicos; sin embargo, cualquier error es cosa mía, no suya. No me cansaré de dar las gracias a mi agente, Victoria Skurnick, de la Agencia Literaria Levine-Greenberg, cuya gran profesionalidad solo se ve superada por su extraordinaria calidez personal: ahora comprendo por qué es tan querida en todo el sector. Y, por supuesto, no podría haber hecho esto sin mi familia, quienes, tras mucho debate, me permitieron tener una cómoda silla en la que escribir: David y Sarah, mucho amor para vosotros.